Luciano De Crescenzo

Also sprach Bellavista

Neapel, Liebe und Freiheit

*Aus dem
Italienischen von
Linde Birk*

Diogenes

Titel der Originalausgabe
Così parlò Bellavista
Napoli, amore e libertà
© 1977 Arnoldo Mondadori Editore S. p. A., Mailand
Umschlagillustration: Sempé

Deutsche Erstausgabe

Alle deutschen Rechte vorbehalten
Copyright © 1986 by
Diogenes Verlag AG Zürich
100/87/8/7
ISBN 3 257 01723 5

Ich möchte eine große Decke besitzen
Tausende Spannen lang
die auf einmal
jede Handbreit meiner Stadt
bedecken könnte.

Po Chu-I (772–846 n. Chr.)

Inhalt

Zwei Worte vorweg

Ist dieses nun ein Sachbuch oder ein Erzählungsband? Sagen wir so, daß die Kapitel mit ungeraden Ziffern mehr in die erste Kategorie passen, auch wenn sie ganz im Plauderton geschrieben sind, während die Kapitel mit geraden Ziffern eher in den Bereich Erzählung gehören, da sie nichts anderes sind als kleine Geschichten aus dem neapolitanischen Alltag, die ich zum Teil wirklich selber erlebt oder aber aus der Stadtchronik übernommen habe. Marotta und Platon sind die beiden Führer durch dieses Buch: Marotta für die Teile, die das Kolorit wiedergeben, und Platon bei den Dialogen zwischen Professor Bellavista in der Rolle des Sokrates und einigen seiner mehr oder weniger beschäftigungslosen Philosophieschülern. Gott und die Leser mögen mir den Vergleich verzeihen, ich meine hier natürlich nur das Genre und nicht etwa die Qualität der »Sache«.

Dieses Buch, bei dessen Lektüre man sich also auf die Kapitel mit geraden Ziffern oder, je nach Einsatzbereitschaft des Lesers, auch auf diejenigen mit ungeraden Ziffern beschränken kann, ist mehr oder weniger wie eines jener alten Geometriebücher aufgebaut, in denen auf die jeweiligen Lehrsätze praktische Beispiele folgen. Die neapolitanischen Anekdoten in den Kapiteln mit geraden Ziffern sind also so etwas wie die praktische Beweisführung zu den philosophischen Theorien, die der Professor in seinen Dialogen über die Freiheit und die Liebe aufstellt.

Der Gedanke zu einem solchen Buch kam mir eines Tages

in Mailand, als ein Kollege, der im norditalienischen Indu-
striedreieck geboren ist und sein Leben lang nur dort gelebt
hat, beschloß, mit der ganzen Familie über Ostern nach Neapel zu fahren. Meine objektive Angst vor dem Eindruck, den
er bei der ersten Berührung mit meiner Stadt würde bekommen können, veranlaßte mich, die ganze Karwoche hindurch
eine Art Einführungskurs zu halten, um diese lombardische
Expedition in die neapolitanische Welt vorzubereiten. Ich
zeigte ihnen Fotos von den verwinkelten Gassen Neapels, erzählte ihnen von einzigartigen Handwerksberufen, erklärte,
was man unter dem vollkommenen Mangel an Privatsphäre
versteht und verfiel, sagen wir es ruhig, am Schluß sogar in die
Rhetorik des *Penzamm'a salute* oder *è pat'e figlie*[1]. Bei ihrer
Rückkehr hörte ich, daß einige meiner Ratschläge wertvoll
gewesen waren und daß sie, vielleicht dank meiner Reden, der
neapolitanischen Wirklichkeit mit mehr Verständnis und daher mit einem gewissen Wohlwollen begegneten.

Nun weiß ich genau, daß ich mich, wenn ich solche Dinge
schreibe, sofort ins Schußfeld der herrschenden neapolitanischen Intelligenzija begebe, die gerade im Lokalkolorit und
dem viel zitierten »Blauen Himmel« den größten Feind Neapels sieht. Um einer solchen Anschuldigung zu entgehen,
bitte ich den eiligen Leser, nicht bei den ersten vier oder fünf
Kapiteln stehenzubleiben, sondern das Buch, natürlich nur,
wenn es ihm gefällt, bis zu Ende zu lesen; am Ende nämlich
erhält er dann wie in einem richtigen Krimi eine erschöpfende
Erklärung der »Sache« (im allerletzten Kapitel!).

Die Entwicklung der zeitgenössischen neapolitanischen
Literatur vollzog sich in Wellen: von der Mitte des vergangenen bis in die vierziger Jahre unseres Jahrhunderts gab es eine
Vielzahl von Dichtern, Musikern und Malern, die der Welt
jenes Bild von Neapel malten, das wir alle kennen: *Chist'è 'o
paese d' 'o sole*, heißt es in einem Lied, *chist'è 'o paese d' 'o*

---

1 »Hauptsache gesund«, »Er ist Familienvater«. Beschönigende Umschreibungen
für jede Art von Eigentumsdelikt.

*mare, chist'è 'o paese addò tutt' 'e pparole, sò ddoce o sò amare,
sò ssempe parole d'ammore*[1]. Der einzige Mißklang in diesem
Mandolinenkonzert kommt von dem hervorragenden kleinen Buch der Matilde Serao *Il ventre di Napoli*[2], dessen Lektüre ich nicht müde werde allen zu empfehlen, die wirklich
etwas von Neapel verstehen wollen. Nach dem Krieg gab es
dann plötzlich einen völlig neuen Kurs in der Literatur: wehe,
wenn einer noch über das Meer, die Sonne und das neapolitanische Herz redete. Angefangen bei Malaparte bis zu Luigi
Compagnone, Anna Maria Ortese, Domenico Rea, Raffaele
La Capria, Vittorio Viviani und so weiter wurde aus dem
Wunsch, unserer Stadt die Schminke abzuwaschen, mit der
sie viele Jahre lang übertüncht worden war, des Guten vielleicht zuviel getan und mit der Farbe auch noch die Haut vom
Gesicht eines Volkes gelöst, das auch ohne Mandoline und
Gitarre doch eine ganz eigene typische Physiognomie hat.
Tatsache ist, daß gerade nach dem Krieg der schlechte Geschmack der Massen in der Konsumgesellschaft noch verstärkt worden ist. Während der barfüßige Fischer der neapolitanischen Ölgemälde des neunzehnten Jahrhunderts von
den Dichtern seiner Zeit zu Recht geliebt wurde, findet sein
Nachfahre in Jeans und spitzen Stiefelchen, mit Handtäsch-
chen und voll aufgedrehtem Transistorradio leider nicht
ebenso großen Anklang. Auch in dieser Periode gibt es nur
einen, der nicht ins allgemeine Horn tönt: Peppino Marotta,
der Maler mit der Feder, der sein Neapel, sein Materdei, seinen Pallonetto in Santa Lucia unerschütterlich mit der immer
gleichen Zärtlichkeit beschreibt.

An diesem Punkt möchte ich einmal versuchen, ein Konzept auszudrücken: Neapel ist für mich nicht die Stadt Neapel, sondern nur eine Komponente der menschlichen Seele,
von der ich weiß, daß ich sie bei allen Menschen finden kann,

---

1 »Dies ist das Land der Sonne, dies ist das Land des Meeres, dies ist das Land, wo
alle Worte, ob süß oder bitter, immer Worte der Liebe sind.«
2 »Der Bauch von Neapel«

egal, ob sie Neapolitaner sind oder nicht. Wogegen ich wirklich mit allen Kräften ankämpfe, ist, daß das »Neapolitanische« immer in Zusammenhang mit der Unwissenheit der Bevölkerung gesehen werden soll. Einfach ausgedrückt, ich weigere mich zu glauben, daß es nicht möglich sein soll, die Lebensbedingungen eines Volkes zu verbessern, ohne dabei zwangsläufig auf die menschlichen Inhalte seiner Lebensart verzichten zu müssen. Es gibt Augenblicke, da denke ich, Neapel könnte vielleicht sogar noch die letzte Hoffnung sein, die der ganzen menschlichen Rasse bleibt.

Keine Frage, daß auch alle die anderen, die ich oben nannte, von der Serao bis zur Ortese, von Rea bis Compagnone Neapel geliebt haben und es immer noch lieben. Aber wenn man den Dialekt am liebsten abschaffen möchte, weil die Neapolitaner durch einen solchen Exorzismus der politischen Wirklichkeit des Landes leichter eingegliedert werden könnten, kommt das meiner Meinung nach einem Mord aus überschwenglicher Liebe gleich. Wenn man schon so überlegt, dann frage ich mich, warum man dann nicht gleich zum Englischen übergeht, nachdem doch der einzige politische und wirtschaftliche Kontext, der heute noch gilt, nicht mehr der italienische, sondern der europäische ist. Salvatore Palomba, ein empfindsamer neapolitanischer Dichter und mein Freund, las mir vor einigen Tagen in diesem Zusammenhang diese wunderbaren sizilianischen Verse von Ignazio Buttitta vor:

Un populu	*Ein Volk*
mittitulu a catina	*Legt es in Ketten*
spugghiatilu	*Beraubt es*
attuppatici a vucca	*Stopft ihm den Mund*
è ancora libiru	*es ist noch frei*

Livatici u travagghiu	*Nehmt ihm die Arbeit weg*
u passaportu	*den Paß*
a tavula unni mancia	*den Tisch, an dem es ißt*
u lettu unni dormi	*das Bett, in dem es schläft*
è ancora riccu	*es ist noch reich*
Un populu	*Ein Volk*
diventa poviru e servu	*wird arm und knechtisch*
quannu ci arrobbanu a lingua	*wenn sie ihm die Sprache rauben*
addutata di patri:	*die es von den Vätern ererbt*
è persu pi sempi	*es ist für immer verloren*

Meine Lust, diese meine »Sache« direkt im Dialekt zu schreiben, wobei mich aber gleichzeitig der Wunsch leitete, vor allem von meinen nichtneapolitanischen Freunden verstanden zu werden, hat mich veranlaßt, eine besondere Arbeitsweise anzuwenden: ich habe den ganzen Text zuerst in Dialekt auf Tonband gesprochen und ihn dann geduldig Wort für Wort ins Italienische übertragen, jedoch so, daß die Dialoge ihre dialektale Syntax behielten.

Damit überlasse ich nun das Wort Professor Bellavista, dem Vizeersatzhausmeister Salvatore sowie Saverio, der im wirklichen Leben Gennarino Auriemma heißt, arbeitslos ist und, wie er selber sagt, jederzeit zur Verfügung steht.

L. D. C.

Rom, Oktober 1976

I

Salvatore

*Neapel ist ein Paradies, jedermann lebt
in einer Art von trunkner Selbstverges-
senheit. Mir geht es ebenso, ich erkenne
mich kaum, ich scheine mir ein ganz
anderer Mensch. Gestern dacht' ich:
entweder du warst sonst toll, oder du
bist es jetzt.*

Goethe, *Italienische Reise*
(Caserta, 16. März 1787)

Hausmeisterwohnung in der Via Petrarca 58. Um einen Tisch
herum sitze ich mit Vizeersatzhausmeister Salvatore Coppola, Doktor Passalacqua (3. Stock, erste Tür links) und einem unbekannten Herrn, der vorbeigekommen war, um sich
nach einer freien Wohnung zu erkundigen und beschlossen
hat, ein wenig dazubleiben.

»Also wirklich, von Politik verstehe ich gar nichts«, sagt
Salvatore Coppola, der Vizeersatzhausmeister. »Wozu habt
ihr überhaupt studiert?«

»Was hat denn das mit Studium zu tun«, erwidere ich. »Jeder hat zu Recht seine politischen Überzeugungen, aber er
muß doch auch die Meinung der anderen gelten lassen.«

»Aber hier geht es ja gar nicht um politische Überzeugungen, die Frage muß einfach von einem internationalen Stand-
punkt aus betrachtet werden!« fährt Salvatore fort. »Sie müssen begreifen, daß wir Neapolitaner gar keine andere Wahl
haben, wir müssen alle KPI wählen und dann sofort aus der
NATO austreten, um ein Bündnis mit Rußland zu schließen.«

»Salvatore, wie kommst du bloß darauf, daß Rußland stärker sein könnte als Amerika?« fragt Passalacqua.

»Mir kann es wirklich egal sein, ob Amerika stärker ist oder Rußland, es interessiert mich nicht. Aber wenn wir hier einmal der Sache auf den Grund gehen, dann wird schnell klar, was uns bevorsteht, wenn ein dritter Weltkrieg ausbricht und sie uns gefangennehmen.« Bei diesen Worten hebt Salvatore wie kapitulierend beide Arme. »Wenn also der dritte Weltkrieg ausbricht und wir nun Verbündete Amerikas sind, von wem werden wir dann gefangengenommen? Doch wohl von Rußland, oder? Sagen Sie jetzt nicht, daß das nicht stimmt. Ja, aber wir Neapolitaner können doch unmöglich als Kriegsgefangene nach Rußland gehen. Überlegen Sie doch bloß mal: Erstens sind wir an das strenge Klima in Sibirien nicht gewöhnt, wo es kalt ist, verdammt kalt, und dann sind wir auch gar nicht entsprechend ausgerüstet. Also wirklich, wir würden in dieser verdammten Kälte einfach eingehen. Da wäre es dann doch etwas ganz anderes, wenn wir uns mit Rußland zusammentäten. Na ja, weil wir in dem Fall automatisch von den Amerikanern gefangengenommen und sofort nach Amerika geschickt würden. Und da könnte einer mit Gottes Hilfe und ein paar Beziehungen sogar die Sprache lernen und so nach und nach gewiß auch im Krieg ein gutes Pöstchen finden!«

»Und wenn wir nun in chinesische Gefangenschaft geraten?« fragt der Herr, der wegen der Wohnung gekommen war.

»Da kämen wir vom Regen in die Traufe. Diese Chinesen, die essen doch ekelhaftes Zeug. Stellt euch nur einmal vor, was die uns armen Gefangenen vorsetzen würden: bestenfalls einen Klacks Reis. O je! Und wie soll ich, Coppola Salvatore, bei dem Hunger, den ich habe, mit einem Klacks Reis pro Tag auskommen?«

Salvatore Coppola ist Vizeersatzhausmeister insofern, als das Haus Via Petrarca 58 in Don Armando bereits über einen vollbestallten Hausmeister sowie in der Person des Ferdinando Amodio, einer mythologischen Gestalt, denn er hat den

Oberkörper eines Menschen, während der untere Teil von einem Stuhl gebildet wird, über einen Ersatzhausmeister verfügt. Um keine Mißverständnisse aufkommen zu lassen: Ferdinando ist kerngesund, nur kann ich mich nicht erinnern, ihn je in aufrechter Haltung gesehen zu haben. Er erhebt sich nicht einmal an Weihnachten, um sein Trinkgeld zu verlangen. Er ruft einen herein.

Don Armando hingegen ist einfach ein Herr, wie er sich selber gern bezeichnet, der kostenlos in der Via Petrarca 58, Erdgeschoß, 1. Tür, wohnt. Und jedem neuen Bewohner erklärt Don Armando gleich am ersten Tag seine besondere Lage:

»Sie müssen wissen, ich bin hier Hausmeister, und doch bin ich es auch wieder nicht. Also das kommt so: Leider habe ich kein Glück im Leben gehabt: ich stamme aus einer vornehmen Familie (mein Großvater brauchte, um es in aller Bescheidenheit zu sagen, nicht zu arbeiten, und Papa war Buchhalter bei den Wasserwerken), und wir lebten alle in Anstand und Würde, auch weil wir im Borgo Loreto drei Häuser besaßen. Bis dann mein Großvater eines schlimmen Tages Freundschaft mit einem Winkeladvokaten schloß und es dann nur noch Vorladungen und Stempelpapiere ins Haus regnete, na ja, um es kurz zu machen, bald darauf konnte ich mich von meinem Großvater, von Papa und von allen Häusern, die uns gehört hatten, verabschieden. Und jetzt kommen wir zu uns: ich für meine Person habe nämlich mein Leben lang keinen anderen Wunsch gehabt, als in der Via Petrarca und in einer Lage mit schöner Aussicht zu wohnen. Und jetzt sagen Sie selber: wie hätte sich ein armer Teufel wie ich, der keinen roten Heller mehr besaß, einen solchen Wunsch erfüllen sollen? Ich hatte mich schon damit abgefunden, dieses elende Leben in zwei Zimmern an der Via Nuova Bagnoli 17 zu beschließen, wo mir Tag und Nacht der Rauch von der Ilva in die Nase stieg, als sich mir plötzlich die große Gelegenheit bot: die Anstellung als Hausmeister in der Via Petrarca 58, Gehalt,

Wohnung frei, Fenster zum Meer! Da kann man mir nun sagen, aber das ist doch ein sozialer Abstieg. Aber warum wollen wir denn den nicht hinnehmen, diesen sozialen Abstieg? Dottore, was geht mich der soziale Abstieg an, wenn ich mich hier an meinem Fenster mit Blick auf Capri und den Vesuv als ein Cavaliere del Lavoro[1] fühle, ach, was sage ich, wie der Präsident der Republik fühle ich mich! Und was nun die Pflichten als Hausmeister betrifft, habe ich freiwillig auf einen Teil des Gehaltes zugunsten des Amodio Ferdinando verzichtet, der mich bei den Obliegenheiten vertritt. Professionell gesprochen ist Ferdinando der beste Hausmeister von ganz Neapel: er verläßt seinen Posten an der großen Eingangstür nie, da können Sie sicher gehen, was immer geschieht, Ferdinando steht bewegungslos da und beobachtet alles.«

Angesichts der anlagebedingten Unbeweglichkeit Ferdinandos wurden die dynamischen Aufgaben des Amtes dem Vizeersatzhausmeister Coppola Salvatore übertragen, der dafür einen Teil des Gehaltsanteils von Don Armando erhält.

Wie um sich zu rechtfertigen, erklärt mir Ferdinando selber seine Gründe:

»Sie müssen verstehen, da ich Junggeselle bin und keine Frau habe, wer sollte denn da die Treppe reinigen?«

Machen wir aber nun nicht den Fehler, uns zu fragen, wie drei erwachsene Männer, zwei davon mit Familie, sich von einem einzigen Hausmeistersgehalt ernähren. Schon ein Jahrhundert lang überleben mehr als eine Million Neapolitaner mit ein paar tausend Gehältern und mit den verschiedenartigsten zusätzlichen Einkommen, die durch die tägliche Produktion der phantastischsten Dienstleistungen erzielt werden.

Unsere obengenannten Hausmeister zum Beispiel kommen in den Genuß einer Art Steuerabgabe auf jedes Ereignis, das sich innerhalb des Wohnbereichs abspielt, für den sie zuständig sind. Also auf: Wechsel einer Aufwartefrau, Hand-

---

[1] »Ritter des Ordens der Arbeit«

werksarbeiten, die von Dritten innerhalb des Hauses durchgeführt werden, An- und Verkauf von Immobilien, gebrauchten Autos, Ehefrauen und Motorbooten, intime und geschäftliche Informationen, alles trägt zum Unterhalt dreier Familienväter bei, die im übrigen die erhaltenen Zuwendungen voll verdient haben, da sie auf jedem Gebiet außerordentliche Kompetenz beweisen.

Um nur einmal eine Vorstellung zu geben: Ferdinando bekommt eine feste monatliche Zuwendung dafür, daß er vorgibt zu schlafen, wenn die schüchterne Geliebte des Architekten Scalese kommt.

»Also gut«, sagt Doktor Passalacqua, »um Salvatore einen Gefallen zu tun, wählen wir jetzt alle die KPI, dann kann Salvatore im Kriegsfalle als Kriegsgefangener nach Miami Beach gehen.«

»Aber darum geht es doch überhaupt nicht, ich habe ja vorhin nur Spaß gemacht, denn es ist doch so, lieber Dottore Passalacqua, daß Sie bei dem Wort *kommunistisch* gleich ein wenig allergisch reagieren, ja, wenn Sie nur *kommunistisch* hören, regen Sie sich auf. Das ist doch die reine Wahrheit: bei dem Wort *kommunistisch* regen Sie sich gleich auf.«

»Salvatore, ich habe dir schon einmal gesagt, daß ich mich weigere, mit dir über Politik zu reden«, erwidert Passalacqua.

»Ist doch klar, Sie sind ein liberaler Aristokrat, und da ich das Volk verkörpere, wollen Sie mit mir als dem Volk nicht reden.«

»Während du das Volk liebst, wie Salvatore?«

»Sagen wir, daß es nicht gerade meine große Liebe ist, aber ich achte es sicher mehr als ihr Liberalen.«

»Ach komm, Salvatore, Tatsache ist doch, daß ihr Kommunisten behauptet, das Volk zu lieben, dabei seid ihr zu nichts anderem fähig, als die Reichen zu hassen.«

»Oho, Dottore, da muß ich Ihnen schon widersprechen. Sie werden doch nicht behaupten, daß ich bei all dem, was ich von morgens bis abends zu tun habe, um mir ein bißchen Brot zu verdienen, auch noch Zeit habe, zu hassen.«

»Da haben wir ja die Demagogie, da haben wir ja die Demagogie!«

»Ja wo denn?« fragte Salvatore und sieht sich im Kreis um. Salvatore weiß ganz genau, was Demagogie ist, aber er macht sich einen Spaß daraus, den Unwissenden zu spielen.

»Wo ist was?« fragt Passalacqua.

»Das Ding, von dem Sie geredet haben.«

»Salvatore, ich habe gesagt Demagogie, weil ihr Kommunisten immer nur davon redet: ein bißchen Brot, ein Stück Brot, Brot und Arbeit und so weiter.«

»Was soll ich denn sonst sagen? Vielleicht, daß ich jeden Tag fünf Treppen reinige, um ein Stückchen Hummer zu verdienen!«

»Salvatore, abgesehen davon, daß du die Treppen nie reinigst, auch nicht einmal im Monat, und den fünften Stock noch nie gesehen hast, wollte ich sagen, daß die Kommunisten ewig nur die gleiche Leier singen: die vom armen Volk, das Hungers stirbt. Dabei seien wir doch einmal ehrlich, hier in Italien stirbt kein Mensch mehr vor Hunger.«

»Ihr Liberalen dagegen seht immer die Straßen voller Leichen.«

»Also bleiben wir doch ernst. Ich bin Techniker und glaube an die Zahlen, ich glaube an die Statistik. Weißt du, was das ist, die Statistik?«

»Nur ungefähr, da ich in der Schule nie besonders gut war. Aber wenn ich richtig verstanden habe, ich mag mich ja irren, dann sagen Sie es mir, also wenn man mich mit dem Hintern in einen Ofen und mit dem Kopf in einen Kühlschrank steckte, dann müßte es mir wohl statistisch gesehen gut gehen.«

Allgemeines Gelächter der Anwesenden. Die Zahl der Zuschauer hat sich inzwischen vergrößert. In Neapel entsteht so etwas wie Wildwuchs, ohne daß man besondere Einladungen auszusprechen braucht. Die Beteiligung ist unparteiisch, und Zustimmung erhält man mehr für die geschickte Art der Redeführung als für die vertretenen Ideen. Salvatore ist Kommunist und behauptet, an den vier Tagen von Neapel dabeigewesen zu sein, auch wenn er damals erst acht Jahre alt war. Passalacqua dagegen gibt sich für einen Liberalen aus, ist aber unbewußt monarchistisch-faschistisch, wenn auch in gutem Sinne.

»Salvatore, du weißt, wie gern ich dich habe, aber du mußt mir zuhören«, sagt Doktor Passalacqua ungeduldig. »Wir versuchen hier, ein vernünftiges Gespräch zu führen, und du unterbrichst mich mit deinen Witzchen.«

»Was sagt denn nun aber die Statistik, Dottore?« fragt der Herr, der wegen der Wohnung kam.

»Also die Statistik, die Statistik sagt, daß Italien ein Pro-Kopf-Einkommen von 1 100 000 Lire jährlich hat und damit eines der reichsten Länder der Welt ist.«

»Hochverehrter Dottore«, sagt Salvatore, der sich erhoben hat, um Habachtstellung einzunehmen und sich nun voll Dankbarkeit verneigt. »Ich danke Ihnen für Ihre Aufklärung darüber, daß ich in meiner Eigenschaft als italienischer Staatsbürger einer der reichsten Männer der Welt bin, und ich schwöre Ihnen bei Gott, daß ich das bisher noch gar nicht gemerkt habe, auch weil ich gegenwärtig hier als Vizeersatzhausmeister nur 30 000 Lire im Monat verdiene, die mir mein Arbeitgeber Ferdinando Amodio, der dort draußen sitzt und mich hört, freundlicherweise zufließen läßt. Doch erinnern Sie mich zu Recht daran, daß Don Giovannino Agnelli zum Ausgleich dafür eine Milliarde im Monat einsteckt und wir also statistisch vollkommen in Ordnung sind: ich, Agnelli und Ferdinando.«

»Da habe ich dich genau an dem Punkt, an dem ich dich wollte«, ruft Doktor Passalacqua triumphierend aus. »Das wußte ich, daß du das Einkommens-Mißverhältnis vorbringen würdest, aber warte nur einen Moment, du wirst sehen, daß du mir am Ende recht gibst. Also die Statistik, die Statistik sagt, daß auch in Italien jeden Tag 3200 Kalorien pro Einwohner verzehrt werden, während zum Leben, und zum gut Leben auch 2700 ausreichen würden. Und da kannst du mir jetzt nicht erzählen, daß sich Don Giovannino Agnelli mittags an den Tisch setzt und sich achthundert- oder neunhunderttausend Kalorien einverleibt: gut, klar, er wird Kaviar, Hummer und was zum Teufel du immer willst, essen, aber er wird doch immer nur einen Magen wie den deinen zu füllen haben. Und da mußt du doch jetzt zugeben, daß, wenn die Statistik sagt, in Italien werden täglich 3200 Kalorien pro Kopf verzehrt, diese Kalorien doch von irgend jemand gegessen werden müssen und infolgedessen in Italien heute auch niemand mehr Hungers stirbt.«

»Sehen Sie, Sie haben studiert und wissen mehr als ich über diese Zahlen. Ich würde mir nie erlauben, zu behaupten, daß Sie sie in diesem Augenblick einfach erfinden, aber was soll ich dazu sagen? Wenn die Dinge liegen, wie Sie sie erklärt haben, bedeutet das einfach, daß meine 3200 Kalorien der letzte Mist aller in Italien verbrauchten Kalorien sein müssen. Oder wie soll ich mir erklären, daß ich jeden Abend, wenn ich ins Bett gehe, ein bißchen Hunger spüre.«

»Die Statistik, die Statistik sagt auch«, fährt Doktor Passalacqua unerschütterlich fort, »daß nachdem in Italien fast fünfzehn Millionen Autos verkehren, jede italienische Familie durchschnittlich ein Auto hat.«

»Ich habe durchschnittlich keines«, erwidert Salvatore.

»Auch in diesem Fall kannst du mir nun nicht erzählen, daß Don Giovannino Agnelli, wenn er zum Einkaufen fährt und sich jene neunhunderttausend Kalorien kauft, die er für seinen kleinen Imbiß mittags braucht, mit zehn Autos, eines nach dem anderen, wegfährt.«

»Das Schlimme ist, hochverehrter Dottore, daß Sie alles nur in Autos und Kartoffelkroketten messen.«

»Das Schlimmste ist, verehrtester Salvatore, daß du gern

jammerst wie die Katzen auf dem Dach, die, wie du ja genau weißt, gleichzeitig jammern und lieben.«

»Also bitte, dann werde ich eben von diesem Augenblick an nicht mehr jammern. Damit bin ich Vizeersatzhausmeister ohne das Recht zu klagen.«

»Zum Teufel aber auch, jedesmal, wenn ich mit Kommunisten rede, muß ich mich aufregen«, sagt Doktor Passalacqua und sieht sich verständnisheischend im Kreis der Anwesenden um. »Ich wäre ja doch wahnsinnig gern wenigstens fünf Minuten lang Herr über die Welt! Dann würde ich sagen: was sagst du da, Coppola Salvatore? Daß der Kommunismus eine schöne Sache ist? Daß dir Rußland gefällt? Dann will ich dich zufriedenstellen. Dann schicke ich dich einfach nach China. Umgekehrt nehme ich mir dann einen Chinesen, der sich in China mopst, und hole ihn an deiner Stelle nach Neapel.«

»Weil uns hier zu unserem Glück nur noch ein chinesischer Vizeersatzhausmeister fehlt.«

»Ich will ja nichts anderes sagen, als daß einer, bevor er immer schreit: ›Es lebe Mao! Es lebe der Kommunismus!‹, diesen Kommunismus erst einmal aus der Nähe sehen müßte«, sagt Passalacqua.

»Da bin ich ganz Ihrer Meinung«, erwidert Salvatore. »Bis jetzt haben wir den Faschismus und die Christdemokraten aus der Nähe gesehen, probieren wir jetzt doch auch einmal den Kommunismus aus, dann werden wir ja sehen.«

»Das Schlimme ist nur, daß wir, wenn uns dieser Kommunismus nicht paßt, nicht einfach sagen können: ›Tut uns sehr leid, wir haben nur Spaß gemacht, jetzt wollen wir wieder zur Demokratie‹«, sagt Passalacqua. »Wenn ihr euch jetzt zum Beispiel mal einen Augenblick lang vorstellt, daß ich noch nicht geboren bin: also ich wäre ein Ungeborener im neunten Lebensmonat und wäre noch im Bauch meiner Mama und wartete auf meine Geburt, und dann käme plötzlich ein Engel und würde sagen: Dottore Passalacqua, der Herrgott würde Sie gern einen Augenblick sprechen.«

»Wie, waren Sie denn schon vor Ihrer Geburt Doktor?«

»Der Herrgott sieht mich an und spricht: ›Passalacqua, du wirst jetzt bald geboren, und da ich dich gern mag, frag ich dich, in welchem Land der Welt du am liebsten leben würdest, dann lasse ich dich dort auf die Welt kommen.‹ Ich bin natürlich sehr erfreut und denke: das ist doch nett, jetzt suche ich mir wirklich ein Land aus, das mir alle Bequemlichkeiten bietet. Also überlegen wir einmal: Asien kommt von vornherein nicht in Frage, in Asien gibt es ewig immer nur Krieg, Mittlerer Osten, Ferner Osten, Korea, Vietnam, die finden keinen Frieden, sie werden immer wieder überfallen, und was schlimmer ist, manchmal kommen auch welche, die sie befreien wollen.«

»Das stimmt«, sagt Salvatore, »wir müssen zugeben, daß Asien nicht gerade in einer glücklichen Lage ist.«

»Also dann kommen wir doch in Afrika zur Welt, auf dem geheimnisvollen und faszinierenden Kontinent, allerdings hat er genau besehen einen großen Nachteil.«

»Und worin besteht dieser Nachteil? Darin, daß es heiß ist?«

»Nein, daß er die Unabhängigkeit hat. Na ja, früher waren die afrikanischen Staaten doch alle Kolonien, und dann haben die Demokraten der ganzen Welt mit Recht gesagt: wie grauenhaft, diese Kolonien! Tod den Kolonialisten! Unabhängigkeit den schwarzen Völkern! Und sie gaben ihnen die Unabhängigkeit. Und seit sie nun unabhängig geworden sind, schlachten sich die armen Afrikaner in tausend Bürgerkriegen und bei tausend Staatsstreichen immer nur gegenseitig ab. Das ist doch nicht anders, als wenn ich zu meinem Sohn Lucariello, der vier Jahre alt ist, sagen würde: ›Lucariello, du bist ein freier Mann, tu was du willst.‹ Und mich dann hinterher wunderte, wenn er unter ein Auto käme.«

»Also gut«, sagt einer der Anwesenden. »Schließen wir auch Afrika aus.«

»Aber da ist ja noch Amerika«, fährt Passalacqua fort. »Die

Vereinigten Staaten von Amerika! Das reichste Land der Welt, so reich, daß es allen armen Ländern hilft, und ihnen nicht nur ökonomisch hilft, nein, sobald sie von den Kommunisten angegriffen werden, bringt es ihnen gleich den schönsten Krieg ins Haus, um sie befreien zu können. Sie sind die offiziellen Verteidiger des Planeten Erde geworden. Nun, wenn hier alle einverstanden sind, würde ich Amerika ebenfalls ausschließen.«

»Da bin ich wirklich auf ihrer Seite«, wirft Salvatore ein. »Diese Amerikaner sollten sich ein wenig mehr um ihre eigenen Angelegenheiten kümmern.«

»Bei all dem Ausschließen sind wir also zu guter Letzt bei Europa gelandet, und untersuchen wir nun zunächst einmal das kommunistische Europa: wie es sich in Rußland lebt, weiß man in Wirklichkeit überhaupt nicht, der eine behauptet dies, der andere jenes, meiner bescheidenen Meinung nach kann es nicht so toll sein.«

»Warum denn?«

»Das ist leicht zu erklären: erstens einmal muß man dort hin und wieder sehr früh aufstehen und sich in Reih und Glied aufstellen, um an einer der kolossalen Volksparaden teilzunehmen, da sieht man dann diese Ärmsten mit riesigen Transparenten mit den Bildern von Lenin und Karl Marx über den Roten Platz defilieren, wer weiß, wie schwer die sind. Und dann müssen sich ihre Oberen jedesmal, wenn sie sich treffen, auf den Mund küssen, und das ist eine Tatsache, die mich daran hindern würde, je irgendeine politische Karriere einzuschlagen.«

»Sauerei!« Der Kommentar kommt von Ferdinando, der, obwohl er nicht bei uns sitzt, die Unterhaltung Wort für Wort verfolgt.

»Also bleibt nur noch Westeuropa übrig: England, Schweden, Deutschland, Frankreich. Und da würde ich nun, schon aus klimatischen Gründen, Italien vorziehen und aus Angst, dann vielleicht in Mailand zu landen, genauer sagen: Süditalien. Schließlich würde ich, um wirklich ganz sicher zu gehen, und wenn es nicht zu viel verlangt wäre, darum bitten, in Neapel geboren zu werden. Und nachdem mich der Herr nun zufriedengestellt und mir tatsächlich das Vergnügen bereitet hat, mich genau in Neapel auf die Welt kommen zu lassen, soll ich da nun vielleicht anfangen, mich zu beklagen?«

Beifall aus dem Publikum. Der Herr, der wegen der Wohnung kam, erhebt sich und drückt Doktor Passalacqua die Hand.

»Gut«, sagt Salvatore. »Ich muß zugeben, Sie haben mich davon überzeugt, daß man in Italien bestens lebt und daß Neapel der beste Ort der Welt ist. Ich habe auch freudig zur Kenntnis genommen, daß in Italien alle reichlich zu essen haben, doch möchte ich Ihnen, wenn Sie erlauben, nur eines zu bedenken geben. Wohl essen wir Neapolitaner tatsächlich jeden Abend, das Schlimme ist nur, daß wir dessen bis zum letzten Augenblick nicht sicher sind, und es ist diese Ungewißheit, die uns so aufreibt.«

II

Dornröschen (männlich)

Cavaliere Sgueglia ist ein gewissenhafter Mann; sechsundvierzig Jahre alt, Junggeselle, führt er gemeinsam mit seiner Schwester, der Signora Rosa Gallucci, eine Farben- und Eisenwarenhandlung in der Via Torretta 282, nahe am Mergellina-Bahnhof. Wie gesagt, Sgueglia ist ein gewissenhafter Mann: seit etwa zwanzig Jahren, genau seit dem Tod seines seligen Vaters, verläßt er jeden Morgen um acht Uhr zwanzig das Haus, nimmt bei Fontana einen Kaffee und ein Stück Hefegebäck zu sich und zieht Punkt neun den Rolladen seines Geschäftes in der Via Torretta hoch. Donna Rosa taucht erst später auf, sie muß morgens zunächst ihren Ehemann, der im Rathaus arbeitet, und die drei Söhne, drei wirklich wilde Rabauken, die die Berufsschule besuchen, auf den Weg bringen.

Wenn sie dann kommt, setzt sie sich an die Kasse, ein Auge auf die Kunden und eines auf die Jungen gerichtet, damit diese nicht das ganze Geschäft ausrauben. Mein Bruder ist zu gut, sagt sie, und hat nicht gemerkt, daß man bei den himmelschreienden Preisen heute mit jedem Schraubenschlüssel, den man einbüßt, gleich fünftausend Lire verliert. Um ein Uhr geht der Cavaliere nicht weg, er läßt nur den Rolladen fast bis zum Boden herab, dann wärmt ihm Donna Rosa auf dem Kocher im Hinterzimmer etwas zu essen, bevor sie nach Hause eilt, um ihre vier Ausgehungerten, nämlich den Ehemann und die drei Söhne, zufriedenzustellen, während der Cavaliere, der Ärmste, nun inmitten von Lackdosen, Armaturen und Rollen von Metallgittern auf einem Klappbett ein halbes Stündchen schlummert.

Punkt acht Uhr abends schließt der Cavaliere sein Geschäft

und reiht sich in den Verkehr in Richtung Via Posillipo ein, wo er nach etwa zwanzig Minuten, kurz nachdem er die Piazza San Luigi überquert hat, in einer dunklen Seitenstraße, einer Sackgasse, hält und sein Auto parkt – einen zweifarbigen Fiat elfhundert mit umklappbaren Sitzen, mit dem er in den vier Jahren, seit er ihn hat, gut und gern zehntausend Kilometer gefahren ist. Dann zieht er sich in sein Haus zurück. Einfachstes Abendessen, fast immer das gleiche, das er sich offensichtlich selber zubereitet, ein bißchen Fernsehen und dann ins Bett: Madonna mia, danke für heute und behüte mich auch morgen und dann Vater Sohn und Heiliger Geist und Amen.

Nun werden Sie langsam sagen, was ist denn das für eine Geschichte? Was interessiert denn uns, daß der Cavaliere Sgueglia ein gewissenhafter Mensch ist? O nein, sage ich: gerade die Gewissenhaftigkeit des Cavaliere spielt eine entscheidende Rolle bei der Geschichte, die ich hier erzähle. Ja, denn Sie müssen wissen, daß alle Tage des Cavaliere Sgueglia seit fast zwanzig Jahren ohne Unterschied immer so verlaufen sind wie dieser: Nie mal ein Kinobesuch am Abend, oder was weiß ich, ein Zusammensein mit einem Freund oder Verwandten. Er bekommt keinen Besuch und geht nirgends hin. Nur am Sonntag, jeden Sonntag um eins, geht er zum Essen zu seiner Schwester: Messe, Gebäck von Fontana, zwei Rumtörtchen, eine Cremeschnitte, eine Makrone und zwei Blätterteigstückchen, dann *Il Mattino,* 3 Partien auf die Schnelle mit dem Schwager, während Donna Rosa in der Küche das Essen zubereitet und danach wieder nach Hause: zweite Halbzeit im Fernsehen, Werbesendung und Sport am Sonntag.

Aber kommen wir auf unsere Geschichte zurück: letzten Donnerstag gegen halb zwei Uhr nachts, als er gerade noch im ersten Schlaf lag, wurde der Cavaliere durch unaufhörliches Telefonklingeln geweckt. Wer sollte um diese Zeit anrufen? Er steht auf und nimmt den Hörer in der Gewißheit ab, daß nur etwas Schlimmes passiert sein konnte, und in der Tat hört er von seinem Schwager, daß seine Schwester, also Donna Rosa, plötzlich erkrankt sei: sie habe furchtbare Bauchschmerzen bekommen und der Ehemann habe sie ins Loreto-Krankenhaus gebracht, von wo er jetzt anrufe und wo sie mit größter Wahrscheinlichkeit am Blinddarm operiert werde, sobald der Professor eintreffe.

Der Cavaliere sagt: »Ich ziehe mich nur schnell an und komme sofort.« Noch immer halb schlaftrunken zieht er irgend etwas über, verläßt das Haus und geht die kleine Gasse hinab, wo er seinen Fiat abgestellt hat, aber er findet ihn nicht. Das heißt, um es genau zu sagen, er sieht genau an der Stelle, wo er sein Auto geparkt hatte, ein anderes Auto stehen, das mit einer dunklen Plane bedeckt ist. Der Cavaliere, der immer noch nicht ganz klar denken kann, sieht es sich zuerst einmal von allen Seiten an und hebt dann ganz vorsichtig einen Zipfel der Plane, und da merkt er dann zu seinem größten Erstaunen, Jesus Maria, er wird doch nicht träumen, daß unter der Plane tatsächlich sein eigenes Auto steht und daß in dem Auto seelenruhig ein Mann schläft. Das ging jetzt nämlich schon seit fast drei Jahren so, daß Gennaro Esposito, ein Arbeitsloser, sich jeden Abend um halb zwölf in den Fiat des Cavaliere Sgueglia zurückzog. Und da er die regelmäßigen Gewohnheiten Sgueglias kannte, beschränkte sich Gennaro auch nicht etwa darauf, die Sitze umzuklappen und sich hinzulegen, sondern er zog aus einem großen Koffer, den er danach im Kofferraum verwahrte, auch alles, was er brauchte, um sich ein richtiges »Bett« zu bereiten: Kissen, Decken, Bettücher und einen Wecker, den er aufs Armaturenbrett legte. Den Wecker stellte er auf halb sieben, da Gennaro gern früh aufsteht, um diese Zeit erhob er sich dann und begann, das Wageninnere wieder in Ordnung zu bringen. Er hatte sogar einen kleinen Besen dabei, um eventuelle Spuren seiner Gegenwart zu beseitigen. Na ja, ehrlich gesagt, etwas ließ er doch in dem Wagen zurück, und zwar seinen persönlichen Geruch, aber der Cavaliere hatte sich in all den Jahren an diesen Geruch des Gennaro Esposito gewöhnt, ja er hatte ihn von Anfang an für den typischen Fiat-Geruch gehalten.

Aber zurück zu unserer berühmten Nacht: der Cavaliere steht also sprachlos vor Verwunderung da und betrachtet Gennaro Esposito, arbeitslos und ohne festen Wohnsitz. Na Gott, ohne festen Wohnsitz ist ja vielleicht nicht ganz richtig, denn in Wirklichkeit hatte Gennaro ja einen festen Wohnsitz, nämlich den Fiat elfhundert des Cavaliere Sgueglia mit der Nummer NA 294082. Nachdem er sich über diese Tatsache klar geworden ist, weckt der höchst erstaunte Cavaliere Gennaro mit einem Schrei. Gennaro, der noch mehr erstaunt ist, fragt ihn mit Recht:

»Aber Cavaliere, was machen Sie denn hier mitten auf der Straße?«

»Meiner Schwester geht es schlecht, und sie mußte ins Krankenhaus.«

»Wer? Donna Rosa? Aber was hat sie denn?«

»Und Sie, wer sind Sie eigentlich? Was machen Sie hier in meinem Auto? Wer hat Ihnen...«

»Oh, jetzt überlegen Sie doch nicht lange, wer ich bin, sagen Sie mir lieber, denn ich mache mir wirklich Sorgen: Was hat denn Donna Rosa? Wo fehlt es ihr denn?«

»Ich weiß auch nicht genau. Wenn ich richtig verstanden habe, ist es der Blinddarm. Aber wer sind Sie und wer hat Ihnen erlaubt...«

»Lieber Cavaliere, verlieren Sie doch jetzt keine Zeit mit dem Hin und Her, wer ich bin oder nicht bin. Machen Sie sich meinetwegen keine Gedanken, ich habe nur hin und wieder Ihre Gastfreundschaft beansprucht; kümmern wir uns jetzt lieber um Donna Rosa, der es schlecht geht, wohin, sagten Sie, wurde sie gebracht?«

»Ins Loreto-Krankenhaus.«

»Bestens. Ich komme mit.«

»Was heißt, Sie kommen mit. Ich verstehe nicht.«

»Cavaliere, Sie sind jetzt ein bißchen durcheinander, das ist verständlich: So mitten aus dem Schlaf gerissen, und dann machen Sie sich ja auch zu Recht Sorgen. Aber keine Angst, Gennaro ist zur Stelle und läßt Sie nicht im Stich. Ich fühle mich ja doch auch zur Familie gehörig, wenn Sie gestatten.«

»Wieso denn zur Familie?«

»Aber gewiß, lieber Cavaliere, ich muß Sie begleiten!«

So verbrachten der Cavaliere und Gennaro die Nacht gemeinsam im Loreto-Krankenhaus. Gennaros Gegenwart war sehr tröstlich, und der Cavaliere stellte ihn als einen »Mitbewohner« der Via Posillipo vor. Sie entschieden gemeinsam, welchem Chirurgen der Blinddarm Donna Rosas anvertraut werden sollte und warteten gemeinsam bangend auf den glücklichen Ausgang des Eingriffs. Beim Abschied ließ sich der Cavaliere bei den imaginären Kindern Gennaros versprechen, daß sein Auto künftig nicht mehr als Schlafzimmer mißbraucht werden sollte. Zur Sicherheit und trotz aller feierlichen Schwüre aber hat der Cavaliere jetzt seinen Elfhunderter verkauft und sich ein Coupé angeschafft.

III

Saverio

Von fern gesehen, sind eine Stadt, eine Landschaft eine Stadt und eine Landschaft; aber in dem Maße, in dem man sich ihnen nähert, sind sie Häuser, Bäume, Dächer, Blätter, Gräser, Ameisen, Beine von Ameisen und bis ins Unendliche. Alles das ist in dem Namen Landschaft enthalten.
Blaise Pascal, *Gedanken*, Nr. 115

»Kennen Sie eigentlich Professor Bellavista?«

»Ehrlich gesagt, hatte ich noch nicht das Vergnügen.«

»Lieber Gott, kaum glaublich: Einer der eine Schwäche für Neapel hat wie Sie und hat nichts von Professor Bellavista gehört! Dieser Professor, der kennt Neapel wirklich in- und auswendig! Er kann es einem in den schönsten Farben schildern! Professor Bellavista kann, wenn er nicht getrunken hat, wirklich auf jede historische oder geographische Frage antworten, die die Stadt betrifft. Einmal wollten wir ihn zum *Lascia o Raddoppia*[1] schicken, aber dann ging er doch nicht, weil er Fernsehen nicht leiden kann.«

»Welches Fach lehrt er denn?«

»Philosophie, aber jetzt ist er im Ruhestand, und dann hat er auch an der Riviera di Chiaia drei kleine Wohnungen, außer seinem Haus am Hang von Sant'Antonio natürlich, wo er mit seiner Frau, der Signora Maria, und seiner Tochter, der Signorina Patrizia lebt, die in Wirklichkeit Aspasia heißt, doch nennt nur der Professor sie so, auch weil Signorina Patrizia es nicht will.«

1 Fernsehratespiel

»Ach, er ist verheiratet?«

»Na ja eben so, in Wirklichkeit lebt er nicht sehr mit der Familie zusammen. Sagen wir so, sie bewohnen dasselbe Haus, aber sie reden nicht miteinander, da er ein Mann ist und sie Frauen sind. Der Professor sagt, daß er die Frauensprache nicht reden kann.«

»Der scheint ja tatsächlich ein interessanter Typ zu sein.«

»Hochinteressant, das kann Ihnen auch der Saverio hier bestätigen. He Saverio, erklär' doch dem Ingenieur mal, ob Bellavista interessant ist oder nicht.«

»Santopezzullo Saverio zu Diensten«, antwortet der Neuankömmling. »Meinen Sie mit interessant jetzt Professor Bellavista? Wirklich schwach ausgedrückt. Der Professor ist ein echter Quell der Wissenschaft, und wenn er etwas sagt, dann steht das da wie das Amen in der Kirche. Bei allem Respekt für unseren Ingenieur hier, aber der Professor spricht druckreif, und es ist ein wahres Vergnügen, ihm zuzuhören. Ich lüge nicht, wenn ich sage, daß ich ihm ewig zuhören könnte, auch wenn ich ehrlich gesagt fast nichts von dem kapiere, was er sagt, aber das will nichts heißen, es ist mein Fehler, denn ich habe nichts gelernt, als ich jung war, mein Papa hat es ja immer gesagt, und jetzt bin ich der Unterhaltung nicht gewachsen.«

»Tatsache ist«, erklärt Salvatore, »daß unser Don Saverio gern ein Gläschen Wein aus Lettere trinkt, und der fließt beim Professor stets in Strömen.«

»Dafür nehme ich, wenn die gute Jahreszeit wieder anfängt, sogar ein bißchen Kälte draußen in der kleinen Loggia in Kauf, wo man das Meer vor sich hat und es nach Alpenveilchen duftet.«

»Ja, denn wenn wir im Sommer zum Professor gehen, unterhalten wir uns immer draußen auf der Terrasse, er redet und wir trinken und tun uns Kullerpfirsiche in den Wein.«

»Der Professor hat gesagt, daß Sokrates das im letzten Jahrhundert auch so gemacht hat.«

»Saverio, halt die Klappe.«

»Wann können wir denn zu diesem Professor gehen?«

»Wann immer wir wollen, aber heute besser nicht, heute ist Donnerstag: donnerstags spielt die Signora immer Canasta, und dann schließt sich der Professor den ganzen Tag ins Badezimmer ein.«

»Und bleibt den ganzen Tag im Badezimmer?«

»Ja, aber das ist kein Badezimmer, wie Sie sich das nun vorstellen. Ein solches Badezimmer hatte nicht einmal seine Majestät, der selige Vittorio Emmanuele III.! Der Professor wohnt in einem jener alten neapolitanischen Häuser mit diesen riesigen Zimmern, wie sie früher gebaut wurden. Und da es dem Professor gefällt, lange auf dem Abort zu sitzen, entschuldigen Sie den Ausdruck, hat er die gute Idee gehabt, eines dieser Zimmer zu nehmen, dort die Rohre legen und den Abort, entschuldigen Sie den Ausdruck, sowie Badewanne und Bidet einbauen zu lassen. Er hat also, um es mit den Worten des Professors zu sagen, einen Raum zum Baden und zum Nachdenken geschaffen, und dann hat er auch noch Stereomusik eingebaut, denn die hört er immer, auch wenn er auf dem Abort sitzt, entschuldigen Sie nochmals den Ausdruck.«

»Und die Bilder erst!« ergänzt Saverio. »Kunstwerke mit Schildchen drauf, auf denen Vorname und Nachname des Künstlers stehen! Und die hat er auf den Abort gehängt. Das ist ein Badezimmer geworden! So etwas Schönes, daß ich immer sage, warum organisieren wir nicht einmal ein schönes Fest und essen alle da drin, statt immer im Wohnzimmer herumzusitzen!«

»Der Professor sagt, daß die Menschheit gespalten ist in diejenigen, die duschen und in diejenigen, die ein Bad nehmen.«

»Dann gibts natürlich auch noch diejenigen«, wirft Saverio ein, »die weder duschen noch ein Bad nehmen.«

»Sei still, Saverio, also ich sagte, daß nach Meinung des Professors der produktive Mensch, der Mailänder, lieber duscht:

er verbraucht weniger Wasser, weniger Zeit und wird sauberer. Der Neapolitaner dagegen zieht, wenn überhaupt, das Bad vor: er richtet sich gemütlich ein und läßt sich Zeit zum Nachdenken, denn es ist doch so, wenn man nachdenken will, muß man es gleichzeitig bequem haben und allein sein, und überall sonst im Haus ist doch immer einer da, der einem lästig fällt, der einen wegen diesem oder jenem ruft. Aber im Badezimmer nicht, da schließt man sich ein, streckt sich in der Wanne aus und wartet, bis das Wasser kalt wird.«

»Also jetzt habt ihr mich wirklich neugierig auf diesen Professor gemacht«, sage ich. »Können wir ihn nicht anrufen?«

»Hat keinen Sinn, der Professor hebt sowieso nicht ab, und seine Frau kann uns nicht besonders leiden.«

»Aber wissen Sie was?« sagt Saverio. »Wir gehen einfach hin. Wir gehen übermorgen hin, da ist Samstag, und auf die Weise lernen Sie gleich auch Luigino kennen, unseren Hauspoeten, wie ihn der Professor nennt.«

»Wer ist denn Luigino?«

»Luigino«, erklärt Salvatore, »ist der Bibliothekar des Barons von Sanmarzano, bei dem er auch wohnt. Ehrlich gesagt hat der Baron heute keine Bibliothek mehr, weil er sie aus Not an gewisse Turiner mit Geld verkaufen mußte, da er Luigino aber nun so gern mochte, behielt er ihn bei sich, und Luigino leistet ihm die ganze Woche über Gesellschaft, außer am Sonntag, denn am Sonntag geht der Herr Baron zu seiner Frau Mutter.«

»Der Baron hat keine Kinder«, sagt Saverio, »und wir hoffen alle auf die Erbschaft.«

»Aber warum nennt ihr Luigino einen Dichter?«

»Weil«, sagt Salvatore, »wenn Luigino spricht, dann vergessen Sie alle Ihre Sorgen.«

»Ich muß«, sagt Saverio, »immer an meine erste Liebe denken, wenn Luigino spricht: an Del Vecchio Assuntina, als sie achtzehn war, erster und einziger Grund meines gegenwärtigen Status eines Unterarbeitslosen, naja, denn ich arbeite doch im Dienst von Don Alfonso aus Barra, Bautischler, gegenwärtig arbeitslos. Bei den Augen meiner Kinder, wenn ich sie doch heute abend nicht sehen müßte, wenn es nicht wegen der Del Vecchio Assuntina gewesen wäre, als sie achtzehn war, dann wäre ich heute in einer Stellung, auf die ich stolz sein könnte. Sie müssen nämlich wissen, daß mein Onkel Ferdinando, der Bruder meiner Mama, mich als Hilfspizzabäcker mit nach London in England nehmen wollte, denn er sagte, es gehört nicht viel dazu, das zu lernen, die Pizze zu machen, aber da man eben Gott sei's geklagt seinem Herzen verdammt nochmal nicht befehlen kann, verknallte ich mich in die Del Vecchio Assuntina mit ihren achtzehn Jahren, und Onkel Ferdinando mußte alle seine Pizze alleine backen.«

»Und was passierte dann mit der Del Vecchio Assuntina?«

»Was soll schon passiert sein? Sie wurde meine Gattin, aber sie hat nicht mehr die geringste Ähnlichkeit mit der Del Vecchio Assuntina, als sie achtzehn war und ich noch, wenn sie über die Via Caracciolo ging, rechts und links Ohrfeigen an Zivile und Soldaten in Uniform austeilen mußte, weil sie sich umdrehten und ihr nachsahen.«

»Der Professor sagt«, ergänzt Salvatore, »daß im Falle Saverios der Tatbestand gegeben wäre, der Frau einen Prozeß wegen Betrugs zu machen und sogar Schadenersatz zu verlangen.«

»Und dann würde ich auch gewinnen, ich bräuchte nur das Foto der Del Vecchio Assuntina vorzulegen, als sie achtzehn war.«

»Hören Sie nicht auf ihn, der Saverio ist doch immer noch verliebt in seine Frau, und die hält ihn unterm Pantoffel, er behauptet das Gegenteil, um dem Professor nach dem Mund zu reden, aber die Wahrheit ist, daß sie drei Kinder haben, und wenn da nicht die Signora Assuntina wäre, die als Hausnäherin arbeitet, weiß ich wirklich nicht, wie sie sich durchbringen würden.«

»Ja, ja: Näherin und drei Kinder. Zusammenleben ohne

Salz, mein lieber Ingenieur!« sagt Saverio seufzend. »Was wollt ihr denn wissen über das, was ich in London erlebt hätte, in England mit meinem Onkel Ferdinando? Dort hätte ich Englisch gelernt, und alle englischen Mädchen hätten sich in mich verliebt, denn ohne hier jemandem nahetreten zu wollen, aber in der Liebeskunst konnte ich mich immer sehen lassen, und da hätte es leicht passieren können, daß eine reiche englische Miss mich bemerkt hätte und jeden Tag zu Onkel Ferdinando gekommen wäre, um sich eine Pizza machen zu lassen. Und so, von einer Pizza zur andern, hätte sich die Miss in meine Wenigkeit verliebt. Saverio mein, Saverio hier, Saverio da, und hätte mich geheiratet. Und sobald ich dann den Kies gehabt hätte, wäre ich zum Film und da hätte sich eines aus dem anderen ergeben, und ich wäre in *Holliwud* gelandet und hier in Neapel hätten sie mich nur noch auf den Kinoplakaten gesehen: ›Der letzte Tango‹ mit Santopezzullo Saverio und Maria Scenaidèr.«

»Saverio«, unterbricht ihn Salvatore. »Wieviel Mist willst du denn hier noch verzapfen! Dich hätten sie doch im *Letzten Tango* bestenfalls als Double von Maria Scenaidèr in der Hauptszene engagiert.«

»Habt ihr denn den *Letzten Tango* überhaupt je gesehen?«

»Nein, aber wir haben davon gehört.«

IV

Geschichte einer Verwarnung

»Dottore, wir müssen Strafe zahlen!« sagt der Taxichauffeur ganz resigniert.

»Was meinen Sie mit ›wir müssen Strafe zahlen‹? Daß auch ich sie zahlen muß?«

»Das ist doch wohl klar, oder?«

»Ehrlich gesagt, das verstehe ich nicht. Finden Sie das vielleicht normal, daß der am Steuer verkehrt fährt und der, der hinten sitzt, dann die Strafe zahlen soll?«

»Also nein, entschuldigen Sie vielmals, aber da verstehen wir uns nicht richtig! Zuerst sagen Sie: Fahren Sie schnell, und dann wollen Sie nicht einmal die Folgen zahlen.«

»Was heißt hier ›schnell‹? Was hat das damit zu tun?!«

»Und wie das was damit zu tun hat. Was haben Sie denn zu mir gesagt, als Sie am Bahnhof eingestiegen sind? Haben Sie da nun gesagt: ›Fahren Sie schnell zu den Tragflügelbooten nach Capri?‹ Oder haben Sie es vielleicht nicht gesagt?«

»Hören Sie, abgesehen davon, daß ich lediglich gesagt habe: ›Zu den Tragflügelbooten nach Capri‹, ja und selbst, wenn ich auch noch gesagt hätte ›schnell‹, dann ist es bis zum Beweis des Gegenteils immer noch so, daß für das Auto einzig und allein Sie zuständig sind.«

»Ja, und was soll ich davon gehabt haben, daß ich bei Rot rüberfuhr? Wenn ich das gemacht habe, dann doch nur, um Ihnen einen Gefallen zu tun, damit Sie schneller zur Fähre kommen! Soll ich jetzt vielleicht auch noch draufzahlen, statt bei der Arbeit etwas zu verdienen?«

»Fahren Sie eben nicht bei Rot rüber!«

»Also ich bin ja übrigens bei Gelb rübergefahren! Was Sie gemacht haben, weiß ich nicht. Aber da kommt ja die Polizei, da werden wir hören, was die sagt.«

»Was soll die denn sagen? Vielleicht, daß der Fahrgast seinen Führerschein abgeben muß, wenn der Fahrer bei Rot rüberfährt?«

»Was weiß ich, wir werden ja sehen.«

Die Polizistin kommt langsam heran, grüßt militärisch und sagt:

»Führerschein und Fahrausweis.«

»Entschuldigen Sie, Frau Wachtmeisterin«, sagt mein Taxifahrer, während er die verlangten Ausweise hervorzieht. »Sie sind doch eine Person, die arbeitet, nicht? Den ganzen Tag hier, obs regnet oder nicht. Auch ich arbeite, der Herr hier dagegen fährt nach Capri. Wer muß also nun Ihrer Meinung nach die Strafe bezahlen?«

»Na!« sagt die Polizistin lachend. »Wenn der Herr spontan einen Beitrag leisten will, finde ich da nichts dabei.«

»Was heißt hier Beitrag leisten! Keine Lira ziehe ich aus der Tasche.«

»Eigentlich hat der Herr recht«, sagt einer der vielen Schaulustigen, die sich um unser Taxi versammelt haben. »Die Strafe muß der Fahrer zahlen, aber der Herr muß natürlich auch verstehen, daß er ihm anschließend ein angemessenes Trinkgeld geben muß, um ihn zu entschädigen.«

»Das ist ein Familienvater«, mischt sich eine Alte ein, die den Kopf zum Taxifenster hereinsteckt. »Er ist aus dem Haus, um zu sehen, wie er tausend Lire verdienen kann, und wie soll er die jetzt alle dafür ausgeben, diesem Herrn, der nach Capri muß, die Strafe zu bezahlen.«

»Frau Wachtmeisterin«, sagt mein Taxifahrer und steigt aus, um besser mit der Polizistin reden zu können, »wissen Sie, daß ich, bevor ich diese Fahrt machte, drei Stunden in der Schlange auf der Piazza Garibaldi gewartet habe, und als ich dann diesen

Herrn sah, dachte ich, das ist ein Ausländer. Wenn ich gewußt hätte, daß das ein Neapolitaner ist und dann auch noch knickerig, da hätte ich den gar nicht erst einsteigen lassen...«

»Hören Sie mal«, sage ich und sehe auf die Uhr, »entweder fahren Sie mich jetzt oder ich gehe. Auf diese Weise verpasse ich noch meine Fähre.«

»Da sehen Sie ja, daß Sie schnell hinkommen wollten«, sagt der Taxifahrer triumphierend.

»Meinetwegen«, sagt die Polizistin. »Diesmal lasse ich Sie noch durch. Aber merken Sie sich, das nächste Mal kommen Sie mir nicht so davon, dann müssen Sie zahlen. Wenn einer zum Vergnügen herumfährt, kann er sich doch Zeit lassen. Ich frage mich, was das sonst für ein Vergnügen sein soll.«

So also fuhr mein Taxi inmitten einer lächelnden und zufriedenen Menschenmenge davon.

»Das ist ja nochmal gutgegangen, Dottore«, sagt der Taxifahrer bei der Ankunft. »Ich schwöre Ihnen bei diesem Heiligenbild, es hätte mir wirklich furchtbar leid getan, wenn die Polizistin verlangt hätte, daß Sie die Strafe zahlen.«

»Wieviel?« frage ich lakonisch beim Aussteigen.

»Nach Ihrem Belieben.«

V

Der Professor

»Da sind wir, Professore, wie geht es Ihnen?« sagt Salvatore beim Betreten von Bellavistas Haus. »Wir haben den Ingenieur De Crescenzo mitgebracht, der ein großer neapolitanischer Wissenschaftler ist: es heißt, er sei der Erfinder der amerikanischen Elektronengehirne.«

»Was erzählen Sie da«, versuche ich Saverios Vorstellung meiner Person zu unterbrechen. »Ich bin doch kein Wissenschaftler, und erfunden habe ich auch nichts.«

»Hören Sie nicht auf ihn, Professore«, fährt Saverio unerschütterlich fort. »Dieser Ingenieur da ist nur zu bescheiden: es heißt, daß damals, als er seinen Doktor gemacht hat, ein strenger Befehl aus Amerika kam, ihn um jeden Preis einzustellen, damit ihn nicht irgendeine feindliche Nation wegschnappte.«

»Lieber Gott!« protestiere ich. »Was erzählen Sie da nur für einen Mist zusammen!«

»Lassen Sie sie nur reden, mein Lieber«, sagt Professor Bellavista lächelnd an mich gewandt und drückt mir die Hand. »Lassen Sie sie nur reden. Die mögen Sie gern und müssen es Ihnen irgendwie zeigen. Außerdem sind Sie selber auch ein wenig daran schuld. Na ja, denn wenn Sie sich damit zufriedengegeben hätten, was weiß ich, Vermessungstechniker zu werden, dann hätten sie Sie mit ›Ingegnere‹ angesprochen und alle wären zufrieden, aber nachdem Sie nun tatsächlich schon Ingenieur sind, wie soll Sie da so ein Ärmster, der Sie gern mag, noch anreden? Zumindest als Wissenschaftler.«

»Professore, ich könnte doch schon den Wein holen, während Sie es sich hier bequem machen?«

»Gute Idee, Saverio, du weißt ja, wo er ist. Geh' und hol' ihn und laß dir von meiner Frau auch Gläser geben. Aber warte einen Augenblick, vielleicht trinkt der Ingenieur ja lieber einen Kaffee?«

»Nein danke. Ehrlich gesagt trinke auch ich lieber den Wein aus Lettere, von dem mir Saverio schon so viel erzählt hat.«

»Das ist auch besser, denn der Kaffee meiner Frau ist, ehrlich gesagt, nicht besonders.«

»Das weiß doch jeder, hausgemachter Kaffee ist nie so gut wie der in der Bar.«

»Das stimmt nicht immer«, erwidert der Professor. »Wenn er mit Liebe zubereitet wird, kann der Kaffee außerordentlich gut werden. Wissen Sie, der Kaffee in der Kaffeemaschine fühlt das, ob zwischen der Person, die ihn zubereitet und der anderen, die ihn trinken soll, Sympathie besteht.«

»Der, den meine Assuntina macht, ist grauenhaft!« sagt Saverio, der gerade mit Weinflaschen und Gläsern hereinkommt.

»Sie müssen wissen, daß der Kaffee nicht einfach nur eine Flüssigkeit ist, sondern er ist eben halb flüssig und halb ätherisch, und sobald er mit dem Gaumen in Berührung kommt, sublimiert er, er fließt nicht abwärts, sondern steigt höher und höher, geht ins Gehirn und bleibt da, fast wie um einem Gesellschaft zu leisten, und so kommt es vor, daß einer stundenlang arbeitet und dabei denkt: Was für einen wunderbaren Kaffee habe ich doch heute morgen getrunken!«

»Wir dagegen«, sage ich, »gehen von unseren Büros aus kaum mehr in die Bar, wir haben auf jedem Stockwerk Automaten, in die man hundert Lire wirft und einen Knopf drückt, und dann kann man, je nachdem, einen Espresso oder einen Capuccino mit oder ohne Zucker herauslassen.«

»Amerikanische Automaten, nicht wahr?« fragt Salvatore.

»Nein«, antworte ich lachend, »bestenfalls Mailänder.«

»Ob aus Mailand oder aus Amerika«, sagt der Professor, »sie sind alle für eine Sorte Leute, für die Sorte nämlich, die meinen, Kaffee sei ein Getränk zum Trinken. Also ich glaube, daß die Erfindung dieser Kaffeemaschinen etwas sehr Schlimmes ist. Sie sind doch eine Beleidigung für die Gefühle des Individuums, man müßte die Sache glatt vor die Menschenrechtskommission bringen.«

»Also das erscheint mir nun doch leicht übertrieben.«

»Wieso denn übertrieben? Verehrtester, Sie haben einfach die Pflicht, dagegen zu protestieren und Ihren Vorgesetzten zu erklären, daß ein Mensch, wenn er den Wunsch hat, einen Kaffee zu trinken, nicht jetzt unbedingt nur diesen Kaffee trinken will, sondern er hat das Bedürfnis, wieder in Kontakt mit der Menschheit zu treten, und so wird er also seine Arbeit unterbrechen, die er gerade tut, einen oder zwei Kollegen zu einem gemeinsamen Kaffee einladen, in der Sonne bis zu seiner Lieblingsbar gehen, einen kleinen Wettstreit gewinnen, wer diese Kaffees nun wirklich bezahlen darf, der Kassiererin ein Kompliment machen, mit dem Wirt zwei Worte über Sport reden, und bei all dem nicht den kleinsten Hinweis auf die von ihm bevorzugte Kaffeeart geben, da ein echter Wirt den Geschmack seines Gastes ja kennen muß. All dies ist ein Ritus, eine Religion, und so etwas läßt sich nicht durch einen Automaten ersetzen, in den man auf der einen Seite hundert Lire steckt und auf der anderen Seite eine anonyme und geruchlose Flüssigkeit herausläßt! Da könnte man ja gleich auch zum Beispiel statt zur Kommunion in die Kirche zu gehen, entsprechende Automaten benutzen, die der Vatikan in den

Büros aufstellt! Der Gläubige nähert sich, kniet nieder, steckt hundert Lire ein und beichtet auf ein Tonband, dann steht er auf, kniet auf der anderen Seite nieder, steckt wieder hundert Lire ein, und eine mechanische Hand steckt ihm die Hostie in den Mund, alles nachdem er auf einer eingebauten Jukebox einen gregorianischen Gesang oder das Ave-Maria von Schubert gewählt hat.«

»Der Professor hat recht«, sagt Salvatore. »Der Kaffee muß mit Achtung, mit Andacht genossen werden: ich erinnere mich, daß mein Wirt in Materdei mich einmal ausgeschimpft hat, nur weil ich bei meinem Kaffee im *Sport Sud* las. Er sagte: ›Aber Sie sind ja gar nicht bei der Sache!‹«

»Die Tür«, sagt Saverio, als er die Klingel hört. »Das wird Luigino sein, ich mache auf.«

Luigino kommt herein, allgemeine Begrüßung und Vorstellung. Saverio bringt einen kleinen Sessel für Luigino und ein Glas Wein für sich.

»Mein lieber Luigino, wie geht es dir?« fragt der Professor. »Die ganze Woche hört und sieht man nichts von dir.«

»Ja, diese Woche hatten wir viel zu tun, am Dienstag kam Professor Buonanno, der vom Konservatorium, der Geige spielt. Der Professor Buonanno ist sehr befreundet mit dem Baron, und von Zeit zu Zeit kommt er und spielt uns etwas vor, aber diesmal hat er sich selber übertroffen, ganz bestimmt; er hat da unter anderem etwas von Bach gespielt, ich kann mich jetzt nicht genau erinnern, was es war, Tatsache ist jedenfalls, daß es etwas sehr Schönes war... wirklich etwas sehr Schönes. Es ist ja auch so, daß das Haus des Barons, seit wir fast alle Möbel verkaufen mußten, immer größer und, wie soll ich sagen, fast wie eine Kirche geworden ist, sodaß man den Klang der Geige sehr gut hörte. Manchmal erfüllte sie das ganze Haus mit ihrer Harmonie, und manchmal war der Klang so zart, daß wir sogar den Atem anhielten aus Angst, wir könnten ihn zerreißen, und dabei hatten wir Gänsehaut bis unter die Haare.«

»Luigino«, fragt Saverio, »könnte dieser Professor nicht manchmal mitkommen und uns etwas vorspielen?«

»Nun, ich könnte ihn fragen.«

»Ja, aber bald, weil unser Gast hier nur über Weihnachten in Neapel bleibt.«

»Apropos Weihnachten, ich und der Baron haben wie jedes Jahr angefangen, die Krippe aufzubauen, und wir haben zwei Tage gebraucht, um alle Schachteln mit den Hirten aufzumachen, sie abzustauben und abgebrochene Arme und Beine mit Fischleim anzukleben.«

»Die Krippe ist für uns Neapolitaner etwas wirklich Wichtiges«, sagt der Professor. »Und Sie«, wendet er sich an mich, »entschuldigen Sie die Frage, aber ist Ihnen die Krippe lieber oder der Weihnachtsbaum?«

»Natürlich die Krippe.«

»Das freut mich sehr für Sie«, sagt der Professor und drückt mir die Hand. »Sehen Sie, die Menschheit läßt sich in Krippenliebhaber und Baumliebhaber einteilen, und das ist eine Folge der Unterteilung der Welt in eine Welt der Liebe und eine Welt der Freiheit, aber um das zu erklären, müßte ich weiter ausholen, lassen wir das für ein andermal. Heute möchte ich lieber etwas über die Krippe und die Krippenliebhaber sagen.«

»O ja, erzählen Sie von der Krippe, Professore«, sagt Salvatore, »hier sind Ihre Kinder und hören Ihnen zu!«

»Also die Einteilung in Krippenliebhaber und Baumliebhaber ist, wie ich schon sagte, so entscheidend, daß sie meiner Meinung nach so wie Geschlecht und Blutgruppe in die Personalausweise eingetragen werden müßte. Naja, sonst entdeckt doch so ein armer Teufel vielleicht erst nach seiner Heirat, daß er sich mit einem Christenmenschen zusammengetan hat, der ganz andere Weihnachtsgewohnheiten hat. Das klingt jetzt vielleicht übertrieben, aber es ist etwas Wahres dran: der Baumliebhaber hat in seinem Leben eine ganz andere Wertskala als der Krippenliebhaber. Für den ersteren sind vor allem die Form, das Geld und die Macht entscheidend; für den letzteren dagegen die Liebe und die Poesie.«

»Wir alle hier in diesem Haus sind Krippenliebhaber, nicht wahr, Professore?« sagt Saverio.

»Nein, nicht alle. Meine Frau und meine Tochter zum Beispiel sind, wie fast alle Frauen, Baumliebhaberinnen.«

»Meiner Assuntina gefällt auch der Weihnachtsbaum mehr«, sagt Saverio halblaut.

»Die beiden Gruppen können sich nicht verstehen. Wenn der eine etwas sagt, weiß der andere nicht, was er meint. Die Ehefrau sieht, daß ihr Mann die Krippe aufbaut und sagt: ›Warum kaufst du nicht, statt hier das ganze Haus mit deinem Fischleim zu verpesten, die Krippe fix und fertig im Kaufhaus UPIM?‹ Der Mann antwortet nicht. Denn bei UPIM kann man vielleicht den Weihnachtsbaum kaufen, der erst dann schön wird, wenn er geschmückt ist und man die Lichter anzünden kann, bei der Krippe aber ist es anders, die Krippe ist schön, während man sie macht oder sogar während man an sie denkt: ›Jetzt kommt Weihnachten, also bauen wir die Krippe auf.‹ Diejenigen, denen der Weihnachtsbaum gefällt, sind einfach Komsumliebhaber, der Krippenfreund dagegen ist, egal ob er Geschick hat oder nicht, kreativ tätig, und sein Evangelium heißt ›*Natale in casa Cupiello*[1].«

»Das habe ich gesehen, Professore, und ich erinnere mich, wie Eduardo sagte: ›Die Krippe habe ich ganz allein gemacht und im Kampf gegen die ganze Familie.‹«

»Die Hirten«, fährt Bellavista fort, »müssen diese handgemachten, ein wenig häßlichen, aus Gips sein und vor allem aus dem Herzen Neapels stammen, aus San Gregorio Armeno, und nicht aus Plastik, wie man sie bei UPIM bekommt und die alle so unecht wirken; die Hirten müssen die aus den früheren Jahren sein, und es macht nichts, wenn sie alle ein bißchen zerbrochen sind, entscheidend ist, daß der Familienvater sie

---

1 Stück von Eduardo De Filippo, in dem es um eine Weihnachtskrippe geht.

alle mit Namen kennt und zu jedem Hirten eine schöne Geschichte erzählen kann: ›Dies hier ist Benito, der keine Lust
hatte zu arbeiten und immer schlief, dies ist der Vater von Benito, der seine Schafe auf den Bergen weidete, und dies ist der
Hirte, der das Wunder erlebte.‹ Und so der Reihe nach, wie
sie aus der Schachtel kommen, werden die Hirten vorgestellt.
Der Vater stellt sie den kleineren Kindern vor, die sie auf diese
Weise jedes Jahr an Weihnachten wiedererkennen und sie
liebhaben wie Familienangehörige. Das sind Leute aus dem
wirklichen Leben, auch wenn sie historisch gar nicht stimmen, wie der Mönch oder der Jäger mit dem Gewehr.«

»Dann gibt es da ja auch noch den Koch, den Tisch mit den
zwei sitzenden Paaren, den Melonenverkäufer, den Gemüse-
mann, den Kastanienverkäufer, den Weinhändler, den Flei-
scher.«

»Naja«, sagt Salvatore, »auch damals mußten die Leute
eben schon bis in die tiefe Nacht schuften, um durchzukom-
men.«

»Außerdem ist da auch noch die Wäscherin«, fährt Saverio
fort, »der Hirt, der die Hühner trägt, der Fischer, der in ganz
richtigem Wasser fischt, das aus der Wanne hinter der Krippe
kommt.«

»Mein Papa«, sagt Luigino, »schaffte es immer, die ein bißchen angeknacksten Figuren so aufzustellen, daß kein
Mensch merkte, daß ihnen ein Arm oder ein Bein fehlte; er
sagte zu mir: ›Luigino, jetzt findet dein Papa ein Plätzchen für
diesen armen kleinen Hirten, der einen Schenkel verloren hat‹
und stellte ihn hinter einer Hecke oder einem Mäuerchen auf,
und dann erinnere ich mich auch, daß wir einen Hirten hatten, der jedes Jahr irgendein Stückchen verlor, sodaß am
Schluß nur noch der Kopf da war, und den stellte mein Papa
dann in das Fensterchen eines Hauses. Die Häuschen machte
mein Papa immer aus Arzneischachteln und beleuchtete sie
von innen, und das ganze Jahr über, wenn ich irgendeine Me-
dizin nehmen mußte, zum Beispiel einen Hustensaft, den ich

nicht mochte, nahm er die Schachtel und sagte: ›Luigino, diese Schachtel bewahren wir auf bis Weihnachten, dann machen wir ein schönes Häuschen für die Krippe daraus, aber zuerst mußt du jetzt ganz lieb die Arznei nehmen, die da drin ist, denn wie soll Papa sonst das Häuschen machen?‹«

»Und wenn dann Mitternacht kam«, fährt Salvatore fort, »machten wir eine Prozession durchs ganze Haus und sangen *Tu scendi dalle stelle.* Der Kleinste der Familie vorneweg mit dem Jesuskind und die anderen alle hinterher mit einer brennenden Kerze in der Hand.«

»Krippe! Geruch nach Fischleim, Korken für die Berge, Mehl für den Schnee...«

VI

Zorro

»Caramanna Antonio zu Diensten, Freikarten gibt es keine, der Präsident ist weg, und niemand weiß, wann er zurückkommt.«

»Danke«, sage ich. »Aber ich bin nicht wegen Freikarten gekommen. Ich wollte mich einfach nur über die neapolitanischen Fußballfans informieren, und da man mir erzählt hat, daß Sie da eine Riesenerfahrung haben, wollte ich Sie bitten, falls Sie ein halbes Stündchen Zeit für mich haben, mir etwas über den Napoli zu erzählen.«

»Riesenerfahrung ist gut gesagt. Meine bescheidene Person, Verehrtester, hat die Ehre, dem Calcio Napoli schon seit den Zeiten der Arenaccia zu dienen: Sentimenti Pretto und Berra, Milano Fabbro und Gramaglia, Busani Cappellini, Barrera, Quario und Rossellini. Nach dem Krieg zogen wir dann auf den Vomero ins Liberazione-Stadion, das heute Collana-Stadion heißt, und dann, wie Sie sehen, schließlich ins San Paolo, wo ich die Funktion des Verantwortlichen für den Ordnungsdienst gegen Portugiesen[1], Schufte und Teddy-boys ausübe.«

»Gibt es viele Portugiesen?«

»Bei wirklich wichtigen Spielen kommen wir bis auf elftausend Leute, die ohne zu zahlen hereinkommen. Natürlich rechne ich jetzt da sowohl die eigentlichen Portugiesen, das heißt alle die, die ein illegales System gefunden haben, hereinzukommen, als auch all die Besitzer von Ausweisen oder Ehrenkarten. Jedenfalls können Sie davon ausgehen, daß bei jedem Spiel viertausend Be-

---

1 Zuschauer, die sich gratis Einlaß verschaffen.

sucher mit Freikarten und verschiedenen Ausweisen kommen, dreitausend mit gefälschten Karten sowie viertausend Eindringlinge. Und gegen dieses Heer stürzt sich meine bescheidene Person an der Spitze einer Schar von Tapferen jeden zweiten Sonntag in einen wilden Kampf.«

»Aber warum verteilt ihr denn so viele Freikarten?«

»Weil in Neapel eine Freikarte wie ein Ehrentitel ist, eine Bescheinigung dafür, daß man einer höheren Rasse angehört. Sie müßten einmal am Eingang stehen und sehen, mit welch überlegener Miene der Inhaber einer Ehrenkarte diese am Eingang vorzeigt. Wenn ein Neapolitaner zu Ihnen sagt: ›Ich habe noch nie Eintritt bezahlt‹, so ist das, als sagte er damit: ›Meine Vorfahren haben schon bei den Kreuzzügen mitgekämpft.‹ Also mit anderen Worten, wenn in Neapel jemand seine Eintrittskarte bezahlen muß, so heißt das, daß er ein Gescheiterter ist, daß er keinen Menschen kennt und daß er wirklich überhaupt nichts zählt.«

»Und die eigentlichen Portugiesen?«

»Ja, da müssen wir auch wieder zwei Kategorien unterscheiden: Da sind die Portugiesen, die sich mit Gewalt Eingang verschaffen, und diejenigen, die mit einem Trick hereinkommen. Die ersteren machen uns, ehrlich gesagt, weniger Sorgen: Man braucht nur die Ordnungskräfte gut zu verteilen, die Eingänge doppelt abzusperren und die Umfassungsmauern zu kontrollieren. Die aber mit einem Trick hereinkommen, sind viel gefährlicher, die lassen sich immer etwas Neues einfallen. Wenn Sie nächsten Sonntag herkommen, zeige ich Ihnen einen, der es mit hundert anderen aufnehmen kann: Zorro.«

»Zorro?«

»Ja, der heißt so, weil er es immer schafft, umsonst hereinzukommen, und wenn dann das Spiel aus ist, kommt er zu mir und macht vor meinen Augen mit geballter Faust und der anderen Hand auf dem Unterarm, mit Verlaub zu sagen, das Zeichen Zorros.«

»Aber wie schafft er es denn, daß er immer hereinkommt?« frage ich lachend.

»Jedesmal wieder auf eine andere Art. Ich glaube, der Zorro überlegt immer die ganze Woche, wie er am Sonntag gratis hereinkommt. Er sagt, wie Papillon der König der Ausbrecher genannt wurde, ist er der König der Einbrecher.«

»Erzählen Sie mir doch ein paar von seinen Geschichten.«

»Zorro hat es schon im Blut. Sein Vater ist dem neapolitanischen Publikum unvergeßlich seit einem dramatischen Spiel Neapel–Bologna, drei zu drei, damals im Liberazione-Stadion. Invasion des Feldes und theoretisch schon verlorenes Spiel zwei zu Null. Napoli lag vorne, bis dann der Schiedsrichter, den sie in der festen Absicht aus Mailand geschickt hatten, den Napoli verlieren zu lassen, denn Sie müssen wissen, ich bin da objektiv, aber sämtliche Schiedsrichter haben der Napoli-Mannschaft immer nur geschadet, so daß die noch nie die Meisterschaft gewonnen hat, hoffen wir jetzt auf nächstes Jahr, bis dann also, wie gesagt, der Schiedsrichter Napoli einen Elfmeter aufbrummt. Das hätten Sie erleben sollen, der reine Weltuntergang. Das Feld wird gestürmt, Prügeleien auf Leben und Tod, das ganze Spielfeld verwüstet. Der Schiedsrichter und die zwei Linienrichter flüchteten und schlossen sich in den Umkleideräumen ein, wo sie von den Ordnungskräften und dem Dienstpersonal wacker verteidigt wurden. Die Menge der Fans wurde immer bedrohlicher und drängte sich vor den Umkleideräumen zusammen und schrie und drohte dem Schiedsrichtertrio mit dem Tod. Da nun tritt der Vater von Zorro auf: er schließt sich den Ordnungskräften an, wehrt einige Angriffe wütender Fans ab, beschwichtigt die Rabiatesten mit edlen Worten und wiederholten Aufforderungen zur Ruhe, gewinnt so das Vertrauen der Ordnungskräfte, betritt die Umkleideräume und verteilt dann Ohrfeigen an den Schiedsrichter. Wir bekamen drei Tage Spielverbot und fünfhunderttausend Lire Strafe.«

»Und Zorro? Was macht denn der Zorro?«

»Was soll ich Ihnen da sagen. Es ist ein furchtbares Kreuz mit Zorro. Vor dem Spiel gehe ich immer das ganze Gelände ab und kontrolliere sämtliche Eingänge und denke dabei: Weiß der Teufel, wo dieser verdammte Hurensohn wieder steckt? Einmal

machte er ein Loch in die Mauer, indem er ein paar Tuffsteine her-
auslöste, und verlangte Eintritt vom Publikum: fünfhundert Lire für
die Erwachsenen und hundert Lire für die Kinder, dann am Schluß
setzte er die Steine wieder ein, um die gleiche Sache beim nächsten Spiel wieder machen zu können. Wenn er und seine Gruppe
zum Spiel kommen, sind die ausgerüstet wie ein mittelalterliches
Heer: Leitern, Seile, Haken und verschiedene Geräte, um Eisen-
stangen auseinanderbiegen und Stacheldraht durchschneiden zu
können.«

»Und geschnappt haben Sie ihn noch nie?«

»Nur einmal. Wir fanden ihn zusammen mit einem seiner Kum-
pane in der Kühlzelle eines Algida-Eislasters. Die waren halb er-
froren. Wir mußten sie erst eine halbe Stunde in die Sonne stellen,
um sie wieder aufzutauen.«

»Und was für Tricks haben sie sonst noch angewandt?«

»Also wirklich jeden, das dürfen Sie mir glauben. Als wir zum
Beispiel einmal freien Eintritt für Gelähmte gewährten, kam er da
mit einem dieser Wägelchen für Gelähmte herein, geschickt mas-
kiert mit Bart und Schnauzer, und bei der Gelegenheit verlieh er
auch gleich für tausend Lire das Stück etwa zwanzig solcher Wägelchen an falsche Lahme. Ein anderes Mal holte er den Schiedsrichter am Bahnhof ab und betrat das Stadion als offizieller Be-
gleiter des Schiedsrichtertrios und regte sich dann auch noch auf,
daß er nicht mit auf der Ehrentribüne sitzen durfte. Was soll ich Ihnen noch sagen? Oder wenn da zum Beispiel ein Krankenauto
mit heulenden Sirenen ins Stadion einfährt und wieder hinaus-
fährt, dann denken Sie bloß nicht, daß da vielleicht jemand verletzt ist. Oh nein, das ist dann Zorro, der seine Familie ins Stadion
einschleust.«

»Also haben Sie, wenn ich richtig verstehe, praktisch die Waffen gestreckt, was ihn betrifft?«

»Oh keineswegs! Jetzt habe ich zum Beispiel erfahren, daß
zwölf Uniformen der Ordnungskräfte gestohlen worden sind, da
möchte ich wetten, daß der Zorro seine Finger drin hat. Aber er
soll mir nur kommen. Caramanna Antonio gibt nicht klein bei.

Kommen Sie doch am Sonntag und sehen Sie sich das Spiel an, dann kann ich Ihnen vielleicht diese Genugtuung geben. Ach ja, Dottore, da fällt mir ein, ich habe doch noch eine Freikarte, nehmen Sie sie, denn das Spiel am Sonntag ist sehr wichtig. Da kommt die Fiorentina, aber wir sind seelenruhig, denn ein Mister hat zu uns gesagt: ›Der Napoli spielt dieses Jahr den besten Fußball Italiens.‹ Viva Napoli, Dottore!«

VII

Die Theorie der Liebe und der Freiheit

> *»Ihre Zigarette!« schreit der*
> *Busschaffner.*
> *»Ich habe doch gerade meinen*
> *Kaffee getrunken.«*
> *»Ach so, na gut.«*
>   A. Savignano

»Professore, wissen Sie, daß ich immer ganz hin und hergerissen bin: Mal liebe ich Neapel heiß und innig, und dann
wieder kann ich es überhaupt nicht ertragen. Ich weiß nicht,
wie ich das erklären soll, aber wenn ich mich irgendwo anders
auf der Welt befinde, vergehe ich fast vor Heimweh, und
wenn ich dann nach Neapel zurückkehre, merke ich, daß ich
es hier nicht aushalten kann.«

»Aber mein Lieber«, erwidert Professor Bellavista, »das ist
doch ganz normal: die meisten neapolitanischen Emigranten,
die ein gewisses Niveau erreicht und dann einmal das Trai-
ning im Umgang mit den Neapolitanern verloren haben, sind
einfach schon rein physisch nicht mehr in der Lage, auch nur
vier Tage, ein einfaches verlängertes Wochenende, in ihrer
Heimatstadt zu überstehen.«

»Und das bedauere ich natürlich sehr«, fahre ich fort.
»Denn, wissen Sie, wenn ich weg bin von Neapel, verteidige
ich diese Stadt bis aufs Messer, und ich habe ehrlich gesagt
auch das Gefühl, daß es die einzige Stadt auf der Welt ist, in
der ich eine gewisse Hoffnung haben kann, irgend etwas zu
verstehen und mich selber verständlich zu machen. Manchmal bedauere ich sogar meine Freunde, die nicht Neapolitaner sind, weil ich meine, daß es ihnen bei aller Feinfühligkeit

nie gelingen wird, in unsere Kultur einzudringen, und unter neapolitanischer Kultur verstehe ich natürlich nicht nur die Dichtungen eines Di Giacomo, Di Viviani oder De Filippo, sondern auch die Lebensweisheiten unserer Alten, ihre Ausgeglichenheit, ihre Sprüche, naja, eben alles, was man gemeinhin unter dem häßlichen Ausdruck ›neapolitanische Philosophie‹ versteht.«

»Warum soll das denn ein häßlicher Ausdruck sein?« fragt Bellavista.

»Weil man damit gewöhnlich eine billige, bequeme Philosophie meint, die sich hauptsächlich auf Wurstigkeit und Schmarotzertum gründet.«

»Mamma mia, jetzt haben Sie diese neapolitanische Philosophie aber wirklich zu schwarz gemalt!«

»Ja wie denn sonst, Professore? Man muß Neapel manchmal wirklich sehr gern haben, um es ertragen zu können. Wenn ich nur an das denke, was mir passiert ist, als ich letzten Samstag hier am Hauptbahnhof ankam. Ich hatte noch keine zwei Schritte gemacht, da fiel auch schon einer über mich her, der mir Whiskyflaschen, Pornofotos und Uhren andrehen wollte, dann kam ein anderer, der meinen Koffer tragen wollte, mich aber nicht etwa darum fragte, sondern versuchte, ihn mir mit Gewalt aus der Hand zu reißen, und auf diese Weise belästigten mich noch hundert andere Leute: der eine bot mir ein nichtamtliches Taxi an, der andere ein Hotel, einer wollte schlicht Geld für die Eisenbahn, weil er eine kranke Mutter in der Irrenanstalt von Aversa hat, und als ich dann aus dem Bahnhof heraus war, ging es erst richtig los: der Verkehr, das Autohupen, das grundlos unaufhörlich ertönt, die Leute, die dich anrempeln, kein Mensch stellt sich in einer Schlange an, alle reden mit voller Lautstärke, dann die schrecklich primitiven Restaurants mit den schlechtesten Menüs der Welt, Zuckerdosen in den Bars, in denen der Zucker braunverschmiert ist von Kaffee, die verwahrloste Untergrundbahn, der Lärm auf den Straßen, der Lärm der auf volle Lautstärke aufgedrehten Radios, der Lärm überall.«

»Ist das alles?« fragt Bellavista ruhig. »Sie erinnern mich mit dem, was Sie sagen, an einen lieben Freund, Doktor Vittorio Palluotto. Kennen Sie ihn?«

»Ehrlich gesagt, nein.«

»Doktor Palluotto zog vor fünf oder sechs Jahren aus Arbeitsgründen nach Mailand und ist heute ein bedeutender Chef einer bedeutenden Beratungsfirma, an deren Namen ich mich allerdings nicht mehr erinnern kann. Jedenfalls ist mit Vittorio, seit er nach Mailand übersiedelt ist, irgendetwas passiert, und die Dinge, die vorher in Neapel seinen Alltag bestimmten, sind ihm heute ganz unerträglich geworden. Tatsache ist, daß unser Vittorio diesen eingebauten Schalldämpfer verloren hat, der vorher all die Geräusche abschwächte, die so charakteristisch sind für die Welt der Liebe, und daß er heute eine andere Wertskala hat. Heute sieht Vittorio Palluotto die größten Tugenden in Effizienz und Produktivität und übersieht dabei die schädlichen Nebenwirkungen dieser angeblichen Tugenden fast ganz.«

»Dieser Doktor Vittorio kommt den Professor immer so gegen Weihnachten besuchen«, sagt Salvatore.

»Das stimmt, wir erwarten ihn jetzt von einem Tag auf den anderen«, sagt Bellavista an mich gewandt. »Und wenn Sie mich noch hin und wieder mit Ihrem Besuch beehren ...«

»Die Ehre ist ganz meinerseits.«

»Dann werde ich noch das Vergnügen haben, Sie mit meinem Freund und Feind Doktor Palluotto bekanntzumachen.«

»Freund und Feind! Das hat der Professor wirklich gut gesagt!« mischt sich Saverio ein. »Die beiden sind nämlich wie Hund und Katz, wie die sich hier streiten! Manchmal denke ich, gleich gehen sie aufeinander los. Dann sage ich immer: was regt ihr euch so auf? Neapel ist eben, wie es ist, und kein Mensch kann es ändern. Wenn dem Doktor Vittorio Mailand so gefällt, soll er doch in Mailand bleiben, dann braucht er sich hier nicht mehr so aufzuregen.«

»Ich bin nur ein einziges Mal im Norden gewesen«, sagt Salvatore. »Damals, als ich Militärdienst in Peschiera am Gardasee machte, und ich muß Ihnen sagen, daß dort an diesem See eine solche Stille herrschte, also eine Stille, sage ich Ihnen, daß ich abends mit Kopfweh ins Bett ging. Und dann der Nebel. Der Herrgott wird sich gesagt haben: wo soll ich nur mit all dem Nebel hin? Am besten, ich lege ihn über die Poebene, denn diese Norditaliener sind sowieso schon ganz hinüber, die merken das gar nicht.«

»Für diese Theorie von Salvatore gibt es einen berühmten Vorgänger«, ergänzt der Professor. »Denn auch Oscar Wilde sagte, daß nicht der Nebel zu Arbeitseifer führt, sondern daß der Arbeitseifer den Nebel hervorruft.«

»Wirklich großartig, unser Professor, er weiß einfach alles!« ruft Saverio aus.

»Aber kommen wir auf Neapel zurück«, fährt Bellavista fort. »Ich meine also, daß die Neapolitaner in ihrer Daseinsform übertreiben, daß diese allzu ausgeprägt ist und uns daher verdächtig vorkommen und uns veranlassen sollte, darüber nachzudenken. Meiner Meinung nach dürfte der Fremde, der zum ersten Mal mit dieser Wirklichkeit in Berührung kommt, nicht einfach seinen eigenen Bewertungsmaßstab zugrundelegen und gleich alles als unzivilisiert aburteilen, sondern er müßte im Gegenteil einmal überlegen, ob es in einer solchen unbewohnbaren Welt, die im übrigen ja bewohnt und jedenfalls vorhanden ist, nicht zum Ausgleich vielleicht etwas geben könnte, das ganz anderer Natur ist.«

»Wir sind ganz Ohr, Professor«, sagt Saverio. »Sagen Sie uns doch, was für einen Ausgleich wir dafür bekommen.«

»Aber, meine Freunde, diesen Ausgleich, den haben wir doch schon, und zwar tagtäglich, aber damit ihr das begreift, muß ich euch zunächst etwas über meine Theorie der Liebe und der Freiheit erzählen, ohne die es gewiß schwierig ist, die

Vorzüge und die Nachteile einer Lebensart wie der neapolitanischen richtig einzuschätzen.«

»Wenn ich mich nicht irre, haben Sie schon einmal auf diese Theorie angespielt«, sage ich. »Warum erläutern Sie sie uns nicht ein wenig?«

»Haben Sie es eilig?« fragt der Professor. »Müssen Sie gleich wieder weg?«

»Eigentlich nicht«, sage ich.

»Wer will denn hier weg«, sagt Salvatore. »Ich habe schon einmal zugehört, als der Professor die Sache Doktor Vittorio erklärte, aber ehrlich gesagt, ich habe damals nicht alle Einzelheiten verstanden, und deshalb fände ich es schön, wenn der Professor sie uns noch einmal erklären könnte.«

»Das tue ich sogar sehr gern. Allerdings muß ich dabei um eines bitten: diese Theorie ist nicht so einfach, wegen der verschiedenen Bedeutungen, die man ihren beiden Schlüsselbegriffen Liebe und Freiheit beimessen kann. Also müßte ich gerade am Anfang um etwas Aufmerksamkeit bitten.«

»Wie sollten wir nicht aufmerksam sein, Professor«, entgegnet Saverio. »Was Sie uns zu sagen haben, ist nicht nur hochinteressant, es ist auch eine große Ehre für uns, daß Sie sich herablassen. Wissen Sie was? Warten Sie einen Augenblick, ich hole noch eine Flasche Wein, dann brauche ich nachher nicht aufzustehen, während Sie reden, wobei mir ja ein grundlegender Gedanke entgehen könnte.«

»Solange es Wein gibt, findet der Saverio alles interessant«, bemerkt Salvatore boshaft. »Aber keine Sorge, Professor. Reden Sie nur in aller Ruhe, wir haben überhaupt nichts anderes vor, denn wir sind ja sozusagen fast alle in Ferien.«

»Aber stammt denn diese Theorie tatsächlich von Ihnen, Professore?« frage ich.

»Ehrlich gesagt, war der erste, von dem ich je etwas über Liebe und Freiheit hörte, ein Mailänder Freund von mir. Giancarlo Galli. Seine Anregungen habe ich dann vertieft und mit der epikureischen Philosophie in Einklang gebracht. Da

Saverio ja nun die Flasche Wein gebracht und sich wieder hingesetzt hat, würde ich gern anfangen und als erstes einmal klären, was wir unter dem Bedürfnis nach Liebe zu verstehen haben.«

»Das Verlangen nach der bestimmten Sache«, antwortet Saverio sofort.

»Nein, nein mein lieber Saverio, diese bestimmte Sache, die du dauernd im Kopf hast, spielt hier nun einmal wirklich keine Rolle. Unter Liebe müssen wir vielmehr jenen instinktiven Wunsch des Menschen nach Gesellschaft und Zuneigung der anderen Menschen verstehen.«

»Meinen Sie jetzt die Homos, Professor?« fragt Saverio noch einmal dazwischen.

»Also Saverio, ich habe dir doch schon gesagt, daß diese Theorie nichts mit Sex zu tun hat. Jetzt trink mal schön deinen Wein und hör mir ein bißchen zu! Wenn du mich hier dauernd unterbrichst, verliere ich noch den Faden. Als ob diese Theorie nicht schon schwierig genug wäre, kommst jetzt auch noch du!«

»Keine Sorge, Professore«, sagt Salvatore. »Reden Sie ruhig, um den Saverio kümmere ich mich schon.«

»Die Liebe ist also, wie ich euch schon sagte, ein Gefühl, das uns dazu veranlaßt, die Gesellschaft der anderen zu suchen, und Akte der Liebe sind alle jene Äußerungen, die wir in dem Versuch tun, Freud und Leid unseres Lebens mit den anderen zu teilen. Dieser Impuls, der uns auf andere zugehen läßt, ist instinktiv. Wahrscheinlich werden die Anthropologen darin eine Verteidigungsaktion des Urmenschen sehen, der durch das Bündnis mit den anderen Menschen seine eigenen Überlebenschancen vergrößert. Es ist ganz klar, daß die Liebesfähigkeit von Mensch zu Mensch sehr unterschiedlich ist, daher gibt es den Egozentriker, dessen Liebesfähigkeit gleich Null ist, dann denjenigen, der nur seine Angehörigen liebt, jenen, der seine Landsleute mehr liebt, die Philanthropen, die die ganze Menschheit lieben, und schließlich den heiligen Franziskus, der das gesamte Universum und jede Lebensäußerung liebte.«

»Auch ich möchte sagen, daß ich die ganze Menschheit liebe«, wirft Saverio ein. »Und ich begreife einfach nicht, warum ein Volk plötzlich Krieg gegen ein anderes Volk macht. Man braucht doch nur ein wenig nachzudenken. Der Feind besteht doch genauso aus lauter Christenmenschen wie wir, die doch auch ihre Mütter, Frauen und Kinder zu Hause haben, die da auf sie warten, und wie kann ich dann, nachdem ich dies weiß, eine Bombe auf ihr Haus werfen? Jesus Maria, wenn ich darüber nachdenke, könnte ich manchmal verrückt werden!«

»Also machst du keinen Unterschied, sagen wir, zwischen Italienern und Amerikanern oder zwischen Italienern und Chinesen?«

»Keinesfalls, für mich sind das alles Christenmenschen, und ich liebe sie alle gleich stark.«

»Auch wenn es Neapolitaner sind?«

»Was spielt das für eine Rolle, ob sie Neapolitaner sind oder etwas anderes! Das ist doch Blut von unserem Blut, und für einen Neapolitaner im Ausland wäre ich zu jedem Wahnsinn bereit. Ich habe von der Menschheit geredet und nicht von den Neapolitanern.«

»Ja, aber sieh mal, Saverio«, fährt der Professor fort, »es ist leicht, die Menschheit zu lieben, und schwierig, seinen Nächsten zu lieben. Christus hat nämlich auch nicht gesagt: ›Liebe die Menschheit wie dich selbst‹, sondern ›Liebe deinen Nächsten wie dich selbst‹. Und weißt du auch, warum? Weil dein Nächster, wie du schon aus dem Wort schließen kannst, derjenige ist, der dir ganz nahe ist, der neben dir in der Untergrundbahn sitzt und vielleicht stinkt, der hinter dir in der Schlange steht und sich vordrängeln will, dein Nächster ist immer der, der deine persönliche Freiheit bedroht.«

»Wenn ich also recht verstanden habe«, sagt Salvatore, »dann ist einer dann ein guter Mensch, wenn er seinen

Nächsten liebt und dabei auch ein bißchen Gestank ertragen kann.«

»Du hast ganz richtig verstanden, Salvatore, und wenn dir der Gestank nicht gefällt, so heißt das einfach, daß du nicht ein Mann der Liebe bist, sondern ein Mann der Freiheit.«

»Was soll denn das heißen«, fragt Salvatore.

»Ich erkläre es dir gleich. Also unter dem Wunsch nach Freiheit müssen wir die Neigung verstehen, die eigene Intimität zu verteidigen. Dabei gibt der Begriff ›Intimität‹ vielleicht nicht ganz das wieder, was gemeint ist, denn er wird gewöhnlich für Aspekte angewendet, bei denen man zu Recht Zurückhaltung übt, während doch die Privatsphäre, die wir verteidigen wollen, sehr viel größer ist und von der Aktionsfreiheit bis zur Freiheit des Denkens reicht. Wahrscheinlich besitzt die italienische Sprache noch nicht einmal ein geeignetes Wort dafür, und diese Tatsache ist ja auch schon vielsagend, was den Charakter des Italieners betrifft, jedenfalls werden wir jetzt hier für unsere Theorie natürlich auf die englische Sprache zurückgreifen und aus ihr das Wort *privacy* entlehnen, das mehr noch eine Lebensweise als ein Gefühl ausdrückt. Kurz, wir könnten es so sagen, daß wir unter dem Wunsch nach Freiheit vor allem den Wunsch verstehen, die eigene *privacy* zu schützen und gleichzeitig die *privacy* der anderen zu achten.«

»Sie sagen also praktisch«, werfe ich ein, »daß jeder von uns unterschiedlich stark beide Impulse in sich hat: Liebe und Freiheit, und daß diese, so wie Sie sie beschreiben, zwar beide erstrebenswert sind, aber doch immer im Gegensatz zueinander stehen. Wenn also einer ganz allein ist, sucht er wohl verzweifelt die Gesellschaft des Nächsten, wenn er aber andererseits sich allzustark an jemanden gebunden fühlt, dann leidet er darunter, daß man ihn nicht in Ruhe läßt.«

»Ganz genau«, erwidert der Professor.

»Das stimmt ja auch«, wirft Saverio ein. »Manchmal kann

ich meine Frau Assuntina wirklich nicht mehr ertragen. Also hör mal, sage ich, du weißt doch genau, daß ich nach dem Essen gern ein bißchen draußen auf dem Balkon sitze und ein halbes Stündchen ein Nickerchen mache, mußt du ausgerechnet jetzt daherkommen und mir mit deinem ständigen ›Saverio, hast du dies gemacht, Saverio, hast du jenes gemacht‹ undsoweiter blablabla in den Ohren liegen. Aber als Assuntina dann einmal mit den Kindern zu einer Kusine nach Procida ging, die da nahe am Meer wohnt und immer gesagt hatte, warum besucht ihr uns nicht einmal in Procida mit den Kindern, die könnten doch da manchmal baden, und wir haben sogar ein Schlauchboot, in Wirklichkeit aber wollte sie nur von morgens bis abends Hilfe für ihre eigenen Kinder. Also damals, das müßt ihr mir glauben, da konnte ich es allein nicht mehr aushalten und irrte immer nur in der Wohnung herum, und als Assuntina dann zurückkam, stand ich schon anderthalb Stunden vor Ankunft des Motorbootes an der Anlegestelle.«

»Saverio, du hast wirklich ganz genau verstanden, was ich sagen wollte. In deinem Fall hatte die Liebe die Freiheit besiegt.«

»Ich meine jetzt nur eines«, sagt Salvatore. »Wenn sowohl Liebe als auch Freiheit etwas Gutes sind, dann müßte doch jeder vernünftige Mensch beides in Einklang bringen und gleichzeitig ein Mensch der Liebe und ein Mensch der Freiheit sein. Ich weiß nicht, ob ich klar ausgedrückt habe, was ich meine.«

»Ja, dies sollten tatsächlich die Merkmale des höherentwickelten Menschen sein; in der Praxis aber sind diese beiden Impulse widerstreitend, ja letzten Endes stehen sie sich gegenseitig im Wege. Interessanter ist jetzt vielleicht die Frage, wohin sich der Mensch bewegen wollte: in Richtung Liebe oder in Richtung der Freiheit?«

»Was meinen denn Sie, Professor?« fragt Saverio.

»Es gibt hierzu sowohl in der abendländischen als auch in der chinesischen Philosophiegeschichte zwei klar ausgerichtete Denkströmungen.«

»Erzählen Sie nur, erzählen Sie.«

»Also der chinesische Philosoph Mo Tse-ti, ich glaube nicht, daß ihr von dem schon gehört habt, sagte...«

»O doch, freilich!« unterbricht ihn Saverio. »Auf Neapolitanisch nennen wir ihn Mao Tse-tung.«

»Mit dem hat der nicht das geringste zu tun«, erwidert der Professor. »Das sind zwei ganz verschiedene Personen.«

»Ja, aber beide gehören zur Familie der Ze«, sagt Saverio. »Dieser Mo ze-ti, von dem Sie sprechen, wird ein Vorfahre des Mao ze-tung sein.«

»Tse heißt auf Chinesisch Meister«, erklärt der Professor. »Also ist Mao der Familienname, Tse der Berufstitel und -tung der Vorname. Wenn ich Chinese wäre, würde man mich Bellavista Tse-Gennaro nennen.«

»Und was hat dieser Mo ze-ti gesagt?«

»Er hat gesagt, daß man das ganze Weltall lieben muß. Daß einer die Eltern der andern so lieben muß wie seine eigenen Eltern. Also er predigte die universale Liebe und sagte, daß das Übel der Welt die ›Diskriminierung‹ sei.«

»Was meint er damit?«

»Daß man einen Unterschied macht zwischen seinen Verwandten und den übrigen, zwischen Einheimischen und Fremden undsoweiter.«

»Ich habe aber doch das Gefühl, daß dieser Mo ze-ti ein wenig übertreibt«, sagt Salvatore. »Um hier nur einmal ein Beispiel zu geben: Meint der Mo ze-ti vielleicht, ich sollte meine Frau auf dieselbe Weise lieben, auf die ich, was weiß ich, den Außenminister liebe?«

»Mamma mia!« ruft Saverio aus. »Das ist doch wirklich zuviel verlangt! Wissen Sie, was ich Ihnen sage, Professor, wenn dieser Mo ze-ti in Neapel gelebt und hier solches Zeug verbreitet hätte, der wäre doch in der Klapsmühle gelandet.«

»Dagegen«, fährt der Professor unbeirrt trotz der Unterbrechungen fort, »kam eine andere Philosophie zum Vorschein: der Taoismus. Yang Tschu, der erste taoistische

Philosoph, sagte: Leute, wenn ihr gut leben wollt, muß jeder an sich selber denken und es vermeiden, inmitten der andern zu leben, und nachdem er das gesprochen hatte, stieg er auf einen Berg und kam nie mehr herunter.«

»Aber das waren doch keine Philosophen«, sagt Saverio. »Das war doch nur ein Haufen von Schuften.«

»Langsam, langsam, Mo Tse-ti und Yang Tschu waren im Grunde die beiden extremen Vertreter der Liebe und der Freiheit. Spätere Philosophen milderten dann deren radikale Positionen ab. So hatten wir etwa Meng-tse, der die Liebe in drei verschiedene Stufen einteilte: in die Liebe zu den Dingen, in jene für die Lebewesen und in die Liebe zu den Angehörigen. Und unter den Taoisten verwandelten Lao-tse und Tschuang-tse den Individualismus des Yang Tschu geradezu in dessen Gegenteil, nämlich in einen menschlichen Spiritualismus.«

»Doch scheint mir von den beiden Philosophien die des ersten Chinesen brauchbarer«, meint Saverio.

»Du meinst die des Mo tse-ti?« fragt Bellavista. »Aber das kann man so nicht sagen, weil der Taoismus auf Dauer die praktikablere Philosophie hervorgebracht hat, nämlich die des Tschuang-tse oder die Philosophie der gerechten Mitte.«

»Ja, aber Professor, auf die sollten Sie doch nicht hören, das sind doch Chinesen, die gehören einer anderen Rasse an«, sagt Salvatore. »Die Chinesen sind gewöhnt, mit einem Klacks Reis pro Tag auszukommen, ohne sich zu beklagen!«

»Wir brauchen auch gar nicht unbedingt bis zu den Chinesen zurückzugehen«, sagt der Professor, »um auf den philosophischen Dualismus zwischen Liebe und Freiheit zu stoßen; im Abendland haben wir zum Beispiel Tönnies gehabt, einen deutschen Soziologen, der im letzten Jahrhundert zu diesem Thema ein grundlegendes Werk unter dem Titel *Gemeinschaft und Gesellschaft* veröffentlichte.«

»Jesus Maria und Josef!«

»Keine Angst, ich erkläre gleich alles ganz einfach«, fährt der Professor fort. »Unter dem Begriff ›Gemeinschaft‹ faßt Tönnies nämlich alle jene Beziehungen zusammen, die auf Freundschaft gegründet sind, während er unter dem Begriff ›Gesellschaft‹ alle Beziehungen versteht, die von Gesetzen, das heißt von theoretischen Theorien bestimmt werden, die für alle gleich sind. Nun ist doch klar, daß diese beiden Arten von Gemeinsamkeiten verschieden organisiert sind: die erstere, die ›Gemeinschaft‹, ist vertikal aufgebaut, mit einem Chef an der Spitze der Pyramide und einer genauen Hierarchie, dies ist ein Typ von Beziehungen, der die Ehrerbietung des Schwächeren gegenüber dem Stärkeren verlangt und gleichzeitig alle zur gegenseitigen Zusammenarbeit auffordert. In der Tat lebt man in der Gemeinschaft von Empfehlungen von Sätzen dieser Art: ›Er ist mein Mann‹, ›Für euch dies und das‹, ›Ehrensache!‹ ›Was ihr mit ihm tut, ist so, als würdet ihr es mir antun‹ und so weiter...«

»Professor, in diesem Ding, von dem Sie geredet haben...«

»In der Gemeinschaft?«

»Ja, in diesem Ding da, da lebt man nicht gut«, sagt Salvatore. »Na ja, denn wenn ein armer Teufel nicht, wie man in Neapel sagt, seinen Heiligen im Paradies hat, guckt er eben in die Luft. Ich nenne jetzt einmal nur ein Beispiel: Sie sagen, diese Gemeinschaft ist auf die Freundschaft aufgebaut. Alles gut und schön, aber wenn ich nun Saverios einziger Freund bin und Saverio der einzige Freund ist, den ich habe, und wir alle beide zusammen in diesem Augenblick nicht einmal tausend Lire zusammenbringen, da können wir doch lange die besten Freunde sein und bleiben doch unser Leben lang Hungerleider. Praktisch ist das doch so, wie wenn ein Lahmer einen Blinden abschleppte.«

»Ich verstehe schon, was du meinst, Saverio, aber Tönnies hat ja auch nie behauptet, daß es sich in der Gemeinschaft besser lebe als in der Gesellschaft, er hat einfach nur erkannt, daß die Schwierigkeiten, die aus einer solchen Gemeinschaft entstehen, dazu beitragen, daß eine gewisse Art von Freundschaftsbeziehungen zwischen den einzelnen weiterbesteht. Wenn wir aber jetzt noch einmal auf die Darstellung des Werkes von Tönnies zurückkommen, erkennen wir, daß die Gesellschaft im Unterschied zur Gemeinschaft eine eindeutig horizontale Struktur hat, die für die demokratischen Gesellschaften angelsächsischen Typs charakteristisch ist. Und merkwürdigerweise verbirgt unser Tönnies trotz seiner deutschen Herkunft nicht, daß er grundsätzlich die Gemeinschaft vorzieht, die also auf die Liebe gegründet ist. Das läßt sich zum Beispiel daran erkennen, daß er von ›warmen Antrieben des Herzens‹ redet und von der ›Logik des kalten Intellekts‹.«

»Also Professor«, werfe ich ein, »dann ist Ihrer Meinung nach die Mafia eine Gemeinschaft der Liebe?«

»Das ist doch wohl klar: der Liebe und gleichzeitig auch der Macht, niemals aber der Freiheit. Jedenfalls stellt die Mafia die schlimmste Form der Gemeinschaft dar, so wie andererseits die Bürokratie die schlimmste Form der Gesellschaft darstellt.«

»Und welches sind dann Ihrer Meinung nach die Völker der Liebe und die Völker der Freiheit?« frage ich.

»Es ist ja nicht so, daß es Völker gibt, die ganz von Freiheit, und andere, die ganz von Liebe bestimmt sind, schwarz und weiß dieser beiden Gefühle vermischen sich in der Seele eines jeden Volkes, und infolgedessen können wir jetzt nicht die Nationen auf der Landkarte strahlendweiß oder rabenschwarz einzeichnen, sondern es ergibt sich eine Abstufung von vielerlei Grautönen. Dabei werden wir allerdings dennoch zwei Zonen unterscheiden können: eine dunklere, die wir das Reich der Liebe, und eine hellere, die wir die Republik der Freiheit nennen werden.«

»Ich denke, wir gehören zum Reich der Liebe, oder irre ich mich, Professor?« fragt Saverio.

»Ganz genau, Saverio«, bestätigt der Professor. »Hauptstadt des Reiches der Liebe wäre da Neapel, und es würde ein weites Gebiet umfassen, zu dem nicht nur die meisten süditalienischen Provinzen gehörten, sondern auch einige Hochburgen in Nordeuropa, zum Beispiel in Irland und einigen Gegenden der Sowjetunion.«

»Ja, und welches wäre dann die Hauptstadt der Republik der Freiheit?«

»Ehrlich, dabei habe ich immer an London gedacht.«

»Wo ich fast gelandet wäre, um mit meinem Onkel Ferdinando Pizze zu machen«, sagt Saverio. »Ein Glück, daß nichts daraus geworden ist.«

»Wenn ich an London denke«, fährt Bellavista fort, »fällt mir immer jener einzelne Herr ein, den ich eines Nachts allein an einer Bushaltestelle Schlange stehen sah.«

»Wie? das verstehe ich nicht«, sagt Saverio. »Er stand allein Schlange? Woran haben Sie denn gemerkt, daß er Schlange stand?«

»Ich habe es daran gemerkt, daß er mit der rechten Körperseite zur Straße gerichtet so an der Haltestelle stand, daß sich andere Fahrgäste, die aber gar nicht da waren, hinter ihm hätten anschließen können.«

»Jesus Maria!«

»Ja was wollt ihr, für den echten Engländer ist die Achtung vor den anderen wie eine Religion! Die typische englische Behausung hat zum Beispiel ein Tor, einen Zugang durch einen kleinen Garten, einige Wohnräume im Erdgeschoß und einige Schlafzimmer im Obergeschoß. Und neben diesem Haus, das ich euch beschrieben habe, befindet sich ein anderes, das genau gleich ist, und daneben noch eines, das ebenfalls genau gleich ist. Und es ist nicht etwa so, daß jemand aus Ersparnisgründen gesagt hätte: bauen wir doch ein großes Wohnhaus mit einem einzigen Eingang, einer einzigen Treppe und einer Menge Wohnungen. Nein, nein, dort will jeder seinen eigenen Eingang, seinen eigenen Garten, seine eigene Treppe im Hausinnern, so daß er leben kann, ohne wissen zu müssen, wie sein Nachbar heißt oder wer er ist, was der treibt, wie er aussieht undsoweiter undsoweiter; und ebenso entschieden wünscht er, daß seine Nachbarn ihn ebensowenig zur Kenntnis nehmen und daß sie ihm gegenüber ebensoviel Gleichgültigkeit zeigen.«

»Also ich weiß aus meinem Viertel alles«, sagt Saverio.

»Geht ja auch gar nicht anders. In Neapel hängen ja die Wäscheleinen zwischen den verschiedenen Wohnhäusern, und auf diesen Wäscheleinen laufen dann auch die Nachrichten hin und her und verbreiten sich«, sagt Bellavista. »Na ja, überlegt doch nur einmal einen Augenblick, um vom dritten Stock des einen Hauses zum dritten Stock des anderen Hauses eine Wäscheleine zu spannen, müssen die Frauen, die die entsprechenden Wohnungen bewohnen, schon miteinander geredet und sich abgesprochen haben: ›Jetzt machen wir etwas Feines, wir spannen eine Leine zwischen euch und uns, und dann hängen wir alle beide unsere Wäsche darauf. Wann haben Sie denn Waschtag? Am Dienstag? Gut, dann mache ich es am Donnerstag, so kommen wir uns nie ins Gehege.‹ Auf diese Weise ist das Gespräch entstanden, und die Liebe auch.«

»Wäschestücke, die in der Sonne trocknen, sind immer etwas Schönes«, sagt Luigino. »Als Kind dachte ich, die Wäsche würde so wie Fahnen in der Sonne aufgehängt, weil man etwas feierte. Und auch heute noch versetzt mich der Anblick dieser Wäsche in gute Laune. Ich habe nie verstanden, warum es in gewissen besseren Wohngebieten verboten ist, Wäsche draußen aufzuhängen. Und die Tatsache, daß diese Wäscheleinen in Neapel alle Häuser untereinander verbinden, ist doch wirklich wichtig. Meinen Sie nicht? Stellt euch nur einmal einen Augenblick vor, wie das wäre, wenn der liebe Gott ein Haus aus Neapel in den Himmel heben wollte. Da würde er doch zu seiner großen Verwunderung bemerken, daß langsam aber sicher eines nach dem anderen auch alle übrigen Häuser wie über die Toppen geflaggt hinter dem ersten herkämen, alle Häuser, Wäscheleinen und Wäschestücke.«

»Sehr schön, Luigino«, sagt Saverio. »Über diese Häuser Neapels, die in den Himmel aufsteigen, mußt du uns ein Gedicht machen.«

»Nachdem sie ihre erste Leine gespannt haben«, fährt der Professor fort, »werden unsere Damen sich besser kennenlernen, sie werden sich zanken und wieder versöhnen, sie werden sich verbünden im Zank mit den Damen des Stockwerks unter ihnen, bis sie dann auch mit diesen Freundschaft schließen. Das System hat eben auch seine Schattenseiten, seinen Preis. So kann nichts von all dem, was in einem der Häuser geschieht, vor den anderen geheimgehalten werden: Liebschaften, Hoffnungen, Geburtstage, Ehebruch, Lottogewinne und Durchfall, alles muß allen bekannt sein. Es ist natürlich die Liebe, die da auf den Leinen hin- und herläuft, alle informiert und alle Freud und Leid teilen läßt. Keiner ist frei, aber keiner ist allein, und das milde Klima begünstigt den Strom der Nachrichten, da es erlaubt, Fenster und Haustüren offenstehen zu lassen.«

»Was der Professor sagt, stimmt wirklich«, erklärt Salvatore. »Wir sind eben nicht wie die Engländer. Wir müssen uns in die Angelegenheiten aller einmischen, wir müssen alles wissen, wir sind neugierig.«

»Nein, mein lieber Salvatore, was du hier Neugier nennst, ist einfach ein Bedürfnis nach Liebe, eine Notwendigkeit, mit den anderen zu kommunizieren«, entgegnet der Professor. »Geht nur einmal in gewisse kleine italienische Dörfer oder auf die Inseln, die noch nicht vom organisierten Tourismus erfaßt sind, Ventotene zum Beispiel, dann werdet ihr sofort merken, daß die Leute netter sind, daß man euch auf der Straße grüßt; wenn man einem begegnet, sagt er Guten Tag. Und in Mailand sind vielleicht im gleichen Augenblick zwei Leute, die sich nicht kennen, gezwungen, gemeinsam den Aufzug zu benutzen, und diese paar wenigen Sekunden, die sie da zusammen verbringen, ohne sich ins Gesicht zu sehen und ohne etwas zu reden, werden zu langen unbehaglichen

Minuten. Das sind die Schattenseiten der Zivilisation. Ja, so ist es, wenn ich nämlich in einer zivilisierten Stadt einen Herrn grüße, den ich nicht kenne, dann bekommt der, weil er sich nun einmal daran gewöhnt hat, in einer Welt zu leben, in der alle Verhaltensweisen geregelt sind, einfach Angst, er wird zu Recht mißtrauisch und fragt sich ›Warum hat der mich bloß gegrüßt?‹ Früher gab es ja in den Eisenbahnen auch noch die dritte Klasse, und in der fuhren natürlich die ärmsten Leute, also die ärmsten, was das Geld betrifft, denn an Liebe waren sie gewiß viel reicher. Damals, das müßt ihr mir schon glauben, da konnte man auch nicht die kürzeste Reise machen, ohne sämtlichen Mitreisenden im Abteil alles genau zu sagen und zu erzählen: Vornamen, Familiennamen, Familienverhältnisse und Grund der Reise. Natürlich erfuhr man dafür seinerseits alle Einzelheiten aus mindestens zehn anderen Menschenleben, und wenn eine Reise zu Ende war, dann tat es einem tatsächlich leid, sich von diesen neuen Freunden, von ihren Familienbildern und all diesen unvollendeten Geschichten verabschieden zu müssen, deren Schluß man nie erfahren würde. Dabei herrschte in den Dritteklasseabteils bestimmt nicht die beste Luft. Nun sind meiner Meinung nach diese Gerüche in der dritten Klasse für meine Theorie etwas ganz Wichtiges, denn sie treten regelmäßig an den Orten auf, wo die größte Liebe herrscht. So ist es zum Beispiel undenkbar, auch nur eine Spur dieser Gerüche in diesen neuen aseptischen Flugzeugen anzutreffen: und wenn eines dieser Flugzeuge abstürzt, dann kann es vorkommen, daß ein Passagier stirbt, ohne auch nur den Namen der Person zu kennen, die neben ihm gesessen hat, vielleicht drückt er ihr im letzten Augenblick noch die Hand und weiß nicht, wer sie ist.«

»Madonna mia, verschone uns du«, sagt Salvatore.

»Vor ein paar Tagen«, erzählt Saverio, »habe ich in der Untergrundbahn einen Tischler aus San Giovanni a Teduccio kennengelernt, der wohl gut und gern achtzig Jahre alt war, aber der sah aus, sage ich euch, wie ein Jüngling, der vor kur-

zem noch die Schulbank gedrückt hat! Ich war wie gewöhnlich am Mergellina in die Untergrundbahn eingestiegen, weil
ich zu meiner Schwester Rachele in die Via Firenze mußte, die
hat doch einen Prozeß gegen ihren Hausbesitzer, der ein Riesenschwein ist, und da will sie immer, daß ich mitgehe, wenn
sie ihren Anwalt aufsucht; Don Ernesto also, dieser Tischler,
den ich da in der Untergrundbahn kennengelernt habe, hat es
auf einer Strecke von nur vier Haltestellen geschafft, mir zu
erzählen, daß er dreimal verheiratet war. Praktisch eine Ehefrau pro Haltestelle! Die erste Frau hatte er kennengelernt, als
er Soldat im ersten Weltkrieg war. Er sagt, er habe eine Ver-
wundung am Bein gehabt und sie sei Rotkreuzschwester gewesen. Er hat sie sich trotz Gipsbein gleich untergerissen dort
in dem Bett im Lazarett, und dann mußte er sie heiraten, aber
anscheinend starb sie ihm, Gott erhalt uns die Gesundheit,
obwohl sie ein Prachtweib war, sie stammte aus Friaul, etwa
fünf Jahre später in Neapel an Lungenentzündung. Die
zweite Frau war Neapolitanerin, und er sagt, daß sie eine
Filmschönheit war, aber auch sie fand ein schlimmes Ende,
insofern sie, Gott erhalt uns die Gesundheit, damals bei dem
berühmten Bombenangriff am 4. August 43, der Professor
wird sich noch daran erinnern, unter Trümmern begraben
wurde. Don Ernesto ließ sich aber trotzdem nicht entmutigen, und so heiratete er zwei Jahre später zum drittenmal.
Nun scheint es, daß diese Frau nur noch Haut und Knochen
ist und ein kränkliches Aussehen hat, trotzdem sagt er, daß er
mit ihr einen sehr guten Griff getan hat und daß sie glücklich
und zufrieden leben. Jedenfalls hat er aus seinen drei Ehen sieben Kinder und sechzehn Enkel.«

»Welt der Liebe! Welt der Liebe! Welt der Liebe!« ruft der
Professor aus.

»Professor, ich wollte schon die ganze Zeit etwas fragen:
stimmt das denn wirklich, daß, wenn in London ein armer
Teufel zu Boden fällt, weil es ihm schlecht geht, ihm dann niemand hilft?«

»Ja, das ist tatsächlich wahr, Salvatore. Aber man muß auch verstehen, warum. Ihr müßt einfach einmal kapieren, meine Herren, daß der echte Londoner in einer solchen Lage sich folgendes überlegt: ein Unbekannter liegt vor mir auf dem Gehsteig, vielleicht wurde er von Übelkeit befallen, oder vielleicht will er einfach auf dem Boden schlafen, in beiden Fällen geht mich die Sache nichts an, und daher habe ich weder die Pflicht noch das Recht einzugreifen, sicher hat die Londoner Verwaltung einen für diesen Fall zuständigen Dienst. Daraufhin steigt er über ihn, und der Mann stirbt.«

»Mamma mia, diese Londoner sind doch Schweine!«

»Aber eines ist natürlich ganz klar, der arme Mann wäre auch in Neapel schließlich gestorben, na ja logisch, denn einer hätte erst einmal ›Madonna!‹ geschrien, ›dieser Herr fühlt sich nicht wohl, bringt schnell einen Stuhl, ein Glas Wasser!‹ Und in wenigen Minuten hätte man hundert Stühle und hundert Glas Wasser angebracht, und der arme Mann wäre einfach erstickt, auch wenn er dabei den Trost gehabt hätte, an Liebe zu sterben.«

»Das kommt mir nun aber doch leicht übertrieben vor.«

»Was ich hier erzählt habe, sind natürlich paradoxe Geschichten. Vergeßt aber auch nicht, daß es in der Sprache der Liebe das Wort Übertreibung gar nicht gibt. Selbst der Diebstahl einer Brieftasche könnte noch als ein Akt der Liebe gelten, da er ein Interesse an den Dingen der andern bezeugt.«

»Verstehe«, sagt Saverio. »Das ist, wie wenn man sagt, daß einer aus Neugier stiehlt: Wer weiß, was dieser Herr in seiner Brieftasche hat?«

»Meiner Meinung nach«, ergänzt Salvatore, »ist es sowohl eine Sache der Neugier wie auch eine der Notwendigkeit.«

»Wir müssen uns eben damit abfinden, daß wir nicht alles im Leben haben können«, sagt der Professor. »Wollen wir Ordnung? Sauberkeit? Also dann verzichten wir auf die Liebe. Wenn uns dagegen der Lärm und die Unordnung auf die Nerven gehen, müssen wir eben in der Schweiz leben. Ja doch, dann gehen wir nach Bern. Vergessen wir aber nicht, daß es von Bern heißt, es sei doppelt so groß wie der Friedhof von Wien, aber man habe dort nur halb so viel Spaß.«

»Professor«, sage ich, »wie erklären Sie sich aber dieses grundlegend verschiedene Verhalten der nördlichen und der südlichen Bevölkerungen? Ist das jetzt eine reine Rassenfrage oder verstärkt das warme Klima die Emotionen der Südländer?«

»Das Klima würde ich nicht sagen. Die Liebe herrscht, wie schon gesagt, manchmal auch in eiskalten Zonen. Denken Sie nur an die Iren, wie emotionsgeladen und hitzig die sind und ständig bereit, sich gegenseitig zu helfen, oder an die Russen, so wie Čechov und Dostojewski sie beschrieben haben. Erinnern Sie sich nur an den Marmeladow in ›Schuld und Sühne‹, wie er im Wirtshaus allen sein Leben erzählt und sagt, daß für jeden ein Ort da sein müsse, wo er Verständnis findet?«

»Aber der Marmeladow war ein Säufer!«

»Richtig, und da wir schon über Alkohol reden, will ich etwas näher auf das Thema eingehen. Wer nämlich trinkt und sich betrinkt, tut das doch vor allem, weil er sich aus einem Zustand der Freiheit in einen Zustand der Liebe bringen will, und das Bedürfnis zu trinken wird dabei umso stärker sein, je weiter sich das Individuum von seiner natürlichen Position der Liebe entfernt fühlt. Es ist doch zum Beispiel bekannt, daß die Neapolitaner bei allen Schwächen, die sie sonst so haben, zu keiner Zeit trunksüchtig waren. Und das läßt sich nur damit erklären, daß sie eben von vornherein in einer Welt der Liebe leben und eine solche Hilfe wie Wein gar nicht brauchen.«

»Also Saverio ist ja nun Neapolitaner«, sagt Salvatore, »aber wenn man ihm einen ganzen Liter Wein hinstellt, dann trinkt er den ohne weiteres auch aus.«

»Er trinkt ihn aus, weil er ihm schmeckt und nichts kostet, aber nicht, weil er sich betrinken will oder sich im Umgang mit den anderen weniger gehemmt fühlen möchte.«

»Die Amerikaner dagegen . . .«, sage ich.

»Die Amerikaner haben das ununterdrückbare Bedürfnis, ein Gegengewicht zu einem Tag der Effizienz, der Produktivität und des Machtkultes zu schaffen. Da müssen wir uns doch überlegen, ob die Gründe für dieses unterschiedliche Verhalten nicht viel tiefer liegen. Zum Beispiel ist noch gar nicht geklärt, ob die Tatsache, daß jene Bevölkerungen, die der Liebe zuneigen, im allgemeinen katholisch sind, während die auf Freiheit eingestellten ja überwiegend protestantisch sind, bestimmend war für dieses unterschiedliche Verhalten oder umgekehrt.«

»Meiner Meinung nach«, sage ich, »lief die Entwicklung der europäischen Charaktere schon vor der Reformation in verschiedene Richtungen.«

»Das läßt sich nicht so leicht sagen, weil die Reformation in bestimmten Ländern die Kulturentwicklung vorantrieb, während sie in anderen aus Reaktion zur Unterdrückung der individuellen Kultur führte. Die Reformation hat, mit anderen Worten, den Gläubigen die Mittel in die Hand gegeben, mit dem lieben Gott selbständig und ohne Einschaltung des Priesters zu verhandeln, vor allem aber, ohne die erbetenen Gnaden entsprechend der bei der Römischen Kirche geltenden Preisliste erkaufen zu müssen. Luther gab den Völkern den Anstoß dazu, die Heilige Schrift zu lesen, deren Deutung bisher einzig und allein den Eingeweihten vorbehalten gewesen war, und das brachte vor allem einen Bildungsaufschwung mit sich und damit das, was wir heute Zivilisation nennen. Die gefühlsbetonten Völker hingegen blieben weiterhin streng katholisch: es waren diejenigen, denen das Mysterium, das Dogma, der Glaube und damit die Liebe gefielen. Es scheint also mit anderen Worten fast so, als verlange der Weg zu Fortschritt und Freiheit eine Art Wegegeld in Form von Liebe.«

»Professor, wenn ich recht verstanden habe, meinen Sie also, daß Liebe und Unwissenheit zusammengehören und daß die Menschen der Freiheit qualitativ eine Stufe höher einzuordnen sind ...«

»Aber ganz und gar nicht, legen Sie mir bloß nicht Dinge in den Mund, die ich gar nicht gesagt habe: Bildung und Qualität sind zwei verschiedene Dinge, und dann ist es ja auch keinesfalls wahr, daß die Menschen der Liebe alle der weniger gebildeten Gesellschaftsschicht zuzuordnen sind. So betrachtet würde ich eher sagen, daß die Menschen der Freiheit, also die Rationalisten, im allgemeinen eine Gruppe zwischen einer emotiven Mehrheit, die bildungsmäßig auf niedrigerem Niveau steht, und einer Elite von Großen bilden, die nicht nur ein freiheitliches Bewußtsein erworben haben, sondern gleichzeitig auch in der Liebe die wahre Bedeutung des Lebens wiederentdeckt haben.«

»Also kann man gleichzeitig sowohl ein Mensch der Liebe als auch ein Mensch der Freiheit sein?«

»Durchaus, und aus dem Verhältnis dieser beiden Anlagen können wir erkennen, mit welcher Person wir es zu tun haben, während uns die Summe beider eine Vorstellung von ihrem Wert gibt.«

»Wenn wir jetzt wieder auf Neapel zurückkommen, glauben Sie da, daß die meisten Neapolitaner Menschen der Liebe sind?«

»Zweifellos: insbesondere die aus den unteren Bevölkerungsschichten. Wenn wir von Neapel sprechen, müssen wir jene einhundert- oder zweihunderttausend Personen vergessen, deren Gewohnheiten wir zur Genüge kennen und die zwischen der Via dei Mille und dem Posillipo leben. Das wahre Neapel, das echte Neapel ist immer noch das Neapel der Spanischen Viertel, des Pendino, des Borgo S. Antonio Abate, der Gegend um den Markt... das Neapel der Straßenhändler, das Neapel der Feste und des Elends in den Gassen... Ich erinnere mich immer noch an eine unserer Hosenschneiderinnen, die bei der Sanità wohnte... ich glaube, sie hieß... Rachelina... jaja, Rachelina hieß sie. Diese Rachelina also hatte einen vierjährigen Jungen und weigerte sich, diesen Jungen gegen Kinderlähmung impfen zu lassen; wir mußten, um sie umzustimmen, damals sogar eine Inspektorin von der weiblichen Polizei bemühen. Es war ein heroisches Unterfangen: Rachelina behauptete, für ihren Sohn gäbe es keine Gefahr, denn er stünde unter dem unmittelbaren Schutz des heiligen Vincenzo, des berühmten Mönches und unbeschränkten Herrn über das Sanità-Viertel. Sie erzählte, ihr Sohn habe als Dreijähriger eine Bronchitis mit vierzig Grad Fieber gehabt und eines Nachts, als sie auf dem Stuhl neben dem Bett ihres Sohnes eingeschlafen sei, sei San Vincenzo persönlich erschienen, habe sie geweckt und gesagt: ›Rachelina, geh und leg dich schlafen, mach dir keine Sorgen, um den Kleinen hier kümmere ich mich schon‹, und daß dann das Kind am nächsten Tag kein Fieber mehr gehabt habe und im ganzen Haus herumgetollt sei. Dabei hat dieser heilige Vincenzo, der im Sanità-Viertel so ungemein beliebt ist, mit Neapel nicht das geringste zu tun: Vincenzo Ferreri war nämlich ein spanischer Dominikanermönch, der nie in unsere Gegend gekommen ist, in den Augen des Volkes aber wohl vor allem ein Verdienst hatte: Er wurde von einer schweren Krankheit wunderbarerweise geheilt, nachdem er die Ärzte, die ihn behandeln wollten, weggejagt hatte. Um aber jetzt auf den Fall der Rachelina zurückzukommen, gerade bei dieser Gelegenheit erlebte ich zum erstenmal das Fest des Großen Mönchs mit. Ich spreche jetzt von einer Zeit, die schon ein wenig zurückliegt, als das Fest noch hauptsächlich religiös war und fast in ganz Neapel gefeiert wurde, vom Stella-Viertel bis zur Piazza del Reclusorio. Inzwischen ist es ja eine ganz konsumorientierte Sache geworden: Das Hauptinteresse gilt heute einem Gesangswettbewerb, an dem alle italienischen Schlagersänger teilnehmen, die von den Camorrabossen der einzelnen Viertel ›freundlichst gebeten‹ werden, teilzunehmen. Damals aber, daran erinnere ich mich genau, gab es noch die Prozession. Der Sohn Rachelinas wurde als kleiner Dominikanermönch verkleidet und wartete mit vielleicht zwanzig anderen Kindern, an denen sich ebenfalls ein ›Wunder‹ vollzogen

hatte, vor der Kirche S. Maria alla Sanità. Ein Eis für jeden
und ein paar von den jeweiligen Müttern in regelmäßigen Ab-
ständen ausgeteilte Ohrfeigen nahmen dem Augenblick etwas
von seiner Feierlichkeit und den kleinen Mönchen etwas von
ihrer Heiligkeit. Als der Heilige dann inmitten eines unbe-
schreiblichen Durcheinanders von Menschen ankam, hoben
die Mütter ihre Kinder hoch, und diese opferten unter Beifall,
Geschrei und Dankestränen dem heiligen Vincenzo jeder eine
Kerze, wofür sie mit einem Segen und einem Schleier belohnt
wurden. Ich ging zutiefst traurig weg und dachte gerade darüber nach, daß es strenggenommen überhaupt keinen Unterschied zwischen einer solchen Szene und einem Baluba-Ritus
mitten im Urwald gab, und fragte mich, ob wohl je der Tag
kommen würde, da meine geliebten Mitbürger diesen ganzen
Aberglauben abschütteln und sich sozial entwickeln würden,
als ich plötzlich vor dem Fontanelle-Friedhof stand. Ich hatte
von diesem Friedhof schon viel gehört, ihn aber noch nie besucht. Ich erkundigte mich nach dem Eingang, und man sagte
mir, ich sollte mich am besten an die Priester der Kirche wenden. Und einer dieser Priester begleitete mich dann auch auf
meinem Rundgang: Überall gab es Knochen und Totenschä-
del, die in der feuchten Kälte, die von den Mauern ausge-
strahlt wurde, in Haufen auf dem Boden lagen, und im schwachen Licht von Hunderten von Lämpchen sah ich etwa zehn
Frauen im stummen Gebet knien. Der Priester erzählte mir,
daß diese Frauen zum Teil aus einfacher Frömmigkeit, zum
Teil, weil sie Mütter oder Frauen von Kriegsverschollenen
waren, von diesen Haufen die Knochen zusammensuchten,
um sich ein eigenes Skelett zurechtzulegen, für das sie sorgten
und für das sie beteten. ›Mehrmals schon‹, sagte er, ›mußte ich
grobe anatomische Fehler korrigieren, da gab es ein Schien-
bein statt eines Oberschenkelknochens, ein halbes Becken an
Stelle eines Schulterblatts, aber darauf kommt es nicht an: das
Wichtige ist der Glaube. Wenn Sie ein Materialist sind, rechnen Sie doch einmal nach: alles was bleibt, ist das da.‹«

VIII

Die Kunst der Komödie

»Signora, Sie müssen noch eine Fahrkarte lösen.«

»Warum muß ich noch eine Fahrkarte lösen?«

»Für den Jungen.«

»Für welchen Jungen denn?«

»Den da, der neben Ihnen steht.«

»Und den nennen Sie einen Jungen. Sehen Sie denn nicht, daß das ein Kleinkind ist, noch nicht einmal neun Jahre alt!«

»Von mir aus nennen Sie es auch Kleinkind, aber da dieses Kleinkind über einen Meter groß ist, braucht es eine Fahrkarte, wenn es mit dem Bus fahren will.«

»Über einen Meter, über einen Meter, das ist doch wohl ein Scherz! Der ist doch keine siebzig Zentimeter groß!«

»Signora, ich merke schon, Sie sind heute morgen aufgestanden und haben sich gesagt, denen zeig ich's mal. Der Junge, das Kleinkind oder wie immer Sie es nennen wollen, überragt mit dem Kopf diese Eisenstange hier, und die ist einen Meter hoch, also braucht er eine Fahrkarte.«

»Jesus Maria, in was für Situationen man kommt! Der war doch immer kleiner als einen Meter! Sehen Sie denn nicht, daß der Junge sich auf die Zehenspitzen gestellt hat und daß er daher größer wirkt?« erwidert die Signora und drückt dabei ihrem Sohn mit einer Hand so lange den Kopf unter die Eisenstange, bis er darunter bleibt. »So duck dich doch, Cicci!«

»Genug jetzt, Signora. Was haben Sie sich bloß vorgestellt! Sollen wir hier noch ewig herumpalavern! Entweder zahlt der Junge jetzt seine Fahrkarte, oder er steigt aus, ist das klar?«

»Und Sie würden so ein Kleinkind einfach allein auf die Straße setzen?«

»Ist das vielleicht mein Kind! Dann steigen Sie doch mit aus!«

»Ich? Ich habe doch meine Fahrkarte gekauft.«

Während dieser ganzen Diskussion hat sich der Bus keinen Meter fortbewegt. Er steht mit offenen Türen da, bis geklärt ist, ob der Junge nun eine Fahrkarte lösen muß oder nicht.

»In welchem Land befinden wir uns hier eigentlich«, protestiert ein Herr mit deutlich norditalienischem Akzent. »Fahren Sie nun endlich ab oder nicht?« fragt er den Fahrer. »Und Sie, Signora, Sie können sich wohl nicht vorstellen, daß es auch noch Leute gibt, die arbeiten? Wir können doch nicht alle solange warten, bis Sie sich entschließen, fünfzig Lire für eine Fahrkarte herauszurücken. Wissen Sie was, hier haben Sie fünfzig Lire, und jetzt kaufen Sie endlich eine Fahrkarte für Ihren Sohn!«

»Ja wo sind wir denn, was nimmt denn der sich heraus!« schreit nun die Signora und deutet auf den Mailänder. »Der will mir die Fahrkarte zahlen«, sagt sie, an alle Anwesenden gewandt. »Wenn das vielleicht nicht aufdringlich ist! Wenn ich will, kann ich ihm hundert Fahrkarten kaufen.« Und an den Herrn gewandt, fährt sie fort: »Sie können von Glück sagen, daß mein Mann nicht dabei ist und ich hier als arme Frau allein gegen alle diese Männer aufkommen muß, sonst weiß ich wirklich nicht, wo diese fünfzig Lire gelandet wären! Jesus Maria und Heilige Anna, was man wegen so einer lumpigen Fahrkarte durchmachen muß!«

»Also gut, Signora«, schreit der Fahrer von seinem Fahrersitz aus. »Sie bekommen jetzt recht, aber beim ersten Polizisten, den ich sehe, halte ich an, und dann werden wir ja sehen, ob Sie aus dem Bus aussteigen oder nicht!«

Daraufhin schließt der Fahrer die Türen und will gerade abfahren, als ein Sturm des Protestes unter fast sämtlichen Fahrgästen losbricht.

»Halt, halt!«

»Was ist denn jetzt noch los!« fragt der Fahrer.

»Wir sind doch nur eingestiegen, um zuzuhören.«

IX

Der Festpreis

> *Die Geschäftemacher preisen sich,*
> *daß sie schlau sind und fähig.*
> *Aber in Dingen der Philosophie*
> *sind sie wie kleine Kinder.*
> *Während sie sich unter ihresgleichen*
> *gelungener Raubzüge rühmen,*
> *versäumen sie es, über das letzte*
> *Schicksal des Körpers nachzudenken.*
> *Und werden nie es erfahren vom*
> *großen Meister der Wahrheit,*
> *der die weite Welt in einer Schale*
> *aus Jade sah.*
> Ch'en Tzu-Ang (656–698 n. Chr.)

»Heute habe ich im Duchesca einen neuen Fernseher ge-kauft«, verkündet Saverio triumphierend. »Dreiundzwanzig Programme, acht Kanäle und Stereoschirm.«

»Da hast du ein ganz schlechtes Geschäft gemacht, Sa-verio«, sagt der Professor.

»Sie machen sich wohl lustig, Professor! Wo ich doch fünf-undfünfzig Prozent Rabatt plus noch fünf Prozent und Ra-tenzahlung in fünf Jahren auf Wechsel nur mit Bankzinsen herausgeschlagen habe!«

»Was ist denn das, ein Kredit?« ruft Salvatore aus.

»Nein, alle wissen eben, daß wir kein Geld haben, also ge-ben sie uns die Sachen so, oder wir können sie überhaupt nicht kaufen.«

»Aber ich meinte nicht den Preis, Saverio. Sondern den schlechten Einfluß, den das Fernsehen auf dich, auf deine Frau und deine Kinder ausüben kann.«

»Ach, wenn es darum geht, Professor, wir hatten doch

schon einen Fernseher, bloß daß wir mit dem das zweite Programm nicht reinkriegten. Sie müssen wissen, diesen Fernseher schenkte uns die Signora Bottazzi, als sie damals mit den Nummern im Lotto gewonnen hatte, die ihr der selige Onkel Rafele im Traum eingegeben hatte. Erinnern Sie sich noch an den Onkel Rafele? Das ist doch der, der mit siebzig starb, während er gerade oben in der Pension Emilia mit einer Frau schlief. Also wie ich gesagt habe, ging unser Fernseher nicht mehr richtig: er machte immer Kürbisse, und die Stimme blieb auch weg.«

»Wie, was machte er?« frage ich.

»Saverio meint«, übersetzt der Professor, »daß sein Fernseher die Köpfe so verformte, daß sie aussahen wie Kürbisse, stimmt's, Saverio?«

»Er machte immer Kürbisse, Professore.«

»Und so hast du also ein gutes Geschäft gemacht?«

»Erstklassig! Aber nach welch einem Kampf! Also man kann sagen, die ersten Begegnungen fanden schon gegen Mitte des vergangenen Monats statt. Ich ging da vorbei und fragte einfach einmal so, ohne mich besonders an dem Objekt interessiert zu zeigen, nach dem Preis, und der geniert sich nicht und sagt ganz lässig, daß das Gerät zweihunderttausend Lire koste, er es mir aber, weil ich es sei und eine meiner Kusinen mit seiner Schwester als Packerin zusammengearbeitet habe, für hundertdreißigtausend in bar überlassen könne. Ohne das geringste Anzeichen von Erstaunen sagte ich, daß er es ruhig behalten könne, oder wenn er es mir unbedingt andrehen wolle – mehr als fünfzigtausend Lire brächte ich nicht zusammen, und darauf sagte er, mit meinen fünfzigtausend Lire könne ich ja schon mal, bis die Signora Bottazzi wieder im Lotto gewänne, eine schöne Antenne aufs Dach setzen. Alles in allem gingen wir also von sehr weit auseinanderliegenden Vorstellungen aus, aber wie Sie mich gelehrt haben: mit Geduld lassen sich große Dinge erreichen, und jedesmal, wenn ich am Duchesca vorbeiging, gab er um tausend Lire nach, und ich ging um fünfhundert Lire rauf, bis wir dann Ende November er auf hundertfünftausend und ich auf siebzigtausend Lire angekommen waren und dieser Mistkerl um keine Lira mehr heruntergehen wollte. Er hatte kapiert, daß ich meiner Gattin gern damit eine schöne Überraschung zu Weihnachten bereitet hätte, und so beharrte er stur auf seinen hunderttausend Lire und ließ mich zappeln. Aber bei aller Bescheidenheit, auf den Kopf gefallen ist Saverio Santopezzullo ja nicht, und so begann ich in dem Laden gegenüber wegen eines gebrauchten Gerätes zu verhandeln, eines von diesen altmodischen, wie man sie früher hatte. Und heute habe ich dann mein Meisterstück geliefert; ich habe mein Metermaß mitgebracht und angefangen, den gebrauchten Fernseher abzumessen, und dann sagte ich ganz laut: ›Er paßt wirklich haargenau auf das Tischchen im Wohnzimmer!‹ Und gerade in dem Augenblick, als der wirklich am wenigsten darauf gefaßt war, rief ich ganz plötzlich zu ihm hinüber: ›Geben Sie ihn mir für achtzigtausend?‹ und er sofort: ›Fünfundachtzigtausend und noch fünfhundert extra für den Jungen.‹ Professore, morgen abend sehen wir zum erstenmal im Hause Santopezzullo das zweite Programm. Wenn Sie uns beehren wollten?«

»Danke, Saverio, aber du weißt, daß ich nie vorm Fernseher sitze; jedenfalls ist meiner Meinung nach die einzige bedeutende Sache, die du da geleistet hast, das Handeln gewesen. Überlege mal, wie unangenehm es für dich wäre, wenn du als Schweizer geboren wärest und deinen Fernseher hättest in Zürich kaufen müssen. Da hätten dir keine Heiligen geholfen, der Preis wäre der und der gewesen, und den hättest du zahlen müssen.«

»Ja, aber der feste Preis in der Schweiz ist niedriger als der Listenpreis in Neapel.«

»Das spielt doch keine Rolle. Der Festpreis ist auch eine dieser Erfindungen der Welt der Freiheit. Sie sagen: ist es denn nicht gerechter, daß alle den gleichen Preis zahlen? Ja, warum auch nicht, vielleicht ist es wirklich gerechter, genau betrachtet wird dieses Privileg aber damit bezahlt, daß man auf ein weiteres Stück Liebe verzichtet.«

»Was meinen Sie denn damit, Professore, mit dem weiteren Stück Liebe?«

»Es ist doch so, mein lieber Salvatore, Du kannst heute in ein Kaufhaus gehen und die merkwürdigste Sache kaufen, was weiß ich... eine Dose rote Farbe... und kein Mensch fragt dich, wozu du diese rote Farbe brauchst. Weshalb gerade rot und nicht hellblau? Und auf diese Weise verläßt du das Kaufhaus, ohne mit einem einzigen Menschen geredet zu haben, du gehst am Ausgang bei der Kasse vorbei, die Kassiererin tippt den Preis ein, gibt dir den Kassenzettel, du zahlst und gehst.«

»Was soll die Kassiererin denn auch sagen?«

»Was heißt, was soll sie sagen? Ich muß mich doch wundern über dich! Jetzt stell dir doch zum Beispiel einmal vor, daß ich mir beim Cavaliere Sgueglia, dem Eisenwarenhändler da unten am Mergellina-Bahnhof, eine solche Dose rote Farbe kaufe. Zuerst einmal unterhalte ich mich mit dem Cavaliere eine Viertelstunde lang, und wir erkundigen uns gegenseitig nach der Gesundheit und derjenigen unserer Familienmitglieder. Dann wird mich der Cavaliere schließlich fragen: ›Womit kann ich Ihnen dienen, Professore?‹ ›Cavaliere, geben Sie mir bitte fünf Kilo rote Wandfarbe!‹ ›Rote Farbe? Ja, wozu brauchen Sie die denn?‹ ›Ja, also einer meiner Mieter will sich ein Zimmer ganz in Rot streichen.‹ ›Nichts für ungut, Professor, aber ist Ihr Mieter nicht vielleicht ein bißchen seltsam?‹ ›Wo denken Sie hin‹, werde ich dann antworten, ›der ist wirklich ganz in Ordnung. Er hat sogar einen Bruder bei der Bank von Neapel.‹ ›Na, dann ist es ja gut.‹ Und so auf diese Weise kommen wir dann langsam auf den Preis zu sprechen, der ja das eigentliche Gesprächsthema ist, denn er bezieht persönliche Angelegenheiten ebenso ein wie Angelegenheiten der internationalen Wirtschaftspolitik: die steigenden Preise, Steuern, den Krieg im Mittleren Osten, meinen Mieter, der in der Tat ein wenig eigenwillig ist, alles kann dazu dienen, über den Preis zu verhandeln. Und auf diese Weise reden die Leute miteinander, und je mehr sie so miteinander reden, desto mehr mögen sie sich dann am Ende.«

»Während man heute in den Supermärkten auch auf die Lebensmittel den Festpreis klebt. Birnen, Äpfel, Orangen werden zuerst gewogen und dann, nach Gewicht und Preis ausgezeichnet, in Plastik verpackt, und einer braucht sich nicht einmal mehr anzustrengen und zu sagen: Ich möchte anderthalb Kilo Orangen, aber sie sollen alle saftig sein.«

»Das fehlte noch!« sagt Saverio. »Wenn meine Assuntina einkaufen geht und Obst will, dann sucht sie die Äpfel einzeln aus, Stück für Stück, sodaß der Carmeniello, dieser Bauer, manchmal wirklich zuviel kriegt und die ganze Tasche wieder ausleert und alles in den Korb zurücktut, weil er sagt, man darf nicht so auswählen, sondern man muß sie nehmen wie sie kommen, auch wenn mal ein weniger schöner darunter ist.«

»Ich habe einen Freund in Mailand«, wirft Luigino ein, »der verlangt sogar im Kaufhaus Rinascente Rabatt.«

»Was, im Rinascente Rabatt? Ist der verrückt?«

»Nein, er heißt Giovanni Pennino, ist Neapolitaner und lebt jetzt seit fünf Jahren in Mailand. Er hat es mir selber erzählt. Er sagt, daß er das Rinascente betritt und dann, wenn er etwas sieht, das ihm gefällt, zum Beispiel, was weiß ich ... einen Toaströster, der vielleicht zehntausendfünfhundert Lire kostet, dann geht er einfach ganz lässig zur Verkäuferin und sagt: ›Ich würde gern diesen Toaströster kaufen, aber mehr als zehntausend Lire möchte ich nicht ausgeben.‹ ›Das geht nicht, wir haben hier Festpreise‹, antwortet die Verkäuferin, aber er gibt nicht auf. ›Ja, das weiß ich, aber machen Sie doch einmal eine Ausnahme und runden Sie ab.‹ ›Was heißt hier abrunden: hier im Rinascente haben wir Festpreise.‹«

»Jesus Maria, das ist ja wirklich eine lustige Geschichte, und wie geht sie weiter?«

»Sie geht so weiter, daß mein Freund dann verlangt, mit der Abteilungsleiterin zu sprechen«, fährt Luigino fort, der immer dann, wenn er die Verkäuferin nachmacht, mit ganz hoher Stimme spricht. »›Hören Sie, es ist vollkommen sinnlos, daß ich die Abteilungsleiterin hole, wir haben hier Festpreise, und Sie können nichts einsparen‹, aber Giovanni läßt sich nicht abwimmeln und so erzählt er der Abteilungsleiterin, als die dann wirklich kommt, eine ganze Geschichte: ›Sehen Sie, ich habe ja schon einen Toaströster zu Hause, ganz genau gleich wie dieser hier, nur daß er mir kaputtgegangen ist und heute morgen brachte ich ihn zu einem Elektriker und der hat mir gesagt, daß es fünftausend Lire kosten würde, um ihn wieder zu reparieren, was, habe ich da gesagt, fünftausend Lire! Da kaufe ich mir doch lieber einen neuen für zehntausend! Und so wollte ich mir jetzt also einen neuen im Rinascente kaufen, und was passiert da? Ich komme her und sehe, daß ihr inzwischen den Preis des Toaströsters auf zehntausendfünfhundert Lire erhöht habt, und jetzt frage ich mich: was soll ich tun? Kaufe ich den neuen für zehntausendfünfhundert Lire oder lasse ich den alten für fünftausend reparieren?‹ ›Ja, wie soll ich Ihnen da raten, lassen Sie eben ihren alten Toaströster reparieren, wir im Rinascente haben jedenfalls Festpreise und können daher überhaupt keinen Rabatt geben.‹ Darauf mein Freund: ›Sie müssen wissen, daß ich auch mit der Signora Rinascente befreundet bin.‹ Und sie: ›Eine Signora Rinascente gibt es gar nicht.‹ ›Es gibt sie, und wie es sie gibt, nur wissen Sie das nicht.‹«

»Und wie geht es dann aus?« fragt Salvatore.

»Daß er den Toaströster für zehntausendfünfhundert Lire kauft«, erwidert Luigino.

»Entschuldige Luigino, aber was hat es ihm dann eingebracht?«

»Daß ihn jedesmal, wenn er das Rinascente betritt, alle erkennen und ihm zulächeln: Sie nennen ihn ›den Freund der Signora Rinascente‹.«

X

Meine Mutter

Meine Mutter wurde 1883 geboren, als die Einigung Italiens noch nicht einmal zwanzig Jahre zurücklag. Meine Eltern und vor allem meine Großeltern haben nie anders geredet als neapolitanisch.

Auch galt bei meiner ganzen Familie jemand, der ein Flugzeug benutzte, als Selbstmordkandidat. Ich erwähne das nur, damit sich der Leser ein Bild machen kann, welchen Schwierigkeiten ich begegnete, als ich nach meinem Ingenieursdiplom beschloß, in die Elektronikindustrie zu gehen. Das erste Problem war, es meiner Mutter beizubringen.

»Mama, ich habe eine Anstellung gefunden!«

»Wie gut, mein Sohn! Sehr schön! Hast du gesehen? Der heilige Antonius hat dir doch geholfen. Ich bete ja schon seit Jahren zum heiligen Antonius. Ich sage immer zu ihm, o heiliger Antonius, mein Junge, der studiert und will seinen Abschluß machen, aber ich habe so Angst, daß ihn dann nachher keiner nimmt. Und zu mir selber sagte ich: wir haben bestimmt einen Fehler gemacht, daß wir ihn haben Ingenieur studieren lassen, wäre er doch lieber Buchhalter geworden, dann hätte er eine Anstellung in einer Bank gefunden, eine ruhige Sache, und wir hätten ausgesorgt, und nun hat uns der heilige Antonius doch die Gnade erwiesen. Aber du mußt jetzt als erstes gehen und dem heiligen Antonius deinen Dank sagen, verstanden. Und nun erzähl mal, wo hast du sie denn gefunden, deine Anstellung?«

»Bei IBM.«

»Ist das denn was Sicheres, habe noch nie davon gehört.«

»Giulia!« mischt sich meine Tante ein, die jünger ist als meine

Mutter und daher auch sehr viel besser Bescheid weiß. »Du kapierst wirklich gar nichts! Die elektrischen Haushaltgeräte sind doch heute Mode, denk nur an den Mann der Signora Sparana, der mit einem winzig kleinen Laden ein Vermögen verdient hat. Die fahren heute Mercedes, haben eine Haushälterin und machen Ferien auf Ischia!«

»Was heißt hier elektrische Haushaltgeräte. Ich arbeite mit Elektronenrechnern! Mama, die Computer sind keine elektrischen Haushaltgeräte, sondern außerordentlich perfekte Maschinen, mit denen man in einer einzigen Sekunde Tausende von Operationen machen kann!«

»Das kann ja nicht gutgehen!«

»Mama, was soll denn nicht gutgehen! Ich arbeite im Handelssektor, das ist die Abteilung, die für Verkauf und Vermietung dieser Computer zuständig ist.«

»Mein lieber Sohn, ich will dich ja nicht entmutigen, aber wer soll denn solche Rechner kaufen, wir in Neapel haben nichts zu berechnen.«

»Alle großen Firmen brauchen Elektronenrechner.«

»Ja, aber wozu denn?«

»Was heißt wozu? Für ihre Buchhaltung natürlich! Denk doch nur an all die Abrechnungen, die die Banken machen müssen, an die Gehälter, an die Zahlungen, die in der Industrie zu leisten sind, an die Stadtverwaltung von Neapel...«

»Du glaubst doch wohl nicht im Ernst, daß die bei all den Arbeitslosen, die es in Neapel gibt, auch noch deine Maschinen kaufen! Diese Unternehmen werden etwas ganz anderes machen, wenn es um ihre Abrechnungen geht, und weißt du auch was? Sie werden sämtliche Arbeitslosen, die es in Neapel gibt, zusammenrufen und jeden eine Multiplikation machen lassen, und dann möchte ich einmal sehen, ob die neapolitanischen Arbeitslosen diese Berechnungen nicht schneller anstellen als deine Elektronenrechner. Ich meine eben doch, es wäre besser gewesen, wenn du eine Anstellung bei der Bank von Napoli bekommen hättest.«

»Keine Sorge, Mama, du wirst sehen, wie gut es mir dort geht!«

»Und wieviel kosten denn diese Rechner, die du verkaufen sollst?«

»Es gibt sehr viele verschiedene Modelle, und meistens werden sie auch gar nicht verkauft, sondern vermietet.«

»Vermietet? Und wieviel kostet diese Miete?«

»Die kann viel oder wenig kosten, je nach Modell, zum Beispiel eine Million oder zehn Millionen Lire im Monat.«

»Zehn Millionen im Monat! Bei allen Seelen, die in der Hölle schmachten, du glaubst doch wohl nicht wirklich, daß jemand diese Maschinen nimmt? Und du, mein lieber Sohn, du darfst nie vom rechten Weg abkommen. Vergiß nicht, daß unser Herr im Himmel alles sieht und alles weiß. Er ist da oben und sieht uns und straft uns.«

Auf diese Weise begann ich also meine Tätigkeit in Neapel unter Fürsprache des heiligen Antonius und unter der praktischen Anleitung unseres Herrn.

Der Anfang war außerordentlich schwierig. Wir befanden uns damals im Jahre 1961, und die neapolitanische Kundschaft war über die Möglichkeiten einer mechanisierten Buchhaltung noch nicht aufgeklärt. Der Begriff ›Informatik‹ war noch gar nicht erfunden.

»Also ich habe das einfach nicht begriffen«, sagte ein möglicher Kunde zu mir. »Sie sagen, daß wir für jeden Artikel, den wir verkaufen, unbedingt eine Karte lochen müssen. Aber wer locht denn nun diese Karte, kommen Sie dann her und machen das?«

»Nein, nein, Sie bekommen einen Locher, und eine Ihrer Angestellten, die dafür eigens von uns ausgebildet wird, kann dann diese Karten lochen.«

»Ah ja, verstehe. Aber jetzt erklären Sie mir nur eines, wenn wir für jeden Artikel, den wir verkaufen, eine Karte lochen sollen, dann haben wir in einem Jahr hier sämtliche Büros voll mit Lochkarten. Und wohin sollen wir dann mit all diesen Lochkarten? Dafür haben wir doch keinen Platz! Nein, wissen Sie, ich glaube nicht, daß diese Maschinen für uns geeignet sind. Die sind vielleicht recht für die Mailänder, für die Turiner, die Autos herstellen, aber wir hier, wir stellen Teigwaren her, die Kunden kommen und gehen, sie kaufen Teigwaren und bezahlen gleich dafür, Rechnungen gibt es bei uns nicht, mit dem Geld bezahlen wir dann die Arbeiter und alle Unkosten, und was am Ende dann noch mit Gottes Hilfe übrig bleibt, das verteilen wir, ich und meine Brüder, untereinander.«

Naja, der Anfang war eben schwierig. Im Laufe der Jahre setzte sich die neue Wissenschaft aber auch bei der neapolitanischen Industrie durch. Heute stehen die neapolitanischen Techniker denen aus dem Norden in nichts nach, ja sie sind in mancher Hinsicht national sogar führend.

Meine Mutter aber gewöhnte sich nicht daran, sie betrachtete den Beruf ihres Sohnes und diese ungeheuerlichen Maschinen, die zehn Millionen Lire im Monat kosteten, immer mit Mißtrauen.

Die Dinge wurden dann noch komplizierter, als ich von Neapel nach Mailand versetzt wurde und dort nicht mehr Handelsvertreter war, sondern *public relations man* wurde. Es war ein hoffnungsloses Unternehmen, meiner Mutter erklären zu wollen, was *public relations* sind.

»Also ich habe nicht verstanden«, sagte sie, »du gehst morgens um neun zur Arbeit, machst dein Geschäft auf und dann, was machst du dann?«

»Mama, ich muß doch überhaupt kein Geschäft aufmachen, ich muß nur die Kontakte der Firma mit der Außenwelt erleichtern und verbessern, verstehst du?«

»Nein.«

»Giulia, jetzt hör mir mal zu«, mischte sich wie immer meine Tante ein. »Der Junge (der Junge bin ich) muß höflich und nett zu den Leuten sein.«

»Und dafür bezahlen sie ihn?«

»Wie sollen sie ihn nicht bezahlen. Die *public relations* sind eine ganz ganz wichtige amerikanische Erfindung! Sobald der Junge einen Kunden erblickt, schnappt er ihn gleich und sagt: ›Wie schön Sie sind, darf ich Sie nicht zu einem Kaffee einladen...‹«

»Ja, wieviele Kaffees muß er denn an einem Tag trinken?«

»Er muß ja nicht unbedingt jedesmal auch einen Kaffee trinken, er lädt nur dazu ein. Wichtig ist nur, daß er immer höflich und nett zu den Leuten ist.«

»Ja wie, war er denn vorher nicht auch höflich und nett?«

Ich schaffte es natürlich nicht, zu erklären, worin die Arbeit eines *public relations man* besteht, und das ist im übrigen auch ganz normal, denn Öffentlichkeitsarbeit wurde in Neapel schon immer von allen und vollkommen kostenlos geleistet. Und so verzichtete ich als der Prophet, der in seinem eignen Lande nichts gilt, schließlich darauf, entsprechende Anerkennung für meinen neuen Beruf zu suchen. Auch wenn ich heute nach Neapel komme, habe ich noch große Schwierigkeiten, den Menschen, die mich liebhaben, zu erklären, was ich eigentlich mache. So habe ich zum Beispiel vor ein paar Tagen Don Pasqualino aufgesucht, seines Zeichens Friseur, der Hausbesuche macht, Verkäufer von Antiquitäten und mit Gottes Hilfe auch Klempner ist, und während der mir nun das Gesicht einseifte, sah er mich an und fragte dann:

»Sind Sie jetzt eigentlich so einer von den Ingenieuren, die Hochhäuser bauen?«

»Nein, Don Pasqualino, ich habe mit Elektronenrechnern zu tun, ich bin bei IBM.«

Kurze Pause, dann sagte er treuherzig:

»Nehmen Sie sichs nicht so zu Herzen. Spielt ja auch keine so große Rolle. Hauptsache, gesund!«

XI

Epikur

> *Man ehre das Schöne und die Tugend*
> *und jedes andere ähnliche Ding*
> *wenn sie Freude bereiten*
> *andernfalls soll man es fahrenlassen*
> Epikur, *Athen XII*

»Gennaro«, fragt Doktor Palluotto Professor Bellavista, »was sagst du zur gegenwärtigen Wirtschaftslage Italiens?«

»Wir befinden uns mitten in einem wirtschaftlichen Aufschwung.«

»Was erzählst du da? Du bist vielleicht lustig!« ruft Doktor Palluotto aus. »Mitten in einem wirtschaftlichen Aufschwung? Mit dir kann man doch tatsächlich nie ernsthaft reden, immer mußt du gleich deine Witzchen machen. Du kannst es inzwischen überhaupt nicht mehr lassen, dich immer gleich groß aufzuspielen und irgendetwas Sensationelles zu behaupten.«

»Aber lieber Doktor, regen Sie sich bloß nicht auf«, mischt sich Saverio ein. »Was hat der Professor schon gesagt? Er hat gesagt, daß in Italien einige Leute noch ein bißchen wirtschaftlichen Aufschwung erleben.«

»Nein, nein, Saverio, der Doktor Palluotto hat ganz richtig verstanden«, erklärt Professor Bellavista. »Ich habe gesagt, daß wir uns mitten im wirtschaftlichen Aufschwung befinden, und das wiederhole ich gern noch einmal. Mit anderen Worten, Italien und die Italiener haben noch zu keiner Zeit einen so hohen Lebensstandard gehabt wie jetzt. Über die Feiertage hat man es ja wieder gehört, daß es in Italien allein etwa fünfzig Millionen Milliardäre gibt.«

»Also bitte«, sagt Doktor Palluotto und setzt sich, »dann wollen wir uns diese neue Wirtschaftstheorie des Professors Bellavista doch einmal anhören.«

»Mein lieber Vittorio, du bist zu jung und kannst dich also nicht erinnern, wie das Leben vor dem Krieg war. Wenn dein seliger Vater noch unter uns wäre, könnte ich mir lange Erklärungen sparen. Vor dem Krieg nämlich, da lebten alle Italiener, und zwar wirklich alle, äußerst maßvoll. Wir waren ein armes Land, und da wir das wußten, begnügten wir uns mit einem entsprechenden Lebensstandard: Die Reichen aßen einmal oder höchstens zweimal in der Woche Fleisch, an den übrigen Tagen gab es Eier, Gemüse, Schafskäse. Restaurants gab es praktisch keine, die Mahlzeiten wurden von den Müttern zubereitet oder aber von Vertreterinnen einer Rasse, die heute vollkommen ausgestorben ist, nämlich von den festen Hausangestellten, die ihr ganzes Leben lang bei einer Familie lebten.«

»Die letzten Beispiele von Sklavenhaltung im modernen Zeitalter!«

»Nicht lästern, Vittorio! Die alten festen Hausangestellten waren zu meiner Zeit in Neapel die Säulen der neapolitanischen Familien. Sie waren die Hüterinnen des Hauses! Sie hatten keine Sozialversicherung, dafür aber eine Menge Kinder, alle diejenigen, die sie mit aufgezogen hatten und deren Liebe sie sich mit den wirklichen Müttern teilten.«

»Als ich klein war«, sagt Luigino, »hatten wir zu Hause ein Dienstmädchen, das hieß Concettina. Als ich geboren wurde, war Concettina vielleicht vierzig, und mehr als die Hälfte dieser Jahre hatte sie wohl schon bei uns gelebt. Concettina hatte mich auf die Welt kommen sehen und mich auch aufgezogen, und als ich mal Typhus bekam, ist sie vier Tage und vier Nächte nicht von meinem Bett gewichen, vier Tage und vier Nächte, ohne einmal zu schlafen! Und wenn ich mal Geld brauchte, was weiß ich, fürs Kino oder für Kastanienkuchen, dann gab mir immer Concettina was. Ich glaube, daß praktisch das ganze Geld Concettinas wieder in meinen oder in den Taschen meiner Geschwister gelandet ist. Naja, Concettina hatte ja auch keine Verwandten im Dorf, und als sie starb, fanden wir in ihrer Kammer nicht einmal eine einzige Lira. Sie hatte ein Kästchen, in dem fanden wir ein Foto mit ihr als Zwanzigjähriger am Arm eines Seemanns. Auf dem Foto stand eine Widmung: ›Meiner großen neapolitanischen Liebe, Gustavo.‹ Und dann eine Menge kleiner Sachen: die Zeichnungen, die ich in der Schule gemacht hatte, die Fotos von meiner Erstkommunion und derjenigen meiner Geschwister und eine Menge Heiligenbildchen vom heiligen Georg. Ja, denn Concettina war dem heiligen Georg sehr ergeben, das war der, der den Drachen tötete, und manchmal legte sie auch ein Gelübde ab: zum Beispiel, als mein Papa in den Krieg mußte, da gelobte sie dem heiligen Georg, daß sie ihr Leben lang kein Obst mehr essen würde, wenn mein Papa gesund und munter zurückkehrte.«

»Und ihr«, sagt Doktor Vittorio, »habt sie gewiß damit belohnt, daß ihr nicht einmal Sozialabgaben für sie bezahlt habt.«

»Weiß ich nicht, jedenfalls hatten wir Concetta gern, und es wäre ihr gewiß unangenehm gewesen, wenn wir die Sozialabgaben für sie bezahlt hätten.«

»Das ist dummes Gerede, Luigino! Wenn wir jetzt einmal vom Fall der Concettina absehen, die wahrscheinlich so etwas wie ein Familienmitglied geworden ist, so sind doch diese ganzen Beziehungen, die auf Liebe fußen, um einen Ausdruck zu gebrauchen, der unserem verehrten Professor so am Herzen liegt, fast immer nur bequeme Systeme, um die Unwissenheit des Volkes auszubeuten.«

»Vittorio, das stimmt ja nun wirklich ganz und gar nicht«, sagt der Professor bedauernd.

»Was ich nur nicht verstanden habe«, mischt sich Salvatore ein, »was hat denn die Concettina mit dem italienischen Wirtschaftsaufschwung zu tun?«

»Salvatore hat recht«, sagt Bellavista, »die alten neapolitanischen Dienstmädchen haben uns etwas vom Thema abgebracht. Ich hatte also gesagt, daß vor dem Krieg auch die Reichen in Italien äußerst maßvoll lebten und nur die wirklich nötigen Dinge kauften. Ich habe zum Beispiel als Kind nur ein einziges Mal ein Geschenk bekommen, weil ich krank war, ein Schaukelpferd, das ich mir immer gewünscht hatte, und auch da hat sich mein Vater, bevor er es kaufte, zuerst noch beim Hausarzt erkundigt, ob ich wirklich so todkrank war. Zu den traditionellen Festen, Erscheinungsfest oder Namenstag, bekam man bestenfalls irgendeine winzige Kleinigkeit. Geburtstag gab es nicht, und den Weihnachtsmann, den kannten wir überhaupt nicht.«

»Aber etwas gab es doch«, sagt Luigino, »eine Art von Geschenk, das heute ganz aus der Mode gekommen ist.«

»Ja, was denn?«

»Na, die *bella cosa*! Wenn einer zum Beispiel seine Großmutter besuchte oder eine Tante, dann hieß es doch: ›Weißt du, was die Tante dir jetzt gibt, die gibt dir jetzt eine *bella cosa*!‹ Und da bekam man dann ein Keks oder ein Bonbon... Ich glaube, wenn heute eine Tante ihren Neffen einfach ein Bonbon geben wollte, da würde sie leicht zu hören bekommen, ›nein danke‹ und fertig.«

»Alles in allem war das Leben eben einfacher«, fährt Bellavista fort. »Bestimmte Arten von Konsum gab es gar nicht: Sommerfrische zum Beispiel war etwas ganz Elitäres, und kein Mensch, aber wirklich kein Mensch fuhr mal übers Wochenende weg, das kannte man überhaupt nicht. Meine Eltern waren ein einziges Mal in ihrem Leben in Capri, und das war bei ihrer Silberhochzeit. Von dort schickten sie uns eine Ansichtskarte, auf die sie geschrieben hatten: ›Grüße aus Capri, Mama und Papa.‹«

»Aber was hat das denn nun mit dem Wirtschaftsaufschwung zu tun?« fragt Doktor Vittorio.

»Es hat schon etwas damit zu tun, und wie, denn trotz der

nationalen und internationalen Krise war der größte Teil der Bevölkerung nicht gewillt, sich irgendwie einzuschränken: Kinos, Theater, Fußballstadien, Ferienorte usw. waren nach wie vor ausverkauft, als hätten die Araber überhaupt nichts verlauten lassen.«

»Du machst dir was vor, Gennaro, ich kann es dir schriftlich geben, daß die Nation, die ja, wie du vielleicht vergißt, vor allem aus Arbeitern und Bauern besteht, dieses Jahr ihren Lebensstandard drastisch senken mußte, und Capri und Sankt Moritz spielen da überhaupt keine Rolle, denn gerade, wer gewöhnt ist, nach Capri und Sankt Moritz zu gehen, hat doch von der Wirtschaftskrise nichts gemerkt.«

»Da bin ich anderer Meinung, zumindest, was das Ausmaß des Phänomens betrifft, das du nennst. Der Bauer und der Arbeiter haben noch nicht auf Eroberungen wie ihren FIAT 500 verzichtet oder darauf, als Hauptgericht Fleisch zu essen.«

»Und warum sollten sie das auch?«

»Das ist wieder eine andere Frage, ich wollte nur sagen, daß von der Krise bisher nur in den Zeitungen die Rede ist und daß sie noch nicht ins Bewußtsein der Bürger gedrungen ist.«

»Aber«, sagt Salvatore, »ich habe nicht so recht verstanden, was wir eigentlich tun sollen.«

»Epikur sagte einmal: ›Wenn du willst, daß Pitokles reicher wird, so erhöhe nicht seine Einkünfte, sondern schränke seine Bedürfnisse ein.‹«

»Was meinte er denn damit, Professor?«

»Er meinte, wenn wir alle etwas bescheidenere Ansprüche stellten, hätten wir überhaupt keine Wirtschaftskrise.«

»Der Professor war schon immer ein Anhänger des heiligen Epikur«, erklärt Saverio.

»Saverio, Epikur war nie ein Heiliger, auch wenn er es meiner Meinung nach verdient hätte, als ein solcher anerkannt zu werden.«

»Und warum wollten sie ihn dann nicht heiligsprechen?«

»Vor allem einmal deshalb, weil er ja schon im 3. Jahrhundert v. Chr. gelebt hat und dann auch, weil fast alle immer schlecht über ihn geredet haben.«

»Ja«, bestätigt Doktor Vittorio, »einen Epikureer nennt man vor allem einen Menschen, der nur an Essen, Trinken und daran denkt, wie er sich des Lebens freuen könnte.«

»Und was soll denn daran schlecht sein!« ruft Saverio augenzwinkernd aus. »Wenn Sie hier von Lebensfreude reden, meinen Sie natürlich die vollkommene sinnliche Befriedigung, nicht?«

»Da haben wir es wieder!« protestiert der Professor. »Jetzt wird auch schon Epikur in den Dreck gezogen!«

»Da ist doch der Doktor schuld, der gesagt hat, daß der Cavaliere Epikur ein Lebemann war.«

»Ihr habt wirklich überhaupt nichts verstanden. Wenn ihr erlaubt, erkläre ich euch kurz mal in fünf Minuten die Ethik Epikurs, der wir Neapolitaner im guten und im schlechten Sinne unseren Charakter verdanken.«

»Tatsächlich, warum denn?«

»Weil einer der wichtigsten Schüler Epikurs ein gewisser Philodemos von Gadara war, der im ersten Jahrhundert v. Chr. lebte. Philodemos kam nach Neapel, das heißt genauer, nach Herkulaneum, und dort gründete er nach dem Modell des ›Gartens von Athen‹ eine sehr bedeutende epikureische Schule. In dieser Schule lehrte Philodemos das neapolitanische Volk die Wertschätzung der Freuden und die Verachtung der Macht.«

»Stimmt schon, Professore, daß der Neapolitaner von jeher ein wenig, wie soll ich sagen, philosophisch war.«

»Epikur also sagte«, fährt Bellavista fort, »daß es drei Arten von Freuden gibt: die primären Freuden, die natürlich sind und notwendig, die sekundären Freuden, die natürlich sind, aber nicht notwendig und die eitlen Freuden, die weder natürlich noch notwendig sind.«

»Ich habe nicht ganz verstanden, Professore, von welchen Freuden reden Sie denn?«

»Wenn ihr mir ein wenig zuhört, erkläre ich alles. Also die primären, nämlich die natürlichen und notwendigen Freuden sind Essen, Trinken, Schlafen und Freundschaft.«

»Essen, Trinken, Schlafen, Freundschaft und sonst nichts?« fragt Saverio. »Professore, wissen Sie genau, daß Sie nicht etwas wirklich Wichtiges vergessen haben?«

»Nein, Saverio, für Epikur war Sex eine sekundäre, also eine natürliche, aber nicht notwendige Freude.«

»Also da folge ich Ihrem Freund wirklich nicht«, sagt Saverio verdrossen.

»Das läßt uns ziemlich kalt! Wie ich also sagte, meinte Epikur damit, daß er Essen und Trinken für wichtig hielt, aber nicht, daß einer sich nun vollstopfen muß, sobald er nur kann, sondern er meinte ganz im Gegenteil, daß einer sich mit dem wirklich Notwendigen begnügen sollte. Unter einer primären Freude verstand er also: Brot zum Essen, Wasser zum Trinken und ein Strohlager zum Schlafen.«

»Der hat ja vielleicht ein ärmliches Leben geführt, dieser Epikur!«

»Gewiß, ja, dafür waren diese Freuden aber auch wirklich sehr wichtig, weil lebensnotwendig, und nachdem sie einmal erfüllt waren, konnte der Mensch viel gelassener darüber nachdenken, ob er auch noch die eine oder andere sekundäre Freude ausprobieren sollte.«

»Zum Beispiel?«

»Zum Beispiel Käse. Es ist doch klar, daß Brot mit Käse besser ist als Brot allein, andererseits stimmt auch, daß der Käse keine unverzichtbare Sache darstellt. Was also tut der Mensch? Er fragt, was der Käse kostet. Kostet er wenig, kauft er ihn, kostet er aber viel, sagt er: danke nein, ich habe schon gegessen.«

»Hat das jetzt auch wieder der Epikur gesagt?« fragt Saverio.

»Ja, sicher. Mit anderen Worten, alle sekundären Freuden wie besser essen, besser trinken, besser schlafen, oder wie Kunst, geschlechtliche Liebe, Musik und so weiter müssen von Fall zu Fall, von Augenblick zu Augenblick jedesmal neu bedacht werden, sodaß man die Vorteile und die Nachteile abwägen kann, die sie einem einbringen. Habt ihr das kapiert?«

»Schon, Professore, aber vielleicht geben Sie uns doch noch ein Beispiel.«

»Na gut. Nehmen wir also einmal an, Saverio lernt heute eine sehr schöne Frau kennen und diese Frau sagt zu Saverio, daß sie mit ihm schlafen will...«

»Da wäre ich ja im siebten Himmel, Professore!« ruft Saverio aus. »Aber eines muß natürlich klar sein, ich lasse kein Geld springen!«

»Da haben wir's schon. Wie ihr gehört habt, stellt Saverio eine Bedingung. Die Frau kann so schön sein, wie sie will, wenn sie aber zum Beispiel hunderttausend Lire verlangen würde, dann interessierte sich Saverio nicht mehr für sie.«

»Hunderttausend Lire! Für wen halten Sie mich! Wenn es vielleicht um fünftausend Lire ginge und die Dame mit viel Gefühl an die Sache heranginge, dann könnte man es sich ja überlegen.«

»Nehmen wir außerdem an, daß diese Frau auch die Geliebte eines *guappo*[1] ist und Saverio weiß, daß wenn ihn dieser *guappo* ertappt, es aus ist mit ihm, dann frage ich: was macht der Saverio?«

»Er macht sich in die Hosen, Professor«, sagt Salvatore, »und sagt zu der fraglichen Dame, daß Frauen ihn überhaupt nicht interessieren.«

»Bitte keine Beleidigungen, Salvatore. Meine bescheidene Person hat sich noch von keinem Menschen je einschüchtern lassen. Aber ich verstehe bloß nicht, warum ich mich bei all

1   Schlägertyp und/oder Mitglied der Camorra.

den Frauen, die es auf Gottes Erde gibt, gerade mit dieser Geliebten des *guappo* einlassen sollte, stimmt doch, oder?«

»So, und was hat Saverio jetzt getan? Er hat das Für und Wider dieser sekundären Freude gegeneinander abgewogen und entschieden, daß ihn die Sache letzten Endes nicht interessiert. Und damit haben wir schon die ganze epikureische Philosophie.«

»Diese Philosophie kommt mir aber, ehrlich gesagt, nicht besonders originell vor«, sagt Saverio.

»Langsam, langsam. Gehen wir doch noch ein wenig mehr in die Tiefe. Wir haben zunächst gesagt, daß ich jedesmal, wenn ich den Wunsch nach einer sekundären Freude habe, abwägen muß, ob sie mir wirklich entspricht, also dann probieren wir dieses Konzept doch einmal anhand der Tätigkeit unseres Ingenieurs hier aus.«

»An meiner?« frage ich. »Als Ingenieur?«

»Genau, an Ihnen als einer arbeitenden Person. Sie bekommen also heute ein Gehalt, bei dem es Ihnen alles in allem eigentlich an nichts fehlt. Jetzt kommt Ihnen aber plötzlich in den Sinn, Sie könnten ein Häuschen am Meer mieten. Es ist ganz natürlich, daß Sie gern am Meer sind, und hier haben wir es also ganz sicher mit einer sekundären Freude zu tun: natürlich, aber nicht notwendig. Nun merken Sie aber, daß Sie, um das Geld für die Miete zusammenzubekommen, Karriere machen müssen und daß dieses Karrieremachen eine ganze Reihe von Opfern erfordert: man muß bis spät abends arbeiten, dem Vorgesetzten auch dann recht geben, wenn er nicht recht hat, nach Mailand zum Arbeiten gehen, statt in Neapel bleiben zu können undsoweiter. Ja und was würde Epikur in einem solchen Fall nun sagen? Er würde sagen: Wißt ihr was? Ich gebe mich mit dem zufrieden, was ich habe, und eigentlich ist mir dieses Häuschen am Meer ja auch schnurzegal.«

»Lieber Gennaro, dieser Epikur, wie du ihn beschreibst, ist ja noch schlimmer als der Epikur, den ich schon kannte«, sagt Doktor Palluotto. »Das hat doch mit Philosophie nichts zu tun, das ist einfach Oberflächlichkeit, und das werde ich dir auch gleich beweisen. Erster Punkt: Wenn der Ingenieur immer so überlegt hätte, wie Epikur meint, dann wäre er gar nicht erst Ingenieur geworden und hätte seinen gegenwärtigen Lebensstandard nicht erreicht. Zweiter Punkt: Wenn der Ingenieur heute arbeitet und Karriere machen will, so tut er das ja nicht nur, um sich ein Häuschen oder ein Motorboot zu kaufen, es gibt im Leben ja schließlich auch noch andere Werte, die dir vielleicht unbekannt sind, und die wir moralische Befriedigung nennen wollen. Dritter und letzter Punkt: Wer hat dir eigentlich gesagt, daß die Arbeit für den Ingenieur ein Opfer ist? Setz doch im Gegenteil einmal voraus, daß der Ingenieur gern arbeitet und dann sag mir, warum er auf diese Freude verzichten sollte.«

»Oberflächlich ist nicht die Philosophie Epikurs, oberflächlich bist höchstens du, mein lieber Vittorio, wenn du nichts von dem begreifst, was ich dir sage. Gehen wir aber nun der Reihe nach vor und gehen wir vor allem auf den dritten Einwand ein, nämlich auf die Hypothese, daß der Ingenieur ja gern arbeiten könnte. Eine seltsame, aber mögliche Hypothese. Gut, in diesem Falle wird die Unannehmlichkeit, die wir ›den ganzen Tag arbeiten‹ genannt haben, von der Liste der ›contras‹ gestrichen und auf die Liste der ›pros‹ gesetzt, ohne damit aber die epikureische Methode außer Kraft zu setzen, derzufolge vor einem Entschluß, ob eine bestimmte Freude angestrebt werden soll oder nicht, eine Gesamtwertung des Problems vorgenommen werden muß. Den ganzen Tag zu arbeiten bedeutet nämlich auch, daß man andere Seiten des Lebens vernachlässigt; die Liebe einer Ehefrau, das Zusammenleben mit den Kindern, Lesen, Spazierengehen und eine Menge anderer Dinge. Natürlich steht es dem einzelnen immer frei, daß er seinen Neigungen entsprechend eine bestimmte sekundäre Freude einer anderen sekundären Freude vorzieht. Das einzige, was nicht erlaubt ist, ist, daß er eine primäre Freude zugunsten einer eitlen Freude zurückstellt.«

»Ja, welche denn?«

»Ich spreche von der Freundschaft, genauer von der Nahrung des Geistes. Und unter Freundschaft verstehen wir hier die Liebe, die wir unserem Nächsten entgegenbringen können. Und nun ist es doch leider so, daß wir bei allzuviel Arbeit keine Zeit mehr haben, die Gefühle zu pflegen, und damit eine der primären Freuden nicht mehr genießen können.«

»Kein Mensch hat gesagt, daß der Ingenieur, um Karriere zu machen, zwangsläufig seine Familie verlassen oder keine Freunde mehr haben sollte.«

»Also du mußt zugeben, daß dies alles nur eine Frage des richtigen Maßes ist. Genau zu dem Punkt wollte ich ja kommen: Du behauptest, der Ingenieur hätte, wenn er immer Epikur gefolgt wäre, seinen gegenwärtigen Lebensstandard nicht erreicht, hätte nicht studiert und nicht promoviert und die Stellung nicht erreicht, die er heute hat. Darauf entgegne ich dir, daß das keineswegs gesagt ist. Denn Epikur sagt ja nun nicht etwa, daß man alle Viere in die Luft strecken und gar nichts tun soll. Eine solche Entscheidung könnte dein Überleben gefährden und dir nicht mehr die Befriedigung deiner primären Bedürfnisse erlauben. Was tut also Epikur? Er sagt zum Ingenieur: wenn du Zeit zur Verfügung hast, so lerne und arbeite, aber versuche, deine Zeit auf alle wichtigen Dinge zu verteilen, die das Leben dir bietet. Und damit sind wir nun bei der Substanz deiner Kritik angelangt: bei den moralischen Befriedigungen, die man durch die Arbeit erhalten kann. Nun verstehe ich den Schuhmacher, der mit einer Hand über die Sohle streicht, die er gerade fertiggemacht hat. Ich kann den Tischler verstehen, der das Holz in ein Möbelstück verwandelt hat, oder den Künstler, der die Augen zukneift, um sein Werk besser betrachten zu können, aber welche Befriedigung ein Angestellter haben soll, der davon träumt, Chef zu werden, das verstehe ich nicht. Ebensowenig wie ich den Abgeordneten, der Minister werden will, oder den Vizedirektor, der Direktor werden will, verstehe. Ich verstehe den

Menschen nicht, der Macht anstrebt, und zwar nicht wegen
dem, was Macht geben kann, sondern wegen dem, was Macht
darstellt. Verachtung der Macht ist die Grundlage der ganzen
epikureischen Philosophie. Die Macht ist die eitle Freude in
Reinkultur. Erinnert euch, daß ›eitel‹ alle jene nicht natürlichen und nicht notwendigen Freuden sind, und Stadtrat oder
Führungskraft zu sein oder ein Stück Stein am Finger zu tragen, das ein Vermögen kostet, nur weil es Diamant heißt, all
dies sind Dinge, die ein gesunder Mensch, auch wenn man sie
ihm gratis anbieten würde, aus Achtung vor seiner eigenen
Person immer ablehnen müßte.«

»Aber eines habe ich nicht verstanden«, sagt Doktor Palluotto. »Wenn es nun einem armen Teufel eben gefällt, Stadtrat zu werden, was stört dich das? Was tut er dir damit Böses
an?«

»Mir überhaupt nichts, aber sich selber eine Menge. Doch,
doch, denn dadurch, daß der Ärmste eine eitle Freude gesucht
hat, wird er sofort in eine Wettbewerbssituation hineingezo-
gen. Alle eitlen Freuden sind konventionell und somit gleichzeitig auch dem Wettbewerb unterworfen. In der Tat können
diese Freuden, die ja keine natürlichen Freuden sind, nur
durch die Konditionierung der ganzen Gesellschaft weiterbe-
stehen. Und was passiert dann: wenn in bestimmten Kreisen
ein einziger Chefposten für mehrere Personen ausgeschrie-
ben wird, dann gelingt es den verschiedenen Bewerbern um
diesen Posten, die ja nun Rivalen sind, nicht mehr, irgendwelche Freundschaftsbeziehungen zu unterhalten. Ich zum Beispiel gehe abends nach Mitternacht noch nach Mergellina,
und oft kommt es vor, daß ich dabei einem Freund begegne.
Ja, oft begegne ich nämlich Luigino. Stimmts, Luigino?«

»Ja klar«, erwidert Luigino. »Und dann reden wir und reden, und dann wird es manchmal zwei oder drei Uhr nachts.
Der Professor sagt zum Beispiel: ›Luigino, jetzt begleite ich
dich nach Hause‹, und so kommen wir bis vor meine Haustür,
und weil es mir dann leid tut, ihn allein zu lassen, sage ich,

›Professore, jetzt begleite ich Sie‹, und auf diese Weise gehen wir bis zu seinem Haus. Und immer so weiter, ich begleite ihn, und er begleitet mich, und dabei reden wir und reden...«

»Die Straße ist zum Reden da und zum Gehen«, bemerkt Bellavista.

»Was soll das jetzt hier?« fragt Doktor Palluotto.

»Eine ganze Menge! Es ist sogar sehr aufschlußreich! Wenn ich hier über diese nächtlichen Spaziergänge redete, so wollte ich damit vor allem zeigen, daß kein einziger von den Mächtigen, kein Kissinger oder Breschnew, kein Carli oder Cefis sich den Luxus erlauben kann, nachts mit einem Freund spazieren zu gehen, und dafür gibt es zwei gute Gründe: erstens einmal haben sie keine Zeit dazu, und zweitens haben sie vielleicht nicht einmal einen Freund, mit dem sie reden könnten.«

»Also Gennaro, das ist ja nun wirklich ein billiges Beispiel!« protestiert Doktor Palluotto. »Du erzählst hier von zwei Personen, die von morgens bis abends praktisch überhaupt nichts zu tun haben. Bei dem, was ihr beide, du und Luigino, auf der Welt so hervorbringt, könnt ihr ruhig die ganze Nacht spazierengehen, am nächsten Morgen habt ihr ja sowieso nichts zu tun. Aber ich weigere mich einfach ganz entschieden, so leid es mir für deinen Epikur tut, das Leben so ganz hedonistisch zu betrachten.«

»Also jetzt gehst du zu weit, Vittorio«, schreit Professor Bellavista. »Du wirfst mir hier die epikureische Mäßigung in einen Topf mit dem Hedonismus der Kyrenaiker!«

»Aber Dottore, ich muß mich wirklich über Sie wundern«, sagt Saverio und sieht Doktor Palluotto dabei mißbilligend an.

»Dem Augenblick zu leben, jedem Vergnügen nachzujagen, wo immer es sich zeigt, ist noch nie das Credo Epikurs gewesen! Das war Aristippos aus Kyrene, der die Suche nach Lust gepredigt hat.«

»Na schön«, sagt Palluotto, »aber auch ein auf eine vollkommene Loslösung von jeder Pflicht gegründetes Leben kann nicht akzeptiert werden. Der in Lumpen gehüllte Hippie, der sich von einem Ort zum andern umhertreiben läßt und wie ein Parasit auf Kosten der Gesellschaft lebt, die er verurteilt, der widert mich an.«

»Aber diese Hippies sind doch keine Epikureer, das sind Zyniker! Wenn du so etwas erzählst, dann verwechselst du doch Epikur mit Diogenes!«

»Dottore«, sagt wieder Saverio. »Heute haben Sie keinen guten Tag: nichts kann man Ihnen recht machen.«

»Epikur, der große Epikur, der Apostel des angemessenen Einsatzes von Arbeitseifer sagte, die höchste Tugend ist die Mäßigung, das Maß! Und Neapel ist der Ort, an dem alle Dinge bis zu einem gewissen Punkt getan werden. Die Produktivität kann ebenso schädlich sein wie die Trägheit.«

»Wenn ich nicht irre«, werfe ich ein, »haben Sie vor ein paar Tagen gesagt, daß auch die chinesische Philosophie diese Theorie der gerechten Mitte vertritt.«

»Nicht nur die chinesische, sondern auch die indische, und sogar die griechische Philosophie, vertreten durch andere große Denker. Der erste Chinese, der die Lehre des gerechten Weges der Mitte vertrat, war ein Neffe des Konfuzius, er hieß Tse-ssu oder so ähnlich, aber bis dann eine wahre Verherrlichung der Mäßigung zu lesen war, vergingen noch weitere zwei Jahrhunderte, bis dann Tschuang-tse, der große taoistische Philosoph, die Theorie des ›Mittelweges‹ und das Konzept des ›relativen Glücks‹ aufstellte.«

»Da soll noch ein Mensch durchsteigen«, wirft Saverio ein. »Bei all diesen Tschuang und Sik Sik, die der Professore kennt.«

»Ich kann euch aber nicht nach Hause gehen lassen, bevor ich euch nicht wenigstens den hervorragendsten Vertreter dieser Theorie genannt habe: nämlich Aristoteles«, fährt Professor Bellavista beharrlich fort. »Das aristotelische Prinzip der Mitte knüpft an eine frühere Lehre Platons an und geht davon aus, daß die Tugend von beiden Extremen gleich weit entfernt ist.«

»Jetzt kann ich aber wirklich nicht mehr, Professor!« protestiert Saverio. »Das versteht doch außer Ihnen keiner mehr!«

»Und dann vergessen wir schließlich nicht den modernen Vater der Philosophie des gesunden Menschenverstandes: John Locke«, erklärt der Professor weiter, der nun nicht mehr zu bremsen ist. »Locke war jener Philosoph, der gesagt hat: ›Die Kontrolle unserer Leidenschaften führt zur angemessenen Steigerung unserer Freiheit.‹ Leider sind die Philosophen der Lust immer von den Utopisten boykottiert worden, die in der Philosophiegeschichte im Endeffekt immer die Oberhand behalten haben. Und dies meiner Meinung nach nicht etwa, weil sie bessere Ideen hatten, sondern einfach deshalb, weil sie zahlreicher waren. Wenn man nur einmal bedenkt, daß Deutschland gegen Ende des achtzehnten Jahrhunderts praktisch nur idealistische Philosophen hervorbrachte: Kant, Fichte, Hegel, deutsch ihrer Herkunft nach und deutsch in ihrem Denken. Sie redeten viel und schrieben noch mehr, so daß die armen Philosophen des gemäßigten Vergnügens, Bentham, Mill und so weiter, bei all dem Wirbel kein Gehör mehr fanden...«

»Professore, Professore, da blickt doch kein Mensch mehr durch.«

»Und wer setzt dem ganzen schließlich noch die Krone auf? Wie? Na, Karl Marx und Friedrich Nietzsche. Wenn einer nur versucht hätte, mit Friedrich Nietzsche über Bedachtsamkeit zu reden, dem hätte er doch glatt ins Gesicht gespuckt.«

»Wer ist denn dieser Friedewasweißichwie, der den Leuten ins Gesicht spuckt?«

»Friedrich Nietzsche. Das war der, der gesagt hat: Es sind nicht eure Sünden, die dem Himmel Rache schwören, sondern eure Mäßigung, der Geiz, den ihr sogar bei euren Sünden walten laßt!«

»Professor... Professor! Wir kapieren rein gar nichts mehr«, sagt Saverio.

»Du hast recht, Saverio. Also erzähle ich euch zum Ausgleich eine ganz, ganz einfache kleine Geschichte von Tschuang-tse. Tschuang erzählt also, daß er eines Tages seinen Onkel besuchen wollte...«

»Onkel Konfuzius?«

»Nein, Saverio, der Neffe des Konfuzius war ein anderer Philosoph. Dieser hier ist Tschuang-tse, der taoistische Philosoph. Wie gesagt also wollte Tschuang seinen Onkel besuchen und mußte dazu einen großen Wald durchqueren. Da er dann aber unterwegs müde wurde, ruhte er unter einer großen hundertjährigen Eiche aus. Es waren noch keine zehn Minuten vergangen, da kamen Holzfäller und fingen an, einige Pappeln, die vor der Eiche standen, zu fällen. Während die Holzfäller so ihrer Arbeit nachgingen, sprach die Eiche zu Tschuang:...«

»Was, die Eiche? Die Eiche redete?« fragt Saverio. »Das ist doch meiner Meinung nach wieder nur so eine chinesische Lügengeschichte!«

»Sei still, Saverio!« sagt Salvatore. »Dies ist eine allegorische Geschichte. Professor, hören Sie nicht auf ihn und erzählen Sie, was die Eiche ihrem Freund da erzählt hat.«

»Also die Eiche sagte: ›Tschuang, wie du siehst, sind sie gekommen, um die nützlichsten Bäume zu fällen, und so kannst du nun verstehen, warum ich fünfhundert Jahre gebraucht habe, bis ich lernte, mein Holz nutzlos werden zu lassen.‹ Tschuang setzte seinen Weg fort und dachte darüber nach, daß er gleich bei seiner Rückkehr nach Hause ein Buch über die Nützlichkeit des Unnützen schreiben sollte. In der Zwischenzeit war er nun bei seinem Onkel angelangt, und dieser freute sich so sehr über seinen Besuch, daß er seinem Diener befahl, zu Ehren des Neffen eine Gans zu schlachten. Bevor der Diener nun in den Hof ging, wo die Gänse waren, fragte er Tschuangs Onkel, ob er die Gans schlachten solle, die die Eier ausbrütete, oder die andere, die nicht einmal Eier legte. Natürlich sagte der Onkel, daß er die weniger nützliche Gans schlachten solle, und auf diese Weise wählte Tschuang-tse beim Heimgehen den Mittelweg.«

XII

Überhöhte Geschwindigkeit

»Sehen Sie, Dottore«, sagt der Taxifahrer zu mir, während wir im Verkehrsgewühl stecken bleiben, »es liegt eigentlich gar nicht so sehr an den Straßen! Das Schlimme hier ist, daß der Neapolitaner auch dann mit dem Auto fährt, wenn er nur einmal um den Block will, um Zigaretten zu kaufen. Irgendwie sagt er wohl zu sich selbst: jetzt habe ich mich ein Leben lang abgestrampelt, um ein Auto zu bekommen, und jetzt, da ich es endlich habe, will ich es auch genießen! Sie glauben mir vielleicht nicht, aber wissen Sie, was der Durchschnittsneapolitaner Sonntag nachmittag gegen fünf, halb sechs macht? Da packt er seine ganze Familie ins Auto und macht mit ihr eine Spazierfahrt auf der Caracciolo. Doch, glauben Sie mir, er fährt da von Mergellina über die Via Caracciolo, Via dei Mille, Via Crispi und wieder zurück nach Mergellina: nach drei Runden kommt er gerade noch rechtzeitig zur Werbesendung nach Hause. Ihm macht es Spaß, im Verkehr zu fahren!«

»Ja, aber meiner Meinung nach sind auch die Polizisten schuld, die überhaupt nicht dafür sorgen, daß die Straßenverkehrsordnung eingehalten wird. Wenn ich nur an das Hupen denke. In Neapel hupen doch alle und fast immer völlig grundlos.«

»Das mit dem Hupen ist doch nicht so schlimm, einer hupt ja nur, um sich mit den andern in Einklang zu fühlen. Die Tragödie hier ist, daß wir alle Autofahrer geworden sind. Na bitte! Jetzt sehn Sie sich bloß mal diesen Wahnsinnigen an, wie der sich hier reingedrückt hat!« schreit er plötzlich los und flucht auf einen FIAT, der ihm den Weg abgeschnitten hat. »Aber das will ich doch jetzt sehen, was das für ein verdammter Mistkerl war. O Jesus Maria, auch noch ein Weib! Das hat uns ja gerade noch gefehlt. Statt hier auf der Straße herumzuhuren, sollten die doch lieber zu Hause bleiben! Sie waren jetzt selber Zeuge: wenn ich nicht wahnsinnig gebremst hätte, hätte es heute morgen schon ein Unglück gegeben!«

»Ehrlich gesagt, hatten Sie sich aber doch nach hinten gedreht, um mit mir zu sprechen.«

»Was erzählen Sie da? Ich habe meinen Führerschein schon zweiundzwanzig Jahre und noch nie einen Unfall gehabt. Immer sind die andern in mich reingefahren. Strafen fast keine: manchmal in letzter Zeit wegen Falschparkens, bis vor kurzem hatte ich ja einen Onkel mütterlicherseits im Rathaus, der mir alle Strafen erließ; bis ihn der liebe Gott dann, Er erhalte uns die Gesundheit, zu sich in den Himmel gerufen hat, und jetzt muß ich ein bißchen mehr achtgeben, wo ich das Auto hinparke. Apropos Strafen, wissen Sie eigentlich, daß meine bescheidene Person der einzige Autofahrer der Welt ist, der eine Strafe wegen zu hoher Geschwindigkeit während eines Leichenbegängnisses bekommen hat?«

»Was?« frage ich lachend. »Während eines Leichenbegängnisses?«

»Ja doch«, sagt er und dreht sich zu mir um, »ausgerechnet während ich hinter einer Leiche herfuhr, na ja, Sie müssen wissen, daß ich an jenem Tag mit der Witwe und zwei Neffen des Verstorbenen hinter dem Leichenwagen herfuhr. Und wie wir dann in die Via Foria kamen, hörte die Witwe plötzlich auf zu weinen und riß, nachdem sie wie eine Wahnsinnige geschrien hatte: ›Giovanni, ich will auch mit dir sterben‹, die rechte hintere Wagentür auf und versuchte sich vor den Bus zu werfen, der gleich hinter uns kam. Sie wissen doch, wie das in Neapel so ist: der Schmerz übermannt uns vollkommen, und in bestimmten Augenblicken sind wir zu jedem Wahnsinn fähig. Zum Glück gelang es aber nun dem Neffen, der neben der Witwe saß, sie an den Kleidern zu packen, und so schafften wir es unter viel Geschrei und Geheule in gemeinsamer Anstrengung, die verzweifelte Frau zu beruhigen. Nun hatten wir aber bei all dem Durcheinander den Leichenwagen aus den Augen verloren, und so mußte ich meine erste Verfolgungsjagd des Tages aufnehmen. Zum Unglück versperrte mir ein Auto den Weg, das zwar ein neapolitanisches Kennzeichen hatte, aber bestimmt von einem Ausländer gefahren wurde, denn es hielt an jeder roten Ampel, und so verlor ich eine Menge Zeit, und die Verfolgung wurde sehr schwierig, erst an der Piazza Carlo III schaffte ich es, mich wieder an den Leichenwagen zu hängen. Ich fuhr brav in Leichenzugsgeschwindigkeit, bis der Neffe, der neben mir saß, losschrie: ›Aber das ist gar nicht Onkel Giovannino!‹ Ich fuhr hinter der falschen Leiche her! Ich war auf der falschen Beerdigung! ›Giovannino, verlaß mich nicht!‹ schrie die Tante, und die Neffen schrien: ›Tante, so beruhige dich doch!‹ Im Taxi konnte man nichts mehr verstehen: da sah ich in der Ferne einen anderen Leichenwagen nach Capodichino hinauffahren. Ich überholte den falschen Leichenwagen und drückte das Gaspedal voll durch, und dann war er plötzlich da: ein verdammter Polizist auf dem Motorrad knallt sich vor mich und stoppt mich. Was sollte ich tun? Ich hielt, stieg aus und erklärte dem Polizisten die dramatische Situation; und das war mir auch schon fast gelungen, da sehe ich, daß die Witwe losrennt, nachdem die beiden Neffen gerade einmal einen Augenblick nicht aufgepaßt hatten, und versucht, sich von der Brücke hinabzustürzen, die zum Friedhof hinaufführt. Und wie ich so aufsprang, um der Witwe das Leben zu retten, stellte ich dem Polizisten ungewollt ein Bein, und dabei fiel auch ich zu Boden und verletzte mich an einem Knie. Ja, sagen wir ruhig die Wahrheit; wir haben uns alle verletzt, nur die Witwe nicht, der passierte gar nichts.«

XIII

Das
Souterrain

Der Vogel hat das Nest
Die Spinne das Netz
Der Mensch die Freundschaft
William Blake

»Mein lieber Gennaro, vielleicht liegt es ja nur an mir, daß wir nie zu einem Schluß kommen, wenn wir beide miteinander reden. Na ja, du als typischer Neapolitaner hast so viel für das Paradoxon und für das Anekdotische übrig, während ich, der ich in Mailand lebe, mich daran gewöhnt habe, die Probleme rational anzugehen. Und weißt du, wie es dann geht? Nach einer Weile kriege ich eine Wut, fange an zu schreien, und du machst dich auch noch lustig. Heute habe ich mir aber vorgenommen, ganz ruhig zu bleiben. Ich will einfach endlich einmal zu einem praktischen Schluß unserer Gespräche kommen.«

»Was soll denn das für ein praktischer Schluß sein?«

»Daß du zugibst, daß die neapolitanisch-epikureische Lebenseinstellung, die du so eindrucksvoll dargestellt hast, zu keinem kulturellen Fortschritt führen kann.«

»Also dann können wir uns die ganze Diskussion auch gleich ersparen, denn davon bin ich schon jetzt überzeugt, daß die neapolitanisch-epikureische Philosophie zu keinem Fortschritt von der Art, die du kulturell nennst, führt.«

»Was meinst du damit?«

»Ich meine damit, daß es weniger eine Frage der Lebenseinstellung ist als vielmehr eine Frage des Ziels, das man erreichen will. Wir müssen uns ja zuerst einmal darüber einigen, was wir hier unter ›kulturellem Fortschritt‹ verstehen.«

»Sind deiner Meinung nach vielleicht Neapel, die Höhlen von Souterrainwohnungen, das verschmutzte Meer, Arbeitslosigkeit, Cholera undsoweiter Beispiele für kulturellen Fortschritt?«

»Langsam, langsam, da fragt sich die Menschheit schon seit Jahrtausenden nach dem wahren Sinn des Lebens, und ich soll dir das nun in zwei Minuten erklären!«

»Also gut«, erwidert Doktor Vittorio ironisch. »Ich kann ja auch ein Jahr warten, vielleicht hast du dann genügend Zeit gehabt, zu einem Schluß zu kommen.«

»Weißt du was? Ich kann dich noch eher ertragen, wenn du wütend bist, als wenn du jetzt hier so witzig wirst.«

»Oh, entschuldige Gennaro, ich habe ganz vergessen, daß hier nur einer witzig sein darf.«

»Da haben wir's«, sagt Salvatore, »jetzt streiten sie sich wieder.«

»Nein, nein«, sagt der Professor. »Immer schön langsam. Du hast also vorhin die neapolitanischen Souterrains genannt und mich gefragt, ob die vielleicht irgendwie ein Beispiel für Kultur sein könnten. Ja, also wenn du mich fragst, ich meine schon; aus epikureischer Sicht können sie tatsächlich so etwas wie ein Kulturmodell sein.«

»Denk nur einmal an den Fall der Filumena Marturano! Kannst du dich noch erinnern«, fragt Doktor Palluotto, »was Filumena, die ›Neapolitanerin‹, über ihre Kindheit im Souterrain erzählt hat? Also ich glaube wirklich, wenn zum Beispiel Eduardo De Filippo hören würde, daß du diese Höhlen zu einem Modell für Kultur erklärt hast, der würde dich glatt erwürgen, und zwar mit den nackten Händen würde der dich erwürgen, Gennaro, mit den nackten Händen!«

»Die Tragödie der Menschheit ist das Wort! Milliarden von Gefühlen, Milliarden von Konzepten und nur ganz wenige Wörter, um diese auszudrücken. Manchmal denke ich, wenn wir gelernt hätten, unser Denken in Zahlen auszudrücken, hätten wir vielleicht ein Kommunikationsmittel entwickelt, das uns mehr entspricht.«

»Professore, ich kapiere gar nichts mehr«, sagt Saverio. »Was meinen Sie denn für Zahlen?«

»Mein lieber Saverio, wenn ich das Wort ›Kultur‹ ausspreche, dann meine ich ja mit diesem Laut, der da aus meinem Mund kommt, mit: ›Kultur‹, etwas ganz Bestimmtes, während du etwas anderes darunter verstehst und der Doktor Vittorio noch einmal etwas anderes.«

»Ja, und was sollen wir da tun?«

»Geduld haben und miteinander reden. Reden und versuchen, uns gegenseitig zu verstehen, und dabei auf Vorurteile und Voreingenommenheit verzichten.«

»Also bitte«, sagt Doktor Palluotto, »ich lausche. Aber dann geruhe jetzt auch, mir zu erklären, was das Wort ›Kultur‹ in deinem Wortschatz bedeutet.«

»Ja, Vittorio, es ist doch so, wenn einer das Wort Kultur ausspricht, denkt er sofort an die wichtigsten Dinge, die der Mensch verwirklicht hat und verwechselt auf diese Weise Kultur und Fortschritt. Die wahre Kultur aber, so wie ich sie verstehe, ist mehr als das, sie bedeutet die Präsenz des menschlichen Geistes in den Dingen. Wenn ich jetzt einmal an deine Firma in Mailand denke, die, in der du arbeitest, gut, ich kenne sie nicht, das stimmt, aber ich kann mir doch vorstellen, daß sie, da sie sich in Mailand befindet, eine außerordentlich gut organisierte Firma ist: mit wunderschönen Büros, Sekretariaten, Telefonzentralen undsoweiter undsofort, und dennoch muß ich dich jetzt fragen, Vittorio: hältst du diese Firma nun für einen Ausdruck des Fortschritts oder der Kultur? Hat sie irgendeine menschliche Dimension, in der du dich wiedererkennst?«

»Was meinst du jetzt mit menschlicher Dimension?«

»Ein Straßenverkäufer wäre so etwas wie das Grundbeispiel einer Firma mit menschlicher Dimension, diese läßt sich mit einem Fahrrad vergleichen, das fährt, solange ein Radfahrer drauf sitzt und in die Pedale tritt. Aber deine Firma läßt sich wohl nicht mit einem Fahrrad vergleichen, sie ist eher wie ein Riesentandem mit Hunderten von Leuten drauf, die in die Pedale treten, und eines Tages kommt dir vielleicht der Verdacht, daß du auch einfach aufhören könntest zu treten, und das Riesentandem würde trotzdem weiterfahren, und danach kommt dir vielleicht sogar auch der Verdacht, daß, nachdem dieses Tandem so lang geworden ist, daß Tausende von Radfahrern nötig sind, diese eigentlich auch alle absteigen könnten, und das Tandem würde auch ohne sie weiterfahren. Und in dem Augenblick hat die Firma natürlich ihre menschliche Dimension verloren. An dem Tag, an dem alle abgestiegen sein werden, wirst du merken, daß auf dem Riesentandem nur noch ein paar Marionetten sitzen, die wirklichen Menschen ganz ähnlich sehen, deren Augen aber erloschen sind. Und dann stellst du dir die angstvolle Frage, ob deine Firma, wenn die menschliche Rasse eines Tages, sagen wir, durch eine Naturkatastrophe oder eine Atombombe ausgelöscht würde, einfach weiterliefe, sagen wir mal bis zum nächsten 27.; dann würde man in einer stillen Welt voller Leichen nur noch das Geräusch irgendwelcher elektronischer Maschinen hören, die Gehaltslisten, Rechnungen und höfliche Mahnbriefe ausdrucken.«

»Und wieviele Angestellte dürfte eine Firma höchstens haben, um ihre menschliche Dimension nicht zu verlieren?«

»Das hängt ganz von dir ab, von deiner Liebesfähigkeit. Solange du auf einer Sitzung oder in einem betriebseigenen Bus noch alle Leute mit Namen kennst, kannst du behaupten, daß deine Firma irgendwo noch etwas Menschliches hat. Sobald du aber niemanden mehr kennst, mußt du dir darüber im klaren sein, daß du selber ebenfalls deinen Namen verloren hast.«

»Ja meinen Sie denn nun damit«, fragt Salvatore, »daß alle die großen Unternehmen in viele kleine aufgespalten werden sollten? Oder wie?«

»Ja, ganz genau, Salvatore. Früher oder später bleibt ihnen gar keine andere Wahl.«

»Da irrst du dich aber nun wirklich, mein lieber Gennaro«, wirft Doktor Vittorio ein. »Es ist doch erwiesen, daß nur die sehr großen Unternehmen kostendeckend arbeiten können. Die Technologie heute verlangt einfach sehr hohe Investitionen für die Forschung, und nur ein großes, weltweites Unternehmen kann sich den Luxus erlauben, sie zu finanzieren.«

»Das weiß ich, heute läuft es genauso wie du sagst, aber das wird sich schon bald ändern, dann treten wir in die dritte industrielle Phase ein, die sogenannte ›Phase der Liebe‹, und da werden wir dann alle gezwungen sein, uns auf menschliche Dimensionen zurückzubesinnen.«

»Aber Professore, welches ist denn die Phase der Liebe?« fragt Saverio.

»Der Motor eines modernen Unternehmens, meine Lieben, ist doch der Ansporn, und bis vor ein paar Jahren ging das nur mit dem Stock, sonst hätte sich der Mensch keinen Zentimeter fortbewegt. Du willst nicht arbeiten! Dann wird dir eben gekündigt! Diese ›Phase des Stocks‹ hat mehr oder weniger bis in die sechziger Jahre gedauert, bis den Arbeitgebern dieser Stock durch gewerkschaftlich ausgehandelten Kündigungsschutz und Mindestlohn aus der Hand genommen wurde. Daraufhin wurde von Unternehmerseite dann die ›Phase der Lügengeschichten‹ eingeleitet. Du arbeitest? Dann bekommst du eine Prämie, ich zahle dir mehr! In den siebziger Jahren kam es aber dann zur Steuerreform, zumindest für die Arbeitnehmer, und diese Steuerreform höhlte langsam aber sicher auch die Politik auf Belohnungsebene aus, denn man mußte jetzt einfach erkennen, daß es gar nicht möglich ist, ›mehr zu verdienen‹. Also was bleibt noch? Es bleibt die Macht! Die Macht mit ihren Symbolen, ihrer Liturgie und ihren Medaillen. Heute ist die Macht etwas so wichtiges, daß ein Unternehmen sich den Luxus erlauben kann, seine Musterknaben einzig und allein durch ein Stückchen

Macht auszuzeichnen, und die so Ausgezeichneten werden dann auch nur um des Titels willen und ohne irgendeine wirkliche Erhöhung ihres Gehaltes zu verlangen, freudig neue Aufgaben, die ihnen nur Sorgen einbringen, auf sich nehmen. Aber wie lange wird die Macht noch einen solchen Reiz ausüben? Und vor allem, was tun die Unternehmen eines schönen Tages, wenn sie ihre ganze Macht schon verteilt haben? Denn auch die Macht ist ja irgendwann einmal erschöpft, wenn sie immer nur verteilt wird. Und wenn man sie noch so sehr zerstückelt, damit möglichst viele daran teilhaben, irgendwann einmal ist man gezwungen, falsche Macht zu verteilen, und damit ist dann auch die zweite Phase, die Phase der Lügengeschichten, beendet.«

»Und dann?«

»Und dann wird die dritte Phase beginnen: die Phase der Liebe.«

»Meinen Sie jetzt die Frauen?«

»Nein, die Liebe. Die Liebe, die ich meinem Chef entgegenbringe und die er für mich empfinden kann. Ich werde arbeiten, weil ich seine Achtung brauche, und er wird arbeiten, um sich meine Achtung zu erwerben. All dies kann aber nur in einer menschlichen Dimension des Unternehmens möglich sein.«

»Das sind doch alles nur Worte«, entgegnet Doktor Palluotto, »schöne und eindrucksvolle Worte, die Wahrheit ist aber die, daß die Welt durch Produktivität, durch Kultur und Spezialisierung vorankommt und daß diese drei Dinge Einsatzbereitschaft und Ernsthaftigkeit voraussetzen.«

»Quatsch«, erwidert Bellavista. »Was die Produktivität betrifft, wäre ich nicht so sicher, daß die die Welt voranbringt; es kann nämlich genausogut sein, daß sich die Welt eines Tages eben gerade durch diese Produktivität rückläufig entwickelt. Wenn ich nur an all die furchtbaren ökologischen Probleme denke. Und was schließlich die Kultur und die Spezialisierung betrifft, so machen wir uns doch nichts vor: das sind

meiner Meinung nach zwei Begriffe, die sich gegenseitig ausschließen: Kultur, das bedeutet für mich Interesse für die
Dinge, die uns umgeben, während Spezialisierung bedeutet,
daß man sich nur für das Detail interessiert. Klar, daß ich ein
Freund der ersteren und ein Feind der letzteren bin.«

»Einen Augenblick, Gennaro«, unterbricht ihn Doktor
Vittorio. »Du bist hier ganz von unserer ursprünglichen Fra-
gestellung abgekommen. Du hast hier vorhin groß verkündet,
die Souterrainhöhlen von Neapel seien eine kulturell hochste-
hende Art von Wohnung, aber weiter haben wir dann nichts
von dir gehört. Vielleicht erweist uns der hochverehrte Professore Bellavista nun doch die Ehre, einmal zu erklären, was
an den Einrichtungen einer Souterrainwohnung kulturell so
hochstehend sein soll.«

»Das ist es ja gerade, du redest hier von Einrichtungen, und
wenn du vielleicht meinst, die Kultur bestehe darin, daß so
eine Wohnung drei Bäder hat, dann brauchen wir überhaupt
nicht weiter zu reden: in dieser Hinsicht ist das Souterrain gewiß nicht kulturell hochstehend. Wenn du aber mit dem
Begriff Wohnung Liebe verbindest, Familie, Stamm, Freundschaft, dann finden wir eben im Souterrain etwas, von dem im
sechsten Stock nicht mehr viel zu spüren ist.«

»Hast du überhaupt jemals in einem Souterrain gewohnt?«

»Nein, aber das spielt überhaupt keine Rolle. Ich kenne
eine Menge Leute, die im Souterrain wohnen, und ich kenne
ebensoviel Leute, die im sechsten Stock wohnen. Ich hatte einen Freund in Turin, der sagte eines Tages zu mir: ›Gennaro,
ich bin reich, ich bin Junggeselle und lebe in einer Wohnung
mit 200 Quadratmetern. Du mußt mich einmal besuchen, damit ich dir meine Wohnung zeige, aber auch, weil ich es gern
habe, wenn du zu mir kommst. In Turin bin ich nämlich
abends aus Trägheit, vor allem aber, weil ich nur wenige
Leute kenne, meistens allein zu Hause, und da befällt mich
dann, wenn ich nach dem Fernsehen noch nicht müde bin,
eine furchtbare Traurigkeit. Wie schön wäre es dagegen,

wenn wir alle nahe beieinander in derselben Gasse leben könnten: ich in einer Souterrainwohnung und du in der daneben, dann neben dir Peppino und Federico und Giovanni. Stattdessen hat das Leben nun mich nach Turin verschlagen, dich nach Neapel, Peppino nach Paris, Federico nach Rom, Mimi nach La Spezia und Giovanni nach Mailand. Wie sollen wir da noch miteinander reden können?‹«

»Also Ihr Freund aus Turin übertreibt aber doch«, sagt Salvatore. »Er hätte sich schließlich in Turin auch mit jemandem anfreunden können!«

»Das ist gar nicht so einfach! Für eine Freundschaft braucht man fast ein ganzes Leben. Man muß gemeinsam arm und manchmal auch glücklich gewesen sein. Freundschaft braucht Zeit, und bei einem ständigen Wechsel des Wohnortes können sich Gefühle nicht festigen. An so etwas denken die Firmen, die ihre Angestellten dauernd versetzen, nie. Manchmal werden zwei Freunde auch getrennt, wenn sie in einer großen Stadt leben, bei der man allein anderthalb Stunden braucht, um von einem Stadtteil in den andern zu kommen. So etwas passiert einem nicht, wenn man in den alten Gassen wohnt. Wir brauchen uns doch nur einmal vorzustellen, diese Wohnung hier wäre ein neapolitanisches Erdgeschoß: also wir befinden uns jetzt in einem Erdgeschoß, die Tür steht offen, und wir können die Vorübergehenden sehen. Und da kommt dann auch gleich einer unserer Freunde vorbei: Peppino. He Peppino, sagen wir, wie gehts? Komm doch ein bißchen her, hier gibts was zu lachen. Und dann reden wir miteinander.«

»Ich kenne den Bruder unseres Muschelhändlers, bei dem wir immer kaufen, der lebt in einer Souterrainwohnung in der Pace-Gasse in Forcella«, sagt Salvatore. »Neulich hat er mir erzählt, daß bei ihm drei Tage lang der Ton seines Fernsehers nicht ging, und kein Mensch in der Familie hat es gemerkt. Sie hatten alles von den andern mitgehört!«

»Verstanden?« sagt der Professor strahlend. »Sie haben von den andern mitgehört! In einem Souterrain braucht sich einer

nie zu fragen, ›was mach ich bloß heute abend?‹. Die Gelegen-
heiten ergeben sich ganz von selbst, weil eben die Tür offen-
steht. Es gibt kein Privatleben, aber dafür bleibt auch ein
Kranker nie allein. Ja, und habt ihr überhaupt ans Alter gedacht? Alt und allein in einer Wohnung im sechsten Stock eines Wohngebiets in einer großen Stadt zu leben! Da bleibt einem doch höchstens noch das Telefon, um mit der übrigen
Welt Verbindung zu halten. In einem Souterrain ist das ganz
anders, da bleibt kein Alter allein, und jedes Kind hat einen
Freund, mit dem es spielen kann. Es ist praktisch so, wie
wenn man sich auf einer Kreuzfahrt befindet; jeder hat seine
Kabine, aber alle treffen sich an Deck und unterhalten sich
miteinander. Naja, und in Neapel befinden sich mindestens
zweihunderttausend Leute auf einer solchen Kreuzfahrt.«

»Mein lieber Gennaro, das ist ja schön und gut, was du da
erzählst, aber wenn ich der liebe Gott wäre, dann würde ich
bestimmen, daß du von jetzt an immer in einem neapolitanischen Souterrain leben müßtest. Dann würdest du mal sehen,
was für eine schöne Kreuzfahrt das gäbe. Ausgerechnet du,
der du deine Frau und ihre Freundinnen nicht einmal fünf Minuten lang ertragen kannst. Da möchte ich doch wirklich einmal sehen, wie du das überleben würdest, wenn in deiner
Wohnung pausenlos Leute ein- und ausgingen.«

»Darauf habe ich ja nur gewartet, mein lieber Vittorio. Es
ist doch wohl klar, daß ich heute, nachdem ich mein Leben
lang in einer Wohnung gelebt habe, es in einem solchen Tau-
benschlag nicht mehr aushalten könnte. Deshalb sind aber
meine Aussagen über die Liebesfähigkeit der Leute, die in den
Gassen wohnen, nicht weniger richtig. Und den Beweis dafür
siehst du schon in der Tatsache, daß die Bewohner der Souterrains ja gar nicht mehr in den sechsten Stock ziehen würden.
Man hat doch mehr als einmal versucht, ganze Bevölkerungs-
gruppen in Sozialwohnungen umzusiedeln, aber man konnte
sie nicht dazu überreden, ihre geliebten Höhlen zu verlassen.
Das war doch auch klar! Die ›Wohltäter‹ von der Fürsorge

hatten gedacht, die Souterrains seien eben einfach Behausungen und sonst nichts. Aber da täuschten sie sich: das sind zugleich auch Läden, Beratungsbüros, Sportclubs, Orte der Begegnung, Kirchen, Sitz von Import-Exportfirmen und vor allem Beispiele für menschliches Zusammenleben.«

»Gennaro, es stimmt doch nicht, was du hier erzählst, und das weißt du auch ganz genau. Wenn diese armen Teufel sich geweigert haben, aus ihren Löchern auszuziehen, woran lag das wohl? Das lag doch daran, daß diese auch ihre einzige Einnahmequelle waren. Wovon leben denn die Bewohner dieser Souterrains? Von Handel und Schmuggel. Spielkram für die Kinder und Zigaretten für die Großen. Wenn die Wohltäter, wie du sie genannt hast, ihnen nicht nur eine Wohnung im sechsten Stock, sondern auch eine gute Anstellung angeboten hätten, ja, da hätten sie ihre Höhlen doch fluchtartig verlassen.«

»Und ich bin der Meinung, daß sie die Anstellung zwar angenommen hätten, aber weiter in ihren Höhlen geblieben wären und ihre Spielsachen und geschmuggelten Zigaretten verkauft hätten.«

»Diese Behausungen wurden doch schon zu Goethes und Dumas' Zeiten kritisiert, und in all dieser Zeit ist nichts dagegen unternommen worden.«

»Aber das waren doch voreilige Kritiken. Diese Souterrains haben schließlich in den letzten Jahrhunderten auch eine sehr wichtige soziale Rolle gespielt: hast du nie darüber nachgedacht, daß Neapel die einzige große Stadt der Welt ist, in der es keine ausgesprochenen Armenviertel gibt? Solche Ghettos der Subproletarier, wie es sie in allen hochindustrialisierten Städten wie Turin oder Chicago gibt, haben in Neapel nie existiert. Hier lebt das arme Volk im Souterrain, die Adligen im sogenannten ›vornehmen ersten Stock‹ und die Mittelschicht in den oberen Stockwerken. Diese vertikale soziale Schichtung hat den kulturellen Austausch zwischen den Klassen begünstigt und die schlimmsten Folgen der Klassentrennung verhindert, nämlich den immer größeren kulturellen Unterschied zwischen Arm und Reich.«

»Ehrlich gesagt, habe ich nicht den Eindruck, daß das arme Volk Neapels einen besonders hohen Bildungsstand erreicht hat.«

»Mit Bildung habe ich ja auch nicht die Schulbildung des neapolitanischen Proletariats gemeint. Das ist ein anderes Problem, an dem allein die Zentralverwaltung schuld ist. Ich meinte, daß einer aus dem neapolitanischen Volk bei all seiner Unwissenheit dennoch reich an menschlichen Werten ist, und diese sind meiner Meinung nach der Tatsache zu verdanken, daß er immer in einer Umgebung gelebt hat, wo der ständige Kontakt zwischen dem Adligen aus dem ersten Stock, dem Rechtsanwalt aus dem zweiten und dem armen Souterrain-Bewohner, der sich irgendwie durchbringt, den Lebenshorizont aller Hausbewohner vergrößert hat, ohne Unterschied der Klassen.«

»Heute ist es aber nicht mehr so: die Reichen haben das kaputte Neapel verlassen und sind in ihre Ghettos an der Via Orazio und Via Petrarca gezogen, wo es, welch ein Zufall, solche Souterrains gar nicht mehr gibt. In den Altstadtvierteln dagegen sind nur die Armen zurückgeblieben, die vielleicht glücklich sein mögen, wie du behauptest, in jedem Fall aber sind sie noch ärmer als vorher.«

»Vittorio, du willst einfach nicht kapieren, daß Glück ein relativer Begriff ist. Jeder von uns legt ›sein Glück‹ als Wertmaßstab zugrunde und muß also, wenn er wissen will, ob er glücklich ist oder nicht, seinen Zustand jeden Augenblick an seinem eigenen Ideal von Glück messen. Wenn ich jetzt zum Beispiel Saverio frage: Saverio, was ist für dich Glück?«

»Was Sie wollen, Professore.«

»Was soll denn das heißen, was ich will, Saverio?« fragt der Professor beharrlich weiter. »Ich will jetzt wissen, worin deiner Meinung nach Glück besteht.«

»Aber Professore, ich bin doch vollkommen mit Ihnen einverstanden, und das, was Sie sagen, ist mir alles recht. Also sagen Sie jetzt, was Glück ist, und Ihr Saverio hier wird sich nie erlauben, Ihnen zu widersprechen.«

»Jetzt hör mir mal gut zu: Du hast mir einmal erzählt, daß eure ganze Familie dem heiligen Pasquale sehr ergeben ist . . .«

»Oh, der heilige Pasquale, das ist ein sehr wichtiger Heiliger, ein sehr guter Freund des heiligen Gennaro. Den heiligen Pasquale verehre ich schon seit damals, als ich mich verheiratet habe, und ich muß zugeben, daß ich mit ihm immer sehr gut gefahren bin.«

»Was heißt hier sehr gut«, protestiert Doktor Vittorio. »Du bist arbeitslos, hast nicht eine Lira in der Tasche und sagst sehr gut! Vorhin hast du mir doch selber erzählt, welche Sorgen du dir machst, weil deine Kinder vor allem an den Füßen wachsen und du nicht weißt, wovon du ihnen allen dreien neue Schuhe kaufen sollst.«

»Da haben Sie recht, Doktor, wegen der Schuhe für die Kinder mache ich mir wirklich Sorgen, aber wegen der Schuhe haben wir uns noch nie an den heiligen Pasquale gewandt. Zum heiligen Pasquale sagen wir nur ›Heiliger Pasquale, hilf uns du‹, und Gottseidank ist es uns gesundheitlich immer gut gegangen.«

»Eben genau«, sagt der Professor. »Eben das wollte ich nämlich wissen. Ich wollte wissen, um welche Gnade Saverio vor allem bittet, denn daran kann ich doch erkennen, in welchem Glückszustand sich Saverio befindet. Mit anderen Worten, wenn wir einen schmutzigen und in Lumpen gekleideten kleinen Jungen in der Tür einer Souterrainwohnung stehen sehen, der lacht oder singt, so empfinden wir, die wir an die Bequemlichkeiten des Wohlstands gewöhnt sind, gewiß Zärtlichkeit und Mitleid für ihn, während der kleine Junge, der immer in dieser seiner Welt gelebt hat, sich vielleicht gerade auf dem Gipfel seines relativen Glücks befindet.«

»Was du hier mit relativem Glück bezeichnest, würde ich vollkommene Verantwortungslosigkeit nennen«, entgegnet

Doktor Vittorio. »Na ja, Gennaro, denn wenn es auch vielleicht stimmen mag, daß die Bedeutung gewisser Güter von der jeweiligen Person abhängt, gilt diese Überlegung doch bei anderen Gütern ganz und gar nicht. So kann ich zum Beispiel verstehen, daß ich mich vielleicht genausosehr freue, wenn ich mir ein Gummiboot kaufe, wie der Sohn eines Milliardärs sich über den Kauf einer Yacht freut, aber es gibt ja schließlich auch objektive Güter im Leben, die für alle gleich wichtig sind und also nichts mit den Lebensbedingungen des einzelnen zu tun haben. Denk nur an das Beispiel, das uns Saverio genannt hat: die Gesundheit. Saverios Familie ist bei bester Gesundheit und glücklich, und ich hoffe, das werden sie auch noch hundert Jahre bleiben, aber wehe, wenn sie eines Tages ärztliche Versorgung brauchten, ein gut funktionierendes Krankenhaus! Kannst du mir vielleicht sagen, wo sie dann in Neapel ein gut funktionierendes Krankenhaus finden werden?«

»Dottore«, unterbricht ihn Saverio. »Entschuldigen Sie meine Geste, aber ich muß hier einfach erst einmal auf Holz klopfen.«

»Ein gut funktionierendes Krankenhaus«, fährt Doktor Vittorio fort, »ist doch das Ergebnis der Bemühungen und der Produktivität des Menschen. Ohne die Opferbereitschaft und die Ernsthaftigkeit von Tausenden von Wissenschaftlern und Gelehrten würde der Mensch doch heute noch wie ein Wilder leben.«

»Das Schlimme bei dir ist, Vittorio, daß du bei allem immer so radikal sein mußt. Ich habe ja nun nicht gesagt, daß alle Menschen der Welt ihren Einsatzwillen bremsen und sich weigern sollen, die Lebensbedingungen zu verbessern. Aber selbst du wirst wohl einräumen, daß nicht alle Menschen gleich sind und daß es eine Kategorie von Übermenschen und eine weit größere Kategorie von normalen Leuten gibt. Und Epikur hatte seine Verhaltensethik ja eben gerade für diese einfachen Leute gedacht. Die Ethik des angemessenen Arbeitseifers war nichts anderes als eine Verhaltensanleitung, um nicht auf die falschen Idole hereinzufallen, die die Menschheit bestimmen. Es ist ja klar, daß ein Mensch, der mit Genie begnadet ist und einen unersättlichen Forschergeist in sich spürt, seine Mission bis zum Ende erfüllen muß. Leute wie Columbus oder Fleming gehören einer eigenen Rasse an. Deshalb kann ich einem Doktor X aber noch lange nicht nachsehen, daß er seine familiären Beziehungen vernachlässigt, nur um bei der Firma Y den Posten eines Geschäftsführers zu bekommen.«

»Also da kann ich deine Meinung nicht teilen. Ich glaube, daß Leute wie Columbus oder Fleming nur in besonders hohem Maße die Eigenschaften besaßen, die alle Menschen haben. Ich bin davon überzeugt, daß die Lebensbedingungen in Mailand heute deshalb sehr viel menschenwürdiger sind als in Neapel, weil die ganze Bevölkerung von Mailand daran mitwirkt und nicht etwa deshalb, weil die Stadtverwaltung dort größere Verdienste hätte. Und frage mich jetzt nicht wieder, was ich unter menschenwürdiger verstehe. Nicht menschenwürdig ist für mich jedenfalls die Tatsache, daß es in Pozzuoli die höchste Kindersterblichkeit von ganz Italien gibt. Nicht menschenwürdig ist auch eine Krankheit wie die Cholera.«

»Dottore, vergessen Sie aber doch nicht, daß Sie selber auch Neapolitaner sind und daß Sie so nicht reden dürfen«, sagt Salvatore. »Bevor Sie hier ein Volk beleidigen, müssen Sie die Schuldigen doch zuerst einmal in der Stadtverwaltung von Neapel und vor allem in der Einstellung der italienischen Regierung unserer Stadt gegenüber suchen. Vergessen wir doch nicht, daß Neapel im letzten Jahrhundert eine Hauptstadt war, die als erste die Eisenbahn einführte und in der es mehr Theater gab als heute.«

»Salvatore, ich rede ja gerade deshalb so, weil ich Neapolitaner bin. Wenn ich manchmal etwas in den Zeitungen über Neapel lese oder eines dieser gnadenlosen Interviews mit irgendeinem armen Teufel im Fernsehen sehe, fühle ich mich im Innersten getroffen. Ich empfinde Zuneigung zu diesem meinem Mitbürger, der da versucht, Italienisch zu reden, und gleichzeitig Scham, weil er sich so damit abfindet, das kulturelle Sterben seiner Stadt mitanzusehen.«

»Vittorio, ich verstehe gut, was in dir vorgeht und deshalb habe ich dich ja auch gern«, sagt der Professor. »Ich weiß ganz genau, daß sich Neapel sehr anstrengen müßte, um sich aus den Fesseln der Schieberei und der Korruption zu befreien, die es zu erdrücken drohen, aber du kannst doch auf der anderen Seite auch nicht wollen, daß Neapel wie Mailand wird. In Neapel sind durch die Cholera ein paar Dutzend Leute umgekommen, aber in Mailand sind in der gleichen Zeit Tausende an Einsamkeit gestorben. Ich will für den Fortschritt nicht mit einem Verlust an Liebe bezahlen. Ich möchte einen anderen Weg versuchen, einen Weg, für den weder Macht noch Wettbewerb nötig ist. Und da stelle ich dir noch einmal die entscheidende Frage: Was ist das Leben?«

»Das Leben ist das Leben«, antwortet Doktor Vittorio ohne Zögern. »Das ist nicht etwa eine banale Antwort. Sie bedeutet, daß das wichtigste ist, zu leben. Aber damit alle möglichst lange leben können, müssen sich auch alle aufs äußerste dafür einsetzen. Epikur dachte nur an die nächste Zukunft, er dachte höchstens darüber nach, welche Folgen eine bestimmte Entscheidung für die nächsten zwei oder drei Jahre haben konnte. Aber das Problem hat doch ganz andere Ausmaße. Wir müssen uns heute dafür einsetzen, damit die Kinder unserer Kinder morgen glücklich sein können.«

»Wenn wir so argumentieren wie du, dann werden auch die Kinder unserer Kinder morgen nicht glücklich sein.«

»Und warum?«

»Weil sie gar keine Zeit dazu haben. Sie wären viel zu sehr damit beschäftigt, die Kinder ihrer Kinder glücklich zu machen und würden ihr eigenes Leben beschließen, ohne das Glück je kennengelernt zu haben.«

»Quatsch, Gennaro, Quatsch! Leider ist es so: wir reden nur Quatsch. Da sage ich doch lieber nichts mehr. Dabei weiß ich ganz genau, daß du weißt. O ja, ich weiß, daß du, wenn du durch Neapel gehst, genau weißt, daß das nicht dein Neapel ist, dein Neapel, das nur in deinem Kopf existiert und das es vielleicht nie gegeben hat.«

»Wer weiß! Wer weiß denn, wie Neapel wirklich ist. Manchmal denke ich aber, daß es dieses Neapel, das ich meine, vielleicht nicht als Stadt geben mag, aber als Konzept, als Adjektiv gibt es das bestimmt. Und dann denke ich, daß Neapel immer noch die neapolitanischste Stadt ist, die ich kenne, und wo immer ich auf der Welt gewesen bin, habe ich gesehen, daß ein bißchen Neapel überall nötig wäre. Luigino, du hast bis jetzt nichts gesagt, du warst ja auch einmal in Mailand, also ich bitte dich, erzähle jetzt du einmal Vittorio, was Neapel für dich bedeutet.«

»Ich weiß nicht recht, ich habe euch beiden aufmerksam zugehört, und mir scheint, daß ihr beide recht habt. Richtig, ich habe ein Jahr in Mailand gelebt und verstehe daher, was Doktor Vittorio meint: es stimmt, daß die Stadt funktioniert, und es ist auch gar nicht wahr, daß die Leute dort nicht nett sind, im Gegenteil, ich habe sie immer sehr freundlich gefunden. Die Untergrundbahn zum Beispiel, die ist wirklich schön: sauber und ganz schnell. Wenn dir eine gerade weggefahren ist, kommt gleich die nächste. Das Klima? Nun, ans Klima gewöhnt man sich. Ich erinnere mich an gewisse Morgen, acht Uhr früh in der Via Melchiorre Gioa. Kälte und Nebel. Manchmal kam auch die Sonne, aber man sah sie nicht: man wußte nur, daß sie da war, weil der graue Himmel an einer bestimmten Stelle etwas weißer wurde. Die Leute gingen um acht Uhr zur Arbeit, und du hörtest keinen reden, Rauch aus dem Mund und rasch weiter. Ja, daran erinnere ich mich vor allem: in Mailand hatten es alle immer eilig.«

XIV

Weckdienst

»Guten Morgen, Herr Ingenieur. Schöner Tag heute, nicht?« sagt Salvatore, als ich gerade aus der Haustür komme. »Kaum zu glauben, daß wir Dezember haben.«

»Wirklich schön, Salvatore, gleich ziehe ich mir noch den Mantel aus.«

»Na ja, der liebe Gott läßt eben die Sonne scheinen, wo er Schnee sieht, oder Not.«

»Wenigstens das.«

»Apropos Not, jetzt hätte ich es fast vergessen. Wieviel Uhr ist es denn?«

»Fünf Minuten nach neun.«

»Dann muß ich los und den jungen Herrn Baron De Filippis wecken. Warum kommen Sie nicht einen Augenblick mit?«

»Den jungen Baron De Filippis wecken?«

»Ja, aber nicht in seiner Wohnung. Wir gehen hinters Haus und rufen unter dem Fenster, er wohnt im ersten Stock. Sie müssen wissen, daß ich vom jungen Herrn Baron De Filippis dreitausend Lire im Monat dafür bekomme, daß ich ihn jeden Morgen außer sonntags Punkt neun wecke.«

»Das verstehe ich nicht, wäre es nicht einfacher, er würde sich den Wecker stellen?«

»O nein, keineswegs! Ein Wecker wäre für diesen Zweck denkbar ungeeignet.«

»Warum denn?«

»Ja, das kann ich Ihnen erklären«, erwidert Salvatore, während er auf den Innenhof des Wohnhauses zusteuert. »Sie müssen wissen, daß der junge Herr Baron an der Universität studiert. Ja, er studiert Jura, und er will, daß jemand ihn jeden Morgen um neun ruft, denn er muß ja studieren, sonst kann er seinen Doktor nicht machen.«

»Ich meine, um neun könnte einer ja auch ganz von alleine aufwachen. Wenn Sie jetzt gesagt hätten, um sechs, hätte ich das ja noch verstanden.«

»Da haben Sie recht, aber der junge Herr Baron ist leider, wie soll ich sagen, etwas aushäusig, ich weiß nicht, ob Sie verstanden haben: er hat eine Schwäche für Frauen«, sagt Salvatore verschmitzt lächelnd. »Und so kommt er oft erst um zwei oder drei Uhr nachts ins Bett; ja, denn er geht immer ins Mela tanzen: schlechter Lebenswandel!«

Während wir so redeten, waren wir vor dem Fenster angelangt, hinter dem unser Lebemann offenbar schlief. Und da ruft nun Salvatore mit ganz leiser Stimme, praktisch lautlos:

»Herr Baron... Herr Baron De Filippis... es ist neun... Herr Rechtsanwalt, stehen Sie auf... es ist neun.«

»Aber Salvatore, wenn Sie nicht ein bißchen lauter rufen, kann er Sie ja nicht hören!«

»Logisch, daß er mich nicht hören kann. Aber wenn ich richtig schreie, wacht der junge Herr Baron tatsächlich auf, und dann wird er wütend auf mich.«

»Ja, was machen Sie dann überhaupt hier vor seinem Fenster?«

»Sie haben wirklich gar nichts verstanden!« erklärt Salvatore geduldig. »Wie ich Ihnen vorhin gesagt habe, bekomme ich dreitausend Lire im Monat dafür, daß ich jeden Morgen Punkt neun hierher vor das Fenster des jungen Herrn Baron komme, um einen Versuch zu machen, ihn zu wecken, ich tue meine Pflicht und gehe wieder. Der junge Herr Baron aber hat damit, daß er mir den Auftrag erteilt hat, ihn jeden Morgen um neun zu wecken, irgendwie auch seinen guten Willen bewiesen und damit sein Gewissen beruhigt. Sie haben es ja selber miterlebt. Und somit ist jedem von uns irgendwie gedient.«

XV

Die Rose der 16 Berufe

Vernunft und Leidenschaft
sind Steuer und Segel
jenes Seefahrers
der unsere Seele ist
Kahlil Gibran

»Meiner Meinung nach hat jede Epoche ihre Philosophen gehabt«, sage ich. »Und wir können jetzt heute nicht den Ideen eines Philosophen folgen, der vor über zweitausend Jahren gelebt hat. Wenn Epikur heute lebte, würde er ganz gewiß etwas anderes predigen.«

»Aber keineswegs, Epikurs Philosophie ist immer noch gültig.«

»Nein, Professore, das können Sie mir nicht erzählen! Die Aufforderung Epikurs an die Menschen, nur ihre primären Bedürfnisse zu befriedigen, ist heute nicht mehr haltbar. Darin liegt meiner Meinung nach das ganze Mißverständnis. Essen und Trinken war zur Zeit Epikurs tatsächlich ein Problem...«

»Und das ist es auch heute noch«, unterbricht mich Doktor Vittorio, »das ist es auch heute noch!«

»Nun, sagen wir so, daß siebzig Prozent der Menschheit heute noch verhungern«, erklärt der Professor, »während dreißig Prozent eine Abmagerungskur machen.«

»Ich wollte sagen«, fahre ich fort, »daß durch die allgemeine Steigerung des Lebensstandards in der westlichen Welt ein großer Teil jener Güter, die Epikur im dritten Jahrhundert vor Christus als zweitrangig, wenn nicht gar als drittrangig ansah, wie etwa Kultur, Fleisch, Information, Beteiligung undsoweiter heute unverzichtbare Güter geworden sind und daher den primären Bedürfnissen zugerechnet werden müssen.«

»Na und?« unterbricht mich der Professor. »So leicht können wir uns die Sache doch nicht machen! Wir dürfen doch nicht alles nur wortwörtlich verstehen! Wenn wir aber einmal zum Kern dessen kommen, was Epikur eigentlich gesagt hat, so fällt doch ins Auge, daß die epikureische Philosophie vielleicht noch nie so wichtig war wie gerade heute. Was hat Epikur denn eigentlich gesagt? Er hat gesagt, daß wir die Lebensgüter auf ihren natürlichen Inhalt prüfen und im Hinblick auf ihre Notwendigkeit einschätzen sollen. Und mit dieser Methode erhalten wir eine Wertskala, bei der alle Güter in einer bestimmten Reihenfolge aufgeführt sind: ganz oben die primären Güter, das heißt die natürlichen und notwendigen, dann die zweitrangigen, die natürlich, aber nicht notwendig sind, und schließlich ganz unten die nutzlosen Güter, die sich dadurch auszeichnen, daß sie weder notwendig noch natürlich sind. Und da kommt nun der Ingenieur daher und erzählt, daß das, was zu Zeiten Epikurs als nicht notwendig angesehen wurde, heute unverzichtbar geworden ist. Gut, darauf kann ich nur antworten, das ist für mich kein Problem: es bedeutet nur, daß jene Grenze, die damals zu Epikurs Zeiten die primären Bedürfnisse von den sekundären trennte, sich in der Zwischenzeit verlagert hat und somit noch einige weitere primäre Bedürfnisse mit einbezieht. Das bedeutet aber nicht, daß Epikurs Ethik heute nicht mehr gültig ist, ja, ich würde sogar zu behaupten wagen, daß sie eher noch an Bedeutung gewonnen hat. Wenn nämlich Epikur unter die primären Bedürfnisse Essen, Trinken, Schlafen und die Freundschaft zählte und Essen, Trinken, Schlafen eurer Meinung nach heute jedermann leichter zur Verfügung stehen als zu Zeiten Epikurs, so können wir daraus schließen, daß die Bedeutung des ebenfalls primären Bedürfnisses Freundschaft noch größer geworden ist. Die Freundschaft muß ja doch, was wir nie vergessen dürfen, als Gegenpol zur Macht angesehen werden, die nur auf Wettbewerb beruht und unbestritten an der Spitze aller drittrangigen Bedürfnisse steht.«

»Ehrlich gesagt, scheint mir dies mehr ein christliches denn ein epikureisches Bild zu sein.«

»Doch nur deshalb, zum Teufel, weil Sie eine ganz falsche Vorstellung von dem Begriff ›epikureisch‹ haben, der ja etwas ganz anderes bedeutet. Und da muß ich denn noch einmal ganz beharrlich fragen: Ist die Welt, in der wir heute leben, vielleicht nicht ein einziger großer Turnierplatz, auf dem jeder verzweifelt Erfolg, das heißt seine Stufe der Macht zu erringen versucht? Das schöne Auto, der akademische Titel, Ehrentribünen und all die tausend Bequemlichkeiten der Konsumwelt sind doch nichts anderes als Stufen, Stufen einer Werteskala vor dem Hintergrund der Macht, um den Menschen dazu zu zwingen, immer mehr zu produzieren. Ihr braucht ja nur einmal irgendein Büro zu betreten, egal ob bei einer politischen Partei, in einer Privatfirma oder einem Ministerium, alles, was ihr da vor Augen seht, stellt doch eine Stufe der Macht dar, die der betreffende Angestellte erreicht hat. Eine harmlose Wasserkaraffe, eine exotische meterhohe Fikuspflanze stehen da nicht, weil sie einen Zweck erfüllen oder schön sind, sondern sie stellen eine ganz genaue Stufe der Macht dar, die dieser Angestellte in Jahren des Arbeitseinsatzes und des täglichen Kampfes erlangt hat. In einigen großen Unternehmen gibt es sogar einen Angestellten, dessen einzige Aufgabe darin besteht, genau zu kontrollieren, daß keiner sein Büro mit Gegenständen ausstattet, die erst auf einer höheren Machtebene erlaubt sind. Und in dieses Affentheater falscher Werte kommt nun Epikur und spricht: Meine lieben Leute, bedenkt doch das Wesen der Dinge und bedenkt, daß das Wichtigste nach der Gesundheit die Freundschaft ist! Laßt euch nicht von falschen Idealen bedingen! Wägt doch eure Ziele genau ab, bevor ihr so eifrig danach strebt!«

»Aber eines verstehe ich jetzt nicht, Gennaro. Neulich hast

du doch drei Stunden lang versucht, uns davon zu überzeugen, daß Freiheit und Liebe Werte sind, die im Gegensatz zueinander stehen, und heute erzählst du nun, daß die Liebe den Gegenpol zur Macht bildet. Soll ich daraus nun also schließen, daß für dich Freiheit und Macht ein und dasselbe sind?«

»Langsam, langsam, wer erzählt denn so einen Mist!« unterbricht ihn der Professor. »Wenn ihr nur einen Augenblick Geduld habt, mache ich euch eine genaue Zeichnung meiner Theorie. Saverio, tu mir doch bitte einen Gefallen und sieh meine Bitte nicht als Befehl an: Schau mal auf meinem Schreibtisch nach, ob du dort nicht einen Stift und ein Blatt kariertes Papier findest, da müßte ein ganzer Block liegen...«

»Hier Professore, zu Befehl: Stift und Papier, und wenn Sie erlauben, gehe ich auch gleich und hole noch eine neue Flasche Lettere-Wein, denn ich sehe schon, jetzt wird es schwierig, da brauchen wir eine kleine Erfrischung für unser Gehirn.«

»Sehr gut, Saverio. Also wir müssen, um die Theorie der Liebe und der Freiheit richtig zu verstehen, wie gesagt von einer vereinfachten grafischen Darstellung der menschlichen Seele ausgehen. Oder besser gesagt: wenn wir einmal annehmen, die menschliche Natur bestehe nur aus zwei Impulsen, einem in Richtung Liebe und einem in Richtung Freiheit, dann könnte ich die menschliche Seele in Form eines kartesianischen Diagramms mit zwei Dimensionen darstellen...«

»Gute Nacht, Professore«, sagt Salvatore. »Wir gehen jetzt nach Hause...«

»Sei doch mal still, Salvatore, warte, dann wirst du gleich sehen, daß es sich um eine ganz einfache Sache handelt. Also seht mal her:«

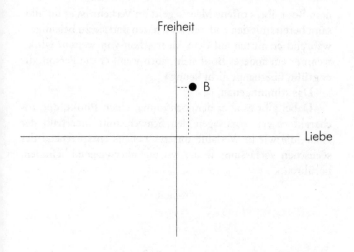

»Diese horizontale Gerade stellt die Achse der Liebe dar und diese vertikale Achse hier die Achse der Freiheit. Und wo befinde ich, Gennaro Bellavista, mich nun in diesem kartesianischen Koordinatensystem? Hier, da bin ich, ich bin der Punkt *B*, ungefähr an dieser Stelle hier«, und nun setzt der Professor einen Punkt auf das Blatt und zieht von diesem Punkt ausgehend im rechten Winkel zu den Koordinaten zwei Linien. »Dieser Punkt stellt mich dar, da ich eine gewisse Quantität *x* an Liebe und eine gewisse Quantität *y* an Freiheit besitze. Dazu muß ich natürlich gleich sagen, daß sich dieser Punkt *B*, der mich darstellt, in jedem Augenblick meines Lebens, je nachdem, was ich so erlebe, dauernd verschiebt. Wenn ich zum Beispiel gezwungen würde, mit vielen Menschen zusammenzuleben, so nähme mein Wunsch nach Freiheit zu Lasten meines Wunsches nach Liebe natürlich zu, während ich nach einem Schiffbruch auf einer einsamen Insel sofort ein großes Bedürfnis nach Liebe hätte. Denkt zum Beispiel an die unterschiedliche Stimmung eines Menschen, wenn er mit seinem Auto im Verkehr fährt oder wenn er mit

dem Boot übers offene Meer segelt: im Verkehr ist er unduld-
sam, bereit, mit den anderen zu streiten und sie zu beleidigen,
während er mitten auf dem Meer schon von weitem winkt,
wenn er ein anderes Boot sieht, auch wenn er die Person, die
er grüßt, überhaupt nicht kennt.«

»Das stimmt genau, ja.«

»Dabei gibt es aber dennoch immer einen Punkt, der uns
charakterisiert, sozusagen den Schwerpunkt innerhalb der
Zone, die wir im Verlaufe unseres Lebens entsprechend der
seelischen Verfassung, in der wir uns überwiegend befinden,
berühren.«

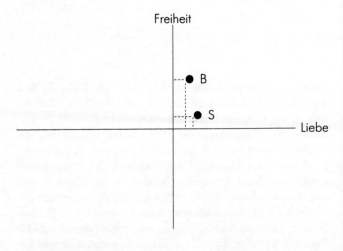

»Und wo bin dann ich, Professore?« fragt Saverio. »Könnten
Sie nicht auch mich auf dem Papierchen einzeichnen?«

»Du, Saverio, befindest dich hier, Punkt *S:* viel Liebe und
fast keine Freiheit.«

»Ja warum habe ich denn so wenig Freiheit, Professore?«

»Weil du damals, als deine Assuntina mit den Kindern in
Procida war und du allein bliebst, nicht etwa der heiligen
Muttergottes für dein Glück gedankt hast, sondern über

haupt nicht zurechtkamst, bis sie alle wieder nach Neapel zurückkehrten.«

»Das stimmt, Professore. Sie haben wirklich recht.«

»Aber gehen wir jetzt weiter in unserem Versuch einer grafischen Darstellung. Wie ich also schon gesagt habe, stellt die horizontale Achse die Liebe dar. Nun ist es allerdings so, daß diese Achse auch eine negative Seite hat, diese linke hier, die den Haß darstellt. Es ist also klar, daß wir es hier mit einer Achse der Gefühle zu tun haben, die ganz vom Herzen und überhaupt nicht vom Kopf bestimmt wird.«

»Und was ist dann der Gegenpol zur Freiheit, Professor?«

»Langsam, denn hier wird es schwierig. Na ja, denn wenn wir hier über Liebe reden, wissen wir, glaube ich, alle mehr oder weniger, was wir damit meinen. Bei der Freiheit können wir das nicht behaupten.«

»Die Freiheit ist die Freiheit«, sagt Salvatore.

»Leider ist die Antwort nicht so einfach, mein lieber Salvatore. Freiheit, das bedeutet für den einen Demokratie, für den anderen Anarchie, und an diesem Punkt fühle ich mich nun gezwungen, noch ein paar Worte über meine Vorstellung von Freiheit zu verlieren.«

»Keine Sorge, Professor, wir hören zu.«

»Also ich glaube, Freiheit ist sowohl der Wunsch, nicht unterdrückt zu werden, als auch der Wunsch, nicht zu unterdrücken. Das Gegenteil von Freiheit wäre also der Wunsch, dieser Freiheit beraubt zu werden oder diese anderen zu rauben, also die Macht.«

»Für mich ist das Gegenteil von Freiheit der Faschismus«, sagt Doktor Vittorio.

»Der Faschismus ist nur die schlimmste Form der Macht. Wenn man die Macht mit Faschismus gleichsetzt, besteht die Gefahr, gewisse Individuen nicht als Menschen der Macht zu erkennen, die zwar keine politische Idee verfolgen, aber doch innerhalb ihrer Familie oder am Arbeitsplatz Befehle erteilen. Nein, ich meine, wenn wir von Macht reden, dürfen wir nicht nur an den Staatsstreich denken: der Machtwille drückt sich auch darin aus, daß einer der oberste Amtsdiener werden will oder daß einer sich in einer Umgebung, in der alle Leute nur einen FIAT 500 fahren, einen 128ER kauft, und zwar nicht deshalb, weil dieser 128ER bequemer ist, sondern um den Neid der anderen zu erwecken. ›Nieder mit dem Neid‹ steht auf den Karren in den Armengassen Neapels.«

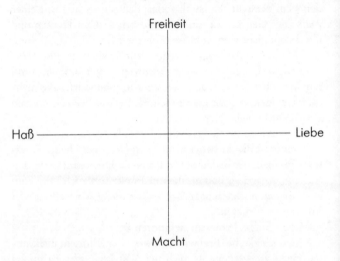

»Professore, aber wenn wir uns nicht einmal einen 128ER kaufen dürfen, sollen wir dann dem Fortschritt ganz entsagen?«

»Nein, nein, Saverio. Wir können uns ruhig einen 128ER kaufen, aber wir müssen es dabei mit Tschuang-tse halten: Nimm die Dinge als Dinge und lasse dich nicht von den Dingen als Ding benutzen. Tschuang meinte mit anderen Worten, daß du deinen 128ER als 128ER und nicht als Machtsymbol benutzen sollst. Zum Beispiel hat uns unser Ingenieur hier vorhin erzählt, daß er sich ein schönes Motorboot gekauft hat; sehr gut, also dann fragen wir ihn doch, warum er sich dieses Motorboot gekauft hat. Weil ihm das offene Meer, das saubere Wasser gefällt? Weil er dem Strand, der Menschenmenge fernbleiben will? Weil er nachdenken will? Wenn er uns dies bejaht, dann bedeutet das, daß der Ingenieur ein Mann der Freiheit ist. Wenn er sich das Motorboot aber gekauft hat, weil es ihm Spaß macht, wenn die anderen ihn von der Anlegestelle abfahren sehen und sagen: ›Schau mal, was sich der Ingenieur für ein schönes Motorboot gekauft hat, wer weiß, wieviel der im Monat verdient‹, ja, dann müssen wir annehmen, daß auch unser lieber Ingenieur ein Mensch der Macht ist.«

»Meiner Meinung nach hat sich der Ingenieur das Motorboot gekauft, damit er mit den Frauen aufs offene Meer hinausfahren kann«, sagt Saverio.

»Demnach kann Konsum also auch eine Form von Machtstreben darstellen?« frage ich.

»Offensichtlich«, antwortet der Professor. »Der Konsum kann sich nur dank des Machtwillens ausbreiten, der in den Menschen sitzt, und dafür schafft er eine ganze Skala von Zielen: jede Stufe ist eine Etappe, die erreicht werden muß. Nur für den Philosophen ist der Konsum eine Skala, die abwärts führt und nicht aufwärts, eine Skala, die den Menschen nach unten zieht und ihn immer weiter von der Achse der Liebe entfernt.«

»Ehrlich gesagt, sind wir Neapolitaner nicht sehr konsumfreudig«, wirft Salvatore ein.

»Sehen wir uns nun einmal unsere Koordinaten ein wenig genauer an«, fährt der Professor fort, »und versuchen wir, jedem der vier Quadranten einen Namen zu geben. Den positiven Quadranten, diesen hier oben rechts, würde ich den Quadranten des Weisen nennen und vorschlagen, ihn Gandhi zu widmen, der großen Seele, dem Propheten der Gewaltlosigkeit; man könnte natürlich Hunderte anderer großer Denker nennen, denen wir den Quadranten der Liebe und der Freiheit widmen könnten: Bertrand Russell, Johannes XXIII.,

Martin Luther King, wenn wir uns diese Leute aber ein wenig genauer ansehen, bemerken wir, daß Russell vielleicht doch die Freiheit etwas mehr schätzte als die Liebe, und daß Johannes XXIII. vielleicht mehr ein Mann der Liebe als der Freiheit war, und bei allen anderen ist es ähnlich. Der Mittelweg, das heißt die Winkelhalbierende des positiven Quadranten, setzt voraus, daß bei dem betreffenden Menschen der Wunsch nach Liebe ebensogroß ist wie der Wunsch nach Freiheit, und wir müssen ihn dann am meisten bewundern, wenn sein Abstand vom Ursprung der Achsen am größten ist.«

»Und der heilige Franziskus?«

»Der heilige Franziskus ist die reine Liebe, er kennt das Problem Freiheit überhaupt nicht, also ist sein Platz genau auf der Achse der Liebe, ganz nahe bei Jesus Christus.«

»Und wen setzen wir dann jetzt in die anderen Quadranten, Professor?«

»Also, überlegen wir einmal: dieser Quadrant hier unten links ist der Quadrant des Tyrannen, der schlimmste von allen. Und dort sehe ich nur einen Namen: Hitler, Haß und Macht.«

»Ein Riesenschwein!«

»Der Quadrant oben links ist der Quadrant des Rebellen, und den würde ich gern den Fedajin widmen. Bitte versetzt euch doch einmal in die Lage eines Fedajin, und dann sagt mir, ob der arme Teufel nicht allen Grund hat, zu hassen und gleichzeitig die Freiheit zu wünschen. Ihm haben sie doch praktisch alles weggenommen: Haus, Vaterland und Würde. Denn die Israelis haben sich ja nicht damit zufrieden gegeben, ihn um sein Land zu bescheißen, sie haben ihn auch noch lächerlich gemacht, weil sie der ganzen Welt bewiesen haben, daß es mit Fleiß und Intelligenz möglich ist, auch einem unfruchtbaren Boden wie dem palästinensischen Ertrag und Wohlstand abzutrotzen. Meiner Meinung nach ist dies der eigentliche Grund, weshalb die Fedajin Israel so hassen.«

»Aber ehrlich gesagt, kann ich diese Fedajin nicht begreifen«, sagt Saverio. »Hätten die denn nicht der Heiligen Jungfrau auf den Knien danken müssen, daß die Israelis mit ein wenig Kapital in dieses Land von Hungerleidern gekommen sind, statt einen solchen Hexentanz anzufangen! Hätten sie denn nicht den Arbeitseifer der Israelis nutzen sollen und alle friedlich leben? Aber nein, die mußten Terror machen. Wenn ich mir vorstelle, die haben das Glück, daß Jerusalem die wichtigste heilige Stadt aller Religionen ist, und fangen nicht sofort an, ein großes touristisch-religiöses Geschäft aufzuziehen! Die brauchten doch nur Reliquien, Heiligenfiguren, Medaillen und kleine Tuffsteine zu verkaufen und zu behaupten, die stammten aus der Klagemauer! Warum haben die denn nichts vom Vatikan gelernt oder von Pompeji oder Padua, ein Fußballturnier zwischen Mannschaften der verschiedenen Religionen zum Beispiel, das wäre doch was gewesen.«

»Saverio hat recht«, sagt Salvatore, »mit ganz wenig Kapital hätte man da eine Menge Kies machen können. Etwas gut gemachte Reklame, was weiß ich, eine Werbesendung, in der es hieße: ›Eine Kommunion in Jerusalem zählt doppelt‹ oder ›Laßt euch die Beschneidung mit Messerabatt machen‹, da wären doch alle reich geworden, Israelis wie Palästinenser. Meinen Sie nicht, Professore?«

»Ich glaube wirklich«, sagt Doktor Palluotto lachend, »es wäre besser gewesen, wenn Amerika nicht Kissinger in den Mittleren Osten geschickt hätte, sondern Saverio und Salvatore.«

»Das meinen Sie doch nicht im Ernst, Doktor!« sagt Saverio. »Aber wenn in der UNO nur Neapolitaner säßen, da würde es ganz bestimmt nirgends mehr einen Krieg geben, und die Waffenfabriken müßten sich damit begnügen, Knallfrösche und Stinkbomben für Silvester herzustellen.«

»Also jetzt paßt auf«, meldet sich Professor Bellavista wieder zu Wort, »fahren wir in unseren Überlegungen fort und versuchen wir, auch dem letzten Quadranten, dem Quadranten der Liebe und der Macht, einen Namen zu geben. Ich weiß nicht, was ihr dazu meint, aber so wie ich das sehe, geht es hier ganz genau um die institutionellen Ziele der christlichen Kirche, und daher schlage ich vor, wir nennen ihn den Quadranten des Papstes.«

»Aber hatten wir Johannes XXIII. nicht schon den ersten Quadranten zugedacht?«

»Doch, doch. Aber wenn ich von Macht und Liebe spreche, denke ich ganz abstrakt an das Papsttum und zwar an die Funktion, die es in der Geschichte anstrebte. Wenn wir uns dann natürlich die Päpste im einzelnen ansehen, so ist klar, daß Johannes XXIII. in den Quadranten Gandhis gehört und Alexander VI. und Bonifazius VIII. in den Hitlers.«

»Und welchen Papst setzen wir in den Quadranten des Papstes?«

»Da habe ich keinen Zweifel: Gregor VII., Hildebrand von Soana. Nachdem wir jetzt die Bedeutung der vier Quadranten festgelegt haben, können wir uns einen Spaß daraus machen, alle Persönlichkeiten, die uns einfallen, einzuordnen. Also zum Beispiel Byron. Byron setzen wir hierhin, großer Freiheitsdrang und eine Spur Haß auf die ganze Welt...«

»War Byron denn nicht ein Mensch der Liebe und der Freiheit?« fragt Doktor Vittorio.

»Überhaupt nicht. Freiheit, ja, davon hatte er eine Menge, aber Liebe nicht die geringste. Wir dürfen ja Liebe nicht mit Romantik verwechseln. Byron war Calvinist und hinkte, ein Menschenhasser und Snob. Und vergessen wir auch nicht, daß er sich selber gern mit Luzifer verglich, dem schönen Engel, der sich aus Haß und Freiheitsliebe gegen Gott aufgelehnt hatte. Und da wir schon bei den Rebellen sind, bringen wir doch auch gleich Nietzsche unter. Dieser Nietzsche nämlich, meine lieben Freunde, ist sehr schwer einzuordnen: daß er zugleich ein großer Denker und ein Mensch voller Haß war, ist wohl klar, aber die Frage ist: Macht oder Freiheit?«

»Nietzsche war Hitlers Lieblingsphilosoph«, sagt Doktor Vittorio. »Was überlegst du da noch lange? Setze sie nebeneinander, und die Sache ist erledigt.«

»Keineswegs. Zarathustra war kein Mensch der Macht. Von Zarathustra stammen die Worte: ›Rebellion ist der Adel der Sklaven.‹ Nietzsche hat vielleicht alles: Freiheit und Macht, Liebe und Haß. Ein unruhiger Punkt, der ständig umherirrt. Dennoch, wenn ich gezwungen wäre, ihn irgendwo festzuhalten, dann wohl am ehesten hier, im Quadranten des Hasses und der Freiheit, im Quadranten der Rebellen und nicht in dem der Tyrannen. Die Intelligenz, sagt Nietzsche, läßt sich an dem Maß an Einsamkeit erkennen, das ein Mensch ertragen kann. Machen wir aber jetzt weiter in unserem Spiel und versuchen wir, noch ein paar Leute unterzubringen. Also wen hätten wir da: Rousseau setzen wir hierher, Voltaire da, Albert Schweitzer auf der anderen Seite weiter unten rechts, Napoleon hier und Stalin da unten, genau zwischen Hitler und Napoleon, Ezzelino da Romano etwas näher zum Haß, John Locke setzen wir natürlich ziemlich nahe an den Mittelweg, und Timon von Athen, der von sich behauptet hatte, alle gleichermaßen zu hassen, kommt genau auf die Achse des Hasses. Und Prometheus? Prometheus, der

aus Liebe zum Menschen das Feuer stahl und für alle Ewig-
keiten in Ketten gefesselt wurde, ihn setzen wir hierher: in
den Quadranten der Liebe und der Freiheit. So, und jetzt
müssen wir noch einen Platz für Marcuse im Quadranten des
Hasses und der Freiheit und einen Platz für Marx finden...«

»Also ehrlich gesagt«, meint Doktor Vittorio, »Marx
würde ich ja doch eher im Quadranten der Liebe sehen.«

»Keinesfalls: ohne eine gewisse Haßkomponente kann
man das nicht machen, was er gemacht hat. Dann haben wir
da noch Judas, Kain, den Säulenheiligen Simeon genau auf der
Achse der Freiheit, Landru, Kennedy und Chruschtschow,
Perikles, Didon, Sokrates und Joseph ii., den Habsburger,
den größten europäischen Herrscher, den setzen wir in den
Quadranten der Macht und der Liebe, und schließlich sind da
noch Abaelard, Shylock, Lorenzo Il Magnifico, Augustinus,
Lorenzo Bresci...«

»Sehr interessant«, sage ich, »man könnte aus Ihrer Theorie
geradezu ein Spiel machen. Man könnte zum Beispiel eine Liste berühmter Leute aus allen Epochen aufstellen und dann
sehen, wie jeder einzelne von uns sie einordnet.«

»Ja gewiß. Ich habe mir einmal auch den Spaß gemacht,
eine Art Anleitung zu diesem Spiel zu verfassen, die habe ich
dann ›die Rose der sechzehn Berufe‹ genannt.«

»Die Rose der sechzehn Berufe?«

»Hier, ich zeige sie euch«, sagt der Professor, nimmt ein
neues Blatt kariertes Papier und zeichnet noch einmal das
gleiche Schema darauf. »Es geht also praktisch darum, sechzehn Achsen zu ziehen, ähnlich wie die der Himmelsrichtun-
gen, und dann jeder Achse einen Beruf, oder in einem allge-
meineren Sinn, eine Berufung zuzuordnen. Über die Haupt-
achsen brauche ich jetzt, glaube ich, nichts mehr zu sagen: an
die Gefühlsachse kommt auf der einen Seite der Heilige und
auf der anderen der Teufel, während die Vernunftachse auf
der Seite der Freiheit den Eremiten, also den Menschen hat,
der überhaupt keinen Kontakt will, weder in Form von Liebe

noch in Form von Haß, und auf der Seite der Macht den König, wobei ich jetzt den König mehr als Würde verstehe und weniger einen Menschen aus Fleisch und Blut meine. Auch zu dem, was die Achsen im Winkel von 45 Grad betrifft, habe ich vorhin eigentlich schon alles gesagt: im ersten Quadranten haben wir den Weisen, im zweiten den Papst, im dritten den Tyrannen und im vierten den Rebellen. Interessanter aber sind die Berufe, die auf den Zwischenachsen liegen: Im Hauptquadranten haben wir da zum Beispiel den Dichter, mehr Gefühl als Logik, und auf der anderen Seite den Wissenschaftler, mehr Intelligenz als Liebe. Im zweiten Quadranten dagegen finden wir die Frau...«

»Die Frau?«

»Ja, die Frau in ihrer Funktion. Sie besitzt große Gefühlskräfte, hat aber auch etwas Besitzergreifendes mit allen Folgen, die eine solche Mischung hervorbringt: Eifersucht, Leidenschaft, Verlangen nach Schutz, Verlangen nach Unterwerfung, Mutterinstinkt und so weiter.«

»Ja, aber ich kenne auch Frauen, die...«

»Gewiß«, unterbricht mich der Professor. »Ich kann nur immer wieder sagen, daß meine Theorie nur ganz allgemein gilt und nun nicht ohne weiteres auf alle Leute, die wir kennen, anwendbar ist. Aber machen wir jetzt einmal weiter; also in den zweiten Quadranten würde ich zwischen den König und den Papst einen besonderen Typ von Betriebsleiter setzen, ich meine jenen Unternehmer, der zwar ganz oben in der hierarchischen Pyramide sitzt, der aber ›seine‹ Angestellten liebt. Also: Paternalismus, Weihnachtsfeiern mit Geschenken für alle und diese Dinge, die den ›väterlichen‹ Chef mit dem Angestellten, seinem ›Sohn‹, verbinden: Unter solche Unternehmer können wir also durchaus auch den Mafiaboß im alten und romantischen Sinn des Begriffes zählen, ebenso wie auch den konstitutionellen Monarchen, den aufgeklärten Fürsten und so weiter.«

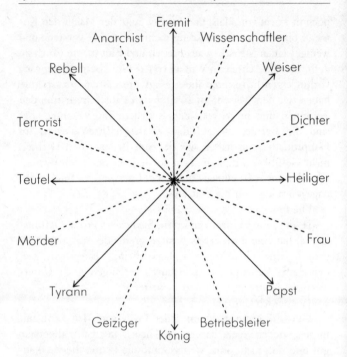

»Gut, Professore«, sagt Salvatore. »Was aber jetzt noch nicht klar ist: wo wird dann eine Person eingestuft, die mehrere dieser Merkmale hat, die Sie genannt haben. Zum Beispiel einfach auch nur eine Frau, die Wissenschaftlerin ist?«

»Lieber Gott! Ich habe es doch dem Ingenieur schon erklärt. Alles was ich hier sage, ist nur ganz allgemein zu verstehen, sozusagen als grundlegendes Schema.«

»Fahren Sie fort, Professore!«

»Damit sind wir also beim dritten Quadranten angelangt. Und hier setzen wir den Geizigen ein: mehr Macht als Haß. Doch, ganz sicher, denn der Geizige ist geizig auch in seinem Haß. Er haßt seinen Nächsten nur in dem Maße, das nötig ist, um sein Hab und Gut zu verteidigen. Auf der anderen Seite haben wir dann den Mörder: Viel Haß und wenig Macht. Der wahre Mörder ist nicht derjenige, der aus Gründen der Ehre oder weil er stehlen will, tötet, der wahre Mörder ist der, der aus reiner Mordlust tötet. Im vierten Quadranten schließlich finden wir alle Nuancen des Revolutionärs: den unabhängigen Anarchisten, der seinen ungeheuer großen Drang nach Freiheit mit Haß auf die andern verbindet, bis zum Terroristen, der den revolutionären Augenblick dazu ausnutzt, seinen ununterdrückbaren Haß und seine Gewalttätigkeit auszuleben.«

»Mich würde etwas anderes interessieren«, sagt Luigino. »Wo wären denn wir, die gewöhnlichen Leute, in diesem Schema einzuordnen?«

»Mein lieber Luigino, dies ist vielleicht die wichtigste Frage, die heute abend hier gestellt worden ist: wo stehen wir? Denn was geht es uns schließlich an, wo Voltaire oder Napoleon einzuordnen sind, uns interessiert doch, wo wir selber stehen oder wo unsere Freunde und die Leute stehen, denen wir täglich begegnen. Ich würde im ersten Augenblick so auf Anhieb fast alle Leute, die ich kenne, in den Quadranten der Liebe und Freiheit einordnen: Na ja, weil ich ja doch denke, daß alle irgendwie gute Leute sind. Diktatorisch veranlagte Menschen kenne ich keine, Leute, die von morgens bis abends nur hassen ebensowenig, und so sehe ich, daß sie sich mit ihren bescheidenen Mengen Liebe und ihrer kleinen Sehnsucht nach Freiheit alle in einer kleinen Zone des 1. Quadranten zusammendrängen lassen. Solche, denen Geld gefällt, sind Menschen der Macht. Solche, die Karriere machen wollen, sind ebenfalls Menschen der Macht. Die Camorra, die Egoisten, Eifersüchtigen, Extremisten, Konsumabhängigen, alle die den Fetischen nachjagen, sind immer Menschen der Macht. Und so wandern alle meine Freunde und Bekannten langsam, aber sicher in den unteren Quadranten, in jene Zone, in der bescheidenes Streben nach Liebe und schon weniger bescheidenes Streben nach Macht vorherrschen.«

»Mag sein, aber ich würde mir doch lieber vorstellen, daß alles anders ist«, sagte Luigino. »Ich sehe fast alle im Quadranten der Liebe und der Freiheit: ich sehe da zum Beispiel die Kinder, die Tiere... vor allem die Hunde, und dann sehe ich da auch die Pflanzen, wer weiß, welch großes Bedürfnis die Pflanzen haben, sich der Sonne entgegenzurecken, da haben wir doch keine Ahnung. Ich sehe mir manchmal die Bäume an und meine dann fast, sie hören zu können. Dabei erinnere ich mich immer an die Verse von Pavese:

Die ganze Welt ist mit Pflanzen bedeckt
die im Licht leiden
und man hört nicht einmal einen Seufzer.«

XVI

Mittagsglut

Ein Sommernachmittag, drei Uhr. Die Sonne scheint gnadenlos. Schatten gibt es nicht, oder nur eine optische Illusion davon, denn auch unter dem Sonnenschirm in Mergellina fühle ich keine Erleichterung. Es ist die Stunde, die man in Neapel *controra* nennt. Eine Stunde, die man am besten im Gegentakt, also wie eine Nachtstunde in einem abgedunkelten Zimmer im Bett verbringt. Die durchgehende Arbeitszeit wurde in Ländern erfunden, in denen es keine Sonne gibt.

Gemeinsam mit einem Mailänder Kollegen ruhe ich mich gerade von einem ausgezeichneten Mittagessen aus, das wir im ›Vini e Cucina‹, der berühmten Kneipe der Signora gegenüber vom Mergellina-Bahnhof, eingenommen haben. Die Signora hatte uns *etwas Einfaches* zubereitet, es aber während der Mahlzeit für ihre Pflicht gehalten, meinen Freund zu beschimpfen, nur weil er Mailänder und daher verdächtig war, Anhänger des Fußballclubs ›Inter‹ zu sein. Vergebens wandte mein Freund ein, daß er sein Leben lang noch kein Fußballspiel angesehen habe; nichts zu machen. Beharrlich machte sie abschätzige Bemerkungen über seine Person, stieß sich daran, daß er das *R* nicht richtig rollte, äußerte dann Zweifel an seiner Männlichkeit, Zweifel, die sie auf alle Mailänder Männer und insbesondere auf Helenio Herrera ausdehnte, den früheren Trainer von Inter. Am Schluß ließ sie dann eine Haßtirade gegen Garibaldi los, der an der Einigung Italiens schuld war, mit der er doch das einzige Ziel verfolgte, Neapel daran zu hindern, jedes Jahr den Meistertitel des Königreichs beider Sizilien zu erringen.

Wir verließen das Lokal in der bei dieser Sonnenglut geradezu selbstmörderischen Absicht, zu Fuß bis ins Büro an der zweiten Steigung der Via Orazio zu gehen. Wie zu erwarten, brachen wir auf der Höhe der Chalets von Mergellina endgültig zusammen, und unser Glück wollte es, daß wir dort gleich zwei freie Schaukelstühle und einen Sonnenschirm entdeckten. Auch Lawrence von Arabien wäre da keinen Schritt weitergegangen. Wortlos, mit einer unmerklichen Kopfbewegung als Antwort auf die Fragen des Kellners, gelang es uns, zwei Zitroneneis zu bestellen. Zehn Minuten Lethargie, bis die Zitroneneis kamen. Die verzehren wir, ja wir lecken die Gläser geradezu aus; dann verfallen wir wieder in stumme Bewegungslosigkeit. Keines Gedankens fähig, starre ich auf den orangeroten Kaffeehaustisch, die leeren Gläser, den Tausendlireschein unter dem Aschenbecher für den Kellner. Da tauchen sie auf: die Kerle. Eine ganze Bande von vielleicht zehn Jungen, alle barfuß, alle in Badehosen und mit den zusammengerollten Jeans unterm Arm. Sie kommen von einer der zahlreichen Badeanstalten des unteren Posillipo zurück. Lachend und lärmend ziehen sie an uns vorüber. Einer von ihnen, der letzte in der Reihe, dreizehn oder vierzehn Jahre alt, mit nassen Haaren, lebhaften Augen, dunkler Haut, bleibt an unserem Tisch stehen, überlegt, sieht mich an und sagt:

»Also wenn ich Ihnen jetzt diese tausend Lire klaue und damit abhaue, was machen Sie dann?«

»Dumme Frage. Ich laufe dir nach und ziehe dir das Fell über die Ohren.«

»Sie und mir nachlaufen! So breitbeinig, wie Sie da in Ihrem Schaukelstuhl sitzen, bis Sie da hochkommen, bin ich doch schon oben an der Kirche San' Antonio.«

»Sag mal, was willst du eigentlich?«

»Nichts, ich wollte Ihnen nur klarmachen, daß sie praktisch tausend Lire hätten verlieren können. Und da mache ich Ihnen nun einen Vorschlag: geben Sie mir zweihundert, und die Sache ist erledigt.«

Mein Freund will ihm daraufhin unbedingt die ganzen tausend

Lire geben, aber ich lasse es nicht zu, weil ich meine, gewisse Initiativen braucht man nicht auch noch zu unterstützen. Wir einigen uns schließlich auf fünfhundert Lire und eine Zigarette.

XVII

Das vierte Geschlecht

Wenn es zum Marschieren kommt,
Wissen viele nicht
Daß ihr Feind an ihrer Spitze marschiert.
Die Stimme, die sie kommandiert
Ist die Stimme ihres Feindes.
Der da vom Feind spricht
Ist selber der Feind.

Bertolt Brecht

»Saverio, international gesehen bist du eine Null«, sagt Salvatore. »Mach dir da nichts vor, als Italiener zählst du kaum mehr als ein Abessinier! Du bist eine reine Kolonie, Saverio, eine amerikanische Kolonie. Und du kannst Gott auf den Knien danken, daß es keinen Sklavenhandel mehr gibt, sonst würde man dich noch mit einem Preisschild um den Hals auf dem Rockefeller-Platz in New York ausstellen.«

»Jesus Maria, zum Verrücktwerden«, antwortet Saverio. »Weißt du, was ich machen würde, wenn ich Präsident von Amerika wäre? Ich würde zu allen sagen, kümmert euch doch verdammt noch mal künftig selber um euren Mist, ihr Italiener könnt meinetwegen am Hunger krepieren, genauso wie alle Russen, Ägypter, Chinesen, Vietnamesen und weiß der Henker, wer sonst noch.«

»Das soll es doch endlich einmal sagen, dieses Amerika. Darauf warten wir ja nur.«

»Was, so undankbar bist du? Weißt du überhaupt, daß damals nach dem letzten Krieg, als es ganz Italien dreckig ging, daß da also ein gewisser Marshall kam, also ein amerikanischer Herr, und der sagte: ›Meine lieben Italiener, macht euch keine Sorgen, ihr braucht euch um nichts zu kümmern, hier ist euer guter Onkel, der alles für euch macht, was wollt ihr denn so? Um was geht es? Ihr braucht es nur zu sagen.‹ Und da sagte einer von den unseren: ›Ja wie denn, wir Italiener waren doch noch bis vor ein paar Tagen deine Feinde und haben auf dich geschossen, sobald du nur aufgetaucht bist...‹ ›Aber nein‹, antwortet der. ›Das war doch alles ein Mißverständnis, ja und entschuldigt übrigens, daß wir euch bei dem ganzen Durcheinander auch ein bißchen was kaputtgemacht haben, aber macht euch jetzt keine Gedanken, hier ist das Geld, und wir bringen alles in Ordnung.‹ Und nachdem sie uns also dann buchstäblich vor dem Tode errettet, uns Essen und Kleider gegeben haben, da fällt dir zum Dank nichts anderes ein, als jedesmal, wenn ein amerikanischer Präsident nach Italien kommt, ihn auszupfeifen und laut zu grölen! Das kann doch nicht gerecht sein, Salvatore!«

»Das Schönste an dir ist wirklich deine Naivität. Du bist doch wie ein Erstkläßler in der Schule, zu dem man sagt, ich gebe dir ein Bonbon und dafür mußt du schön brav machen, was ich dir sage. Meinst du vielleicht, der Marshall hat Italien Geld gegeben, weil er sich plötzlich in den Vesuv verliebt hat? Und die Militärbasen, Saverio, die Militärbasen! Was glaubst du, wo der Herr Marshall seine Militärbasen hätte errichten können, wenn er uns nicht das bißchen Geld gegeben hätte? Zum großen Vergnügen der Truppen, aber mit geringem internationalem strategischem Wert hätte er sie vielleicht in den Intimzonen seiner eigenen Schwestern errichten können!«

»Gut, aber ich finde es einfach nicht richtig, daß wir Amerika immer kritisieren und dann jedesmal, wenn wir Geld brauchen, nach Washington gehen und denen was vorjammern.«

»Mach dir bloß deshalb keine Gedanken, Saverio, glaubst du, die Amerikaner sind blöd? Wenn die sich herbeilassen, unsere Wirtschaft zu unterstützen, dann bezwecken sie ja auch etwas damit. Vergiß nicht, was ich dir vorhin gesagt habe: Du bist eine Kolonie, Saverio.«

»Meinetwegen bin ich auch eine Kolonie. Hauptsache, die müssen für unseren Unterhalt sorgen und nicht umgekehrt wir für den ihren, das wäre doch schlimm.«

»Stimmt bis zu einem gewissen Grad. Alles läuft gut, solange du dich verhältst, wie es ihnen paßt. Aber wehe, du versuchst, das Regime zu ändern, dann wirst du ja erleben, was geschieht. Du bist wie ein Truthahn, den man so lange mit einem Bindfaden festgebunden hat, bis Weihnachten kommt. Solange du dich nicht rührst, kannst du dir sogar einbilden, daß du frei bist und gehen kannst, wohin du willst, aber wehe, du versuchst dich auch nur einen Meter wegzubewegen, dann zack, schneidet dir das Schnürchen gleich ins Bein. Du bist eine Kolonie, Saverio.«

»Ja genau, weil Ungarn und die Tschechoslowakei in der Zwischenzeit wie zwei Adler frei und unabhängig herumfliegen! Tatsache ist doch, daß Neapel immer eine Kolonie gewesen ist, wir können uns da nur noch überlegen, was besser ist, eine russische oder eine amerikanische Kolonie zu sein.«

»Schluß jetzt, ihr beiden, hört auf!« mischt sich Professor Bellavista ein. »Hört auf, über Politik zu reden. Das führt zu nichts. Es wird doch immer nur das gleiche gesagt: Du nennst Chile, und ich bringe als Gegenbeispiel die Tschechoslowakei, du sprichst schlecht über Amerika, dann rede ich eben schlecht über Rußland, und jeder bleibt bei seiner Meinung. Das sind doch alles Dinge, die schon millionenmal gesagt worden sind. Diese Gespräche verlaufen doch in so ausgefahrenen Gleisen, daß es unmöglich geworden ist, bei einer politischen Diskussion nicht darin stecken zu bleiben.«

»Aber was meinen Sie denn dazu, Professor?«

»Da haben wir es ja wieder: ›Was meinen Sie dazu‹, das ist auch so ein Fehler bei politischen Gesprächen, man klebt einem ein Etikett auf. Wer bist du? Ein Faschist? Ein Kommunist? Ein Liberaler? Oder nichts, also bist du ein Anpasser.

Weißt du, was ich manchmal am liebsten antworten würde, wenn mich einer nach meiner politischen Einstellung fragt? ›Ich bin ein Mann und ich mag Frauen.‹«

»Was hat das denn damit zu tun?«

»Es hat sehr wohl etwas damit zu tun. Versuchen wir doch ein einziges Mal, ein politisches Gespräch aus einem anderen Blickwinkel heraus zu führen, nämlich geschlechtlich gesehen. Also stellen wir zum Beispiel einmal die Hypothese auf, daß es vier Geschlechter auf der Welt gibt, das männliche, das weibliche, das der Homos und das derjenigen, die die Macht wollen, und nun versetzen wir uns mal in die Rolle dieses vierten Geschlechts und versuchen, es zu verstehen.«

»In Neapel sagt man, befehlen ist besser als vögeln.«

»Genau, Salvatore, für alle, die dem vierten Geschlecht angehören, ist es so: allein der Gedanke an Macht erregt sie schon so wie unsereinen der Gedanke an ein schönes Mädchen. Der einzige Unterschied besteht darin, daß man von der Macht nie genug bekommt, ja, sie ist wie eine Droge, bei der man immer stärkere Dosen braucht.«

»Aber das ist doch die vollkommen unpolitische Einstellung eines Spießers, Gennaro«, unterbricht ihn Doktor Palluotto.«

»Was habe ich gesagt? Immer wird einem sofort ein Etikett aufgeklebt. Die Wörter werden wie Schlagwaffen eingesetzt. Einer äußert hier seine Meinung, der andere ist nicht einverstanden, aber er antwortet nicht etwa mit Gegenargumenten und sagt: da und da liegen die Dinge meiner Meinung nach aber so und so. Nein, es gehört zu den Regeln der politischen Diskussion, einem ein Etikett aufzukleben: was du erzählst, paßt mir nicht, also nenne ich dich einen Spießer. Das erinnert mich an die Geschichte jenes Sizilianers, der jedesmal, wenn er mit seinem Freund stritt und selber unrecht hatte, die Diskussion damit beendete, daß er sagte: ›Ja, aber dir hat deine Frau Hörner aufgesetzt.‹ Dahinter steht nur der Wunsch, den Gegner herabzuwürdigen: ob als Spießer oder als gehörnten

Ehemann. Wäre doch denkbar, daß ich am Ende meiner Ausführungen für mich selber unerwartet zu Schlußfolgerungen komme, die dem Denken Maos und der These der ständigen Revolution nahestehen, doch mein lieber Freund Vittorio hier hat mich sofort als unpolitischen Spießer abqualifiziert, weil er nämlich genau weiß, daß meine Ideen, in diesem Licht betrachtet, abgewertet werden, auch wenn vielleicht alle sie teilen. Wer steht schon gern als Gehörnter da.«

»Du liebe Zeit, Gennaro, was soll das lange Gequatsche«, erwidert Doktor Palluotto. »Ich kann ja auch schweigen. Aber dann sei so gut und nenne, was du hier treibst, nicht mehr eine politische Diskussion.«

»Ist es denn die Möglichkeit, daß ihr beiden, die ihr doch so gebildet seid, nie auch nur zwei Worte wechseln könnt, ohne euch gleich in die Haare zu geraten?« sagt Salvatore. »Bei mir und diesem anderen Analphabeten hier könnte ich so etwas ja noch verstehen, der Saverio hier hat ja immer die Monarchisten gewählt, als wäre er selber ein Adliger des Hauses Savoyen.«

»Ach, das hat doch damit nichts zu tun. Ich habe die Monarchisten nicht aus politischer Überzeugung gewählt, sondern weil dieser Stadtrat da meinen Bruder Vincenzino beim Städtischen Reinigungsamt unterbringen mußte, was uns dann übrigens auch ohne das gelungen ist, weil die damalige Verlobte meines Bruders, meine heutige Schwägerin, Haushälterin beim Stadtrat Abbondanza war und mein Bruder eines Tages, als sie zusammen draußen waren, das Kind rettete, das heißt den Sohn des Stadtrats, der fast schon unter die Räder eines Autos gekommen war, auch wenn der Junge dies, ehrlich gesagt, immer abgestritten hat, jedenfalls hat der Stadtrat meinen Bruder dann zur Stadtreinigung gebracht, wo Vincenzino aber nicht die Straßen kehrt, sondern nur aufpassen muß, daß die anderen die Straßen kehren.«

»In Neapel endet jedes politische Gespräch doch so, als Farce«, sagt Doktor Vittorio. »Gennaro, entschuldige, daß wir dich unterbrochen haben, und erkläre uns jetzt weiter, was du mit deiner eindrucksvollen Parallele zwischen Sex und Macht gemeint hast.«

»Wie du ganz richtig sagst: zwischen Sex und Macht. Genau so nämlich schätze ich die Macht ein. Eine heftige Begierde, die dich erfaßt und dich beherrscht. Eine Erregung, die stärker ist als du, die dich jede Gemeinheit begehen läßt. Eine Kraft, bei der Freundschaft, Ehrgefühl, Mitleid mit den Schwachen vollkommen ausgeschaltet werden. Und da sind wir dann nicht mehr weit davon entfernt, daß auch Verrat, Rechtfertigung der Folter usw. in Kauf genommen werden. Ja, was bedeutet denn eigentlich ›Macht‹, wer ist diese Frau, der man nicht widerstehen kann und die auch nicht teilbar ist, da sie wie alle echten Leidenschaften absolut ist? Wie soll man sie denn erobern, wenn diese Macht-Frau einzig ist, sie aber von so vielen begehrt wird? Da wünscht man sich dann am Ende ein Heer, um sie erobern zu können, man wählt ein Banner, unter dem man dieses Heer versammeln kann. Und auf diese Weise entstehen die großen Ideale oder, besser gesagt, die ›historischen Vorwände‹.«

»Die historischen Vorwände?«

»Ja, das, was Freud die ›Identifikationen‹ genannt hat. Also, wenn ich will, daß ein Heer mir folgt, um die Macht zu ergreifen, dann muß ich doch zunächst einen Vorwand haben, nämlich eine Fahne, hinter der alle hermarschieren können. Meine Leute werden auch eine Uniform brauchen, um sich in der Schlacht gegenseitig zu erkennen, und dann brauchen sie einen Schlachtruf, eine Hymne, und vor allem Ideale. Um aber die besten Ideale auszuwählen, muß ich die menschliche Seele genau ergründen und erkennen, welche Saiten angeschlagen werden müssen, welche Gefühle meine Soldaten in ihrem jungen Herzen tragen. Und so entdecke ich, daß die Ideale, die die menschliche Seele beflügelt haben, vor allem drei sind: Gott, Vaterland und Gerechtigkeit. Sämtliche Reiche der Geschichte wurden mit einem dieser drei Ideale zu-

sammengehalten. Die alten Ägypter hatten mit den Priester-
kasten ein wohlbekanntes Machtprinzip verkündet: Osiris
mit uns. Nach ihnen beuteten vor allem Mohammed und die
christliche Kirche den Geschäftszweig Gott mit besonderem
Erfolg aus. Der erstere spannte Allah als Triebkraft ein, um
Afrika und Europa zu überfallen. Er machte das ganz so wie
ein moderner amerikanischer Manager: er konstruierte sich
seinen Angriffsplan nach Maß, den Koran. Wer einen Un-
gläubigen umbrachte, kam ins Paradies, wer für Allah starb,
durfte sein ewiges Leben im Bett mit den Huris des Propheten
verbringen. Und die christliche Kirche stand ihm nicht nach.
Nachdem es ihr gelungen war, die Exklusivrechte an Jesus
Christus für die westliche Welt zu erwerben, nutzte sie diese,
um fünfzehn Jahrhunderte lang zu herrschen. Alles wurde
gutgeheißen, was diente, die Macht aufrechtzuerhalten. Sie
entdeckten, daß Gott der beste Steuereintreiber der Welt war,
da man vor ihm nichts verbergen konnte. Und da Er eben alles
sah, mußte jedermann zehn Prozent seines Einkommens an
Seinen Stellvertreter auf Erden, den Papst, abgeben. Man
durfte sich auch mit furchtbaren Sünden beladen, wenn man
dafür hinterher gegen Bares Rabatt für die im Fegefeuer zu
verbringenden Jahrhunderte erkaufte. Schade, daß damals der
Computer noch nicht erfunden war.«

»Aber das ist doch nun alles überholte Geschichte.«

»So überholt auch wieder nicht, in Nordirland legen sie
sich immer noch im Namen Jesu Christi gegenseitig Bomben
unter den Hintern, obwohl sie doch alle Christen sind. Aber
fahren wir jetzt in unserer geschichtlichen Rückblende fort.
Das Ideal Vaterland ist für die Zwecke der Macht bestimmt
am meisten mißbraucht worden. Das Gefühl für das Vaterland kommt aus dem gleichen Impuls wie das Familiengefühl.
Wer liebt seine Kinder oder seine Eltern nicht? Wer fühlt sich
mit seinen Freunden oder seinen Mitbürgern nicht solida-
risch? Es ist nur ein kleiner Schritt von der Begeisterung für
einen bestimmten Fußballverein zum Krieg mit einem frem-

den Volk. Sprache, Rasse, Gewohnheiten allein sind schon etwas Trennendes. Diese Unterschiede braucht man nur entsprechend zu verschärfen, und schon hat sich ein Heer gebildet. Auf diese Weise entstand das Römische Reich, in dem die Bezeichnung »cives romanus« zum höchsten Ehrentitel der ganzen Welt wurde. So wurde für Napoleon, Hitler, Mussolini der Boden bereitet. Das Ideal Gerechtigkeit hingegen kam erst gegen Ende des achtzehnten Jahrhunderts auf. Ja, und zwar deshalb erst dann, weil es der christlichen Kirche auf wirklich geniale Weise gelungen war, alle Rechtlosen davon zu überzeugen, daß es Gerechtigkeit auf dieser Erde nicht geben könne und daß alle Konten erst im Jenseits ausgeglichen würden. Nachdem aber nun das Ideal Gerechtigkeit einmal in die Welt gesetzt war, überrundete es schnell die Ideale Vaterland und Religion, Marx war der Messias, Lenin der Stratege, Stalin der Diktator. Auch diesmal fing alles mit Jesus Christus an und endete dann bei Bonifazius VIII. Das Ungeheuer Macht schleicht sich immer in die Reihen der Reinen ein, spannt alle vor seinen Karren und nimmt dann die Zügel in die Hand.«

»Entschuldige, Gennaro, was willst du damit nun eigentlich sagen: daß wir keine Ideale mehr haben dürfen, weil es immer einen gibt, der damit Wucher treibt?«

»In gewissem Sinne ja. Ich meine, wir müßten kühler an alles herangehen, mehr mit dem Kopf als mit dem Herzen entscheiden. Sieh mal, nicht umsonst sind in Italien, dem Lande der Liebe, Massenparteien diejenigen Parteien, die sich die drei Grundideale aufs Banner geschrieben haben: Gott, Vaterland und Gerechtigkeit. Die Masse läßt sich von ihren Gefühlen leiten und wählt daher DC, MSI oder PCI, das heißt die Parteien der Liebe, während die Liberalen, die Republikaner und die Sozialisten, also die Parteien des Kopfes, nur auf eine viel kleinere Zahl von Wählern rechnen können.«

»Ich wollte bei den letzten Wahlen republikanisch wählen«, sagt Saverio, »aber dann dachte ich, nein, zu den Letzten will ich auch nicht gehören, und habe mich doch anders besonnen.«

»Aber auch die Republikaner und die Sozialisten verfolgen das Ideal der Gerechtigkeit.«

»Ja, aber nicht so aggressiv. Eine politische Ideologie sollte man nämlich nie nach ihren Zielen beurteilen, sondern nach den Methoden, mit denen diese erreicht werden sollen. Nehmen wir ein Beispiel: wenn du aus einer Seitengasse auf eine große Hauptstraße stößt, mußt du doch als erstes entscheiden, in welcher Richtung du jetzt auf dieser Straße weitergehen willst: gehst du nach rechts, bist du ein Konservativer, du bist mit den Dingen zufrieden, wie sie sind, und alles in allem nicht bereit, das Erreichte aufs Spiel zu setzen, um vielleicht irgendwelche Verbesserungen herbeizuführen. Wendest du dich dagegen nach links, bist du ein Erneuerer, das heißt, einer, der dazu neigt, die Dinge ändern zu wollen, weil er hofft, sie auf diese Weise zu verbessern. Nun sind wir alle hier in diesem Zimmer doch wohl darin einig, daß die Dinge in Italien, so wie sie sind, alles andere als gut sind. Keiner von uns kann, wenn er ehrlich ist, mit unseren Krankenhäusern, Schulen, Renten und mit all den Schweinereien einverstanden sein, die wir pausenlos mitansehen müssen. Also denke ich, werden wir uns alle nach links wenden und alle diesen berühmten Weg in der richtigen Richtung, das heißt Richtung Erneuerung, einschlagen. Da stellt sich uns nun aber gleich die zweite Frage, die meiner Meinung nach die wichtigste ist, nämlich: mit welcher Geschwindigkeit wollen wir vorangehen? Wir wissen, daß sich am Ende der Wegstrecke die ideale Gesellschaft befindet, die Utopie, es ist also ganz menschlich, so schnell wie möglich dorthin gelangen zu wollen. Aber die Straße ist voller Kurven, und die Kurven hängen nicht von uns ab, sie sind objektive Hindernisse, die es wirklich gibt und die wir einberechnen müssen, wenn wir nicht von der Fahrbahn abkommen wollen. Ich nenne jetzt dazu ein Beispiel: es ist einmal in Italien gesagt worden, daß es ungerecht sei, die Gesundheit des Volkes auszubeuten und daß also alle Arbeiter Anspruch auf kostenlose ärztliche Versorgung haben. So wurden die Krankenkassen eingerichtet. Die Idee als solche war vollkommen richtig und entsprach ganz dem Endziel, das erreicht werden sollte. Aber die praktische Verwirklichung dieser Idee hatte dann wirklich verheerende Folgen. Warum wohl? Weil das Volk dieses Recht mißbraucht und mehr Mittel verlangt und bekommen hat als nötig gewesen wären, und weil viele Ärzte nur daran gedacht haben, die Zahl ihrer Besuche zu erhöhen, ohne dabei auf die Qualität zu achten, und so haben am Ende nur die pharmazeutische Industrie und die unehrlichen Ärzte verdient. Also müssen wir uns fragen, was hat hier nicht funktioniert? Ganz einfach, wir hatten vergessen, daß es da auf unserer Straße, der Straße des Fortschritts, eine Kurve gegeben hat. Wir hatten vergessen, daß das italienische Volk in diesem Augenblick über wenig Gemeinsinn verfügt. So hätte es denn auch genügt, das Tempo der sozialen Reform nur ein wenig zu verringern. Der Gesetzgeber hätte zum Beispiel vorschreiben können, daß jeder Versicherte einen Beitrag von, was weiß ich, hundert Lire für jedes Mittel aus der eigenen Tasche zahlt, und wir hätten bestimmt nicht Tausende von nicht einmal angebrochenen Arzneimitteln in den Mülleimern gefunden. Der Konsum an Pharmaka hätte sich in Italien auf einem mit andern Ländern vergleichbaren Stand gehalten, und in der Staatskasse hätten ein paar Milliarden mehr geklimpert. Natürlich wäre das ohne demagogische Mittel nicht gegangen. Und welcher Politiker traut sich heute, demagogische Mittel einzusetzen? Also alles in allem darf man bei keiner dieser Entscheidungen immer nur an die ideale Lösung denken, sondern muß die Tatsachen einkalkulieren. So hätte ich zum Beispiel bei der Moral unserer politischen Klasse mit ihrer typisch italienischen Neigung zu Machenschaften, Begünstigungen und Bürokratisierung ehrlich gesagt Angst, alle Hebel der Macht, die Produktionszentren, Polizeikräfte und Informationsmittel in die

Hand einer einzigen Partei zu legen, auch nicht in die der Kommunisten. Gibt es unter euch einen Kommunisten, der ehrlich überzeugt ist, daß das italienische Volk eine solche Probe bestehen könnte?«

»Da ist vieles wahr an dem, was du sagst, Gennaro«, antwortet Doktor Palluotto. »Aber bei deinem Beispiel mit der Straße hast du vergessen, auch über die zu reden, die sich da nach rechts wenden, über die Reaktionäre. Und diese hochedlen Herrschaften nämlich wenden sich ja nicht einfach nur nach rechts und sehen allem zu, sondern sie üben eine bremsende Wirkung aus, die man doch hier nicht übersehen darf. Damit meine ich, wir müssen immer etwas mehr Gas geben als wirklich nötig, weil auf der anderen Seite stets einer gleichzeitig bremst. Wenn ich nur an die Studentenproteste denke. Etwas Wirreres und Ungeordneteres kann man sich ja kaum vorstellen. Und dennoch haben sie doch eine ungeheure Bedeutung gehabt. Das Schulproblem wäre ohne diese wahnsinnige Stoßkraft doch nie als ein Problem erkannt worden, mit dem sich die Regierung befassen muß. Es reicht eben nicht aus, daß die üblichen gemäßigten Parteien regieren, auch die Extremisten haben ihre ganz wichtige Funktion.«

»Aber natürlich nur, solange sie nicht an der Macht sind.«

»Wir müssen zugeben, daß bei Professor Bellavista alles zusammenstimmt«, sagt Luigino. »Die Mäßigung, die er bei seiner Suche nach Lebensfreude übt, die bestimmt ihn auch in seinen politischen Entscheidungen. Die Frage ist nur, weshalb eine solche Mäßigung niemandem gefällt.«

»Es gibt schon eine Erklärung, und die ist sogar einfach. Eine Gesellschaft wird scheinbar von ihren Jugendlichen und ihren Künstlern vorangetrieben. Aber was nun die Jugendlichen betrifft, möchte ich an einen Satz von Longanesi erinnern: ›Man wird geboren als Brandstifter, und man stirbt als Feuerwehrmann‹, und was die Künstler betrifft, ist ja wohl klar, daß für sie eine Philosophie der Mäßigung ganz unhaltbar ist. Wenn wir uns aber die Geschichte der vergangenen Jahrhunderte ansehen, dann müssen wir erkennen, daß am Ende immer das Bürgertum den Ausschlag gegeben hat, und das Bürgertum kann manchmal gefährlicher sein als eine Studentenbewegung. Wenn das Bürgertum eines Tages merken würde, daß der Kommunismus, falsch verstanden, eine neue Form von Faschismus sein könnte, wären wir verloren. Der Wunsch nach Ordnung, nach Einführung der Todesstrafe und einem Streikverbot ist allzuweit verbreitet, als daß wir eine Rückentwicklung dieser Art nicht wirklich fürchten müßten.«

»Entschuldigen Sie, wenn ich Sie unterbreche«, sagt Saverio, »aber etwas am Kommunismus habe ich noch nie verstanden. Da heißt es immer, wenn der Kommunismus kommt, sind wir alle gleich und werden alle gleich viel verdienen. Mag sein, aber nicht das ist es, was mich interessiert. Ich möchte gern etwas anderes wissen: die Scheiße, die Scheiße, wer beseitigt dann die?«

»Wie?«

»Ich meine die Scheiße, die sich immer mal wieder ansammelt. Wer beseitigt die? Naja, einer muß doch diese Scheiße schließlich beseitigen. Und dann frage ich mich: kommt da jeder mal dran, abwechselnd, oder wird es Leute geben, die eigens damit beauftragt werden, die Scheiße zu beseitigen? Ich habe das Gefühl, daß es ganz gleich ist, ob da eine Demokratie oder der Kommunismus herrscht, die Scheiße werde immer ich beseitigen müssen.«

»Aber es wird ja für bestimmte Sachen auch Maschinen geben.«

»Ach, die Maschinen! Wenn ich da zum Beispiel an einen kranken Alten denke, den wird man ja wohl nicht mit einer Maschine reinigen können? O nein, Tatsache ist doch, daß der eine ein schönes Leben hat und der andere ein schlechtes, und darüber bestimmt der liebe Gott, schon bevor wir überhaupt geboren werden. Es ist doch der liebe Gott, der bestimmt: diesen hier nennen wir Saverio, und der wird die Scheiße wegschaufeln müssen.«

»O ja, Saverio hat recht, genau so ist es«, sagt Luigino. »Aber der liebe Gott sagt auch: dieser Saverio wird sich in Assuntina Del Vecchio verlieben und drei Kinder bekommen, und diese Kinder werden alle schön sein und ihn immer lieben.«

»Stimmt, Luigino«, antwortet Saverio. »Und dann mußt du auch noch folgendes wissen, daß einer sich nämlich an die Scheiße gewöhnt, mit der er zu tun hat, die stinkt ja nur in den ersten Tagen.«

Ein Arbeitsessen

Ein Arbeitsessen in Neapel? Unmöglich. Die Stadt ist nicht darauf eingestellt: es gibt keine geeigneten Restaurants, überall stehen nur Teigwaren auf der Speisekarte, Kellner wie Stammgäste können einen nicht ungestört lassen, und vor allem wird man unweigerlich von den Musikanten belästigt, die hartnäckig an der Überzeugung festhalten, jeder, der in einem Restaurant ißt, müsse ein ausländischer Tourist sein, der nur darauf wartet, *O surdato 'nammurato* zu hören.

Damit ist nun nicht gesagt, daß es in Neapel unmöglich wäre, während eines Essens über Geschäfte zu verhandeln. Es ist nur einfach anders, und man muß sich danach einrichten. Ich erinnere mich zum Beispiel an ein sogenanntes Arbeitsessen mit einem Kunden, als ich noch in Neapel tätig war: das ›Ciro a S. Brigida‹ kam meiner Meinung nach nicht in Frage. Dort hätten wir zwar ganz bestimmt sehr gut gegessen, aber ebenso bestimmt wäre es dort viel zu voll gewesen. Also wählte ich eine Trattoria in S. Lucia, genau gegenüber dem Kino. Dort hoffte ich, zu jener Tageszeit nicht so viele Leute anzutreffen, da die Stammgäste gewöhnlich erst gegen zwei Uhr aßen. Alles lief wie erwartet: Ein nahezu menschenleerer Speisesaal, Spaghetti mit Muscheln und danach die unumgängliche Frage, ob Fleisch oder Fisch? Jedenfalls hatte ich, nachdem wir die Formalitäten des Bestellens irgendwie überstanden hatten, gerade angefangen, das Gespräch auf das mir wichtige Thema zu lenken, da tauchte er auf: der unvermeidliche lächelnde Hungerleider, der Straßenmusikant seines Zeichens. Ärmlich, aber anständig, weil seine Rolle es verlangte, vor allem aber in Farben und mit Attributen gekleidet, die ihn als Künstler auswiesen, sowie mit einer auffallenden Gitarre bewaffnet, steuert er durch den leeren Speisesaal auf uns zu und bleibt etwa drei Meter von unserem Tisch entfernt stehen. In mein Schicksal ergeben, erwarte ich geduldig, daß unser Sänger gleich tief bewegt *Tu si 'a canaria, ca pure quanno more canta canzone nove* anstimmt, aber wider alles Erwarten bleibt er stumm und sieht nur ehrerbietig zu uns herüber.

Ich fange wieder an, über meine Geschäfte zu reden, habe dabei aber den Eindruck, daß diesmal nun der Sänger wartet, bis wir das Gespräch beendet haben. Und tatsächlich nähert er sich uns in einer Pause unaufdringlich und hält uns mit einer leichten Verbeugung einen Karton entgegen, auf dem zu lesen steht: ICH SPIELE NICHT, UM NICHT ZU STÖREN. DANKE.

Wir gaben ihm fünfhundert Lire, und er zog ab.

Als Gaetano, der Kellner, uns dann die Rechnung brachte, sagte er: »Der Ärmste, hat eine Familie zu ernähren und kann nicht spielen!«

XIX

Das politische Ideal des Professors

> *Befreit mich von den Straßen des Todes*
> *damit ich Seite an Seite mit der Freiheit*
> *in unbekannte Vaterländer gehen*
> *kann.*
>
> Rabindranath Tagore, *Balaka*

»Sei mir nicht böse, Gennaro, aber du redest und redest, und am Ende hast du nichts gesagt«, sagt Doktor Palluotto.

»Was heißt hier, ich habe nichts gesagt?«

»Ich meine, daß du hier stundenlang politische Thesen ausbreitest, uns aber bis jetzt immer noch nicht in schlichten Worten erklärt hast, wie deine politische Meinung ist.«

»Professore, Doktor Palluotto möchte einfach wissen, wen Sie gewählt haben«, erläutert Saverio.

»Das habe ich schon verstanden. Ihr wollt mich hier unbedingt festlegen, na ja, weil ihr logischerweise sagt, wie kann ein armer Teufel mit einem anderen eine politische Diskussion führen, wenn er noch nicht einmal weiß, ob der jetzt Faschist ist oder Kommunist. Stimmt's, Vittorio?«

»Damit hat es nun wirklich nichts zu tun«, entgegnet Doktor Palluotto. »Mir ist doch vollkommen schnuppe, was du gewählt hast. Ich wollte dich nur in aller Bescheidenheit darauf aufmerksam machen, daß du in deinem politischen Vortrag vorhin vor allem zwei Behauptungen aufgestellt hast: du hast gesagt, daß die Macht, egal, welches Ideal dabei verfolgt wird, nichts anderes ist als der Ausdruck eines gewalttätigen Instinktes, dem eine Minderheit gegenüber dem Kollektiv freien Lauf läßt, und dann hast du jede revolutionäre Initiative gegen die Macht kritisiert und reformistische Mäßigung gepredigt. Nun habe ich aber den Eindruck, und du kannst mich ja berichtigen, wenn ich irre, daß es doch ganz und gar unpolitisch ist, und, welch ein Zufall, auch genau den Wünschen jener Leute entspricht, die die Macht in der Hand haben, wenn man seinen Mitmenschen mit der Behauptung, dies sei nur Machtstreben, rät, sich aus der Politik herauszuhalten, und sie damit gleichzeitig dazu verleitet, ihre Forderungen zu unterdrücken. Da sind wir ja wohl doch an einem Punkt angelangt, Professor Bellavista, an dem ich von dir verlangen muß, daß du die Maske abnimmst und uns sagst, auf welcher Seite du stehst. Welches ist denn nun wirklich deine politische Überzeugung?«

»Und wenn ich dir nun gestehen würde, daß ich, Gennaro Bellavista, gar keine politische Überzeugung habe? Wenn ich dir sagte, mein lieber Vittorio, daß meine politische Überzeugung vor allem die ist, daß ich am liebsten zu Hause sitze und nachdenke? Würdest du mir das nun abnehmen?«

»O nein, sicher nicht.«

»Und vielleicht auch gar nicht zu Unrecht. Aber ich möchte euch jetzt einen Vorschlag machen: da wir ja Zeit haben und gern reden, könnten wir doch einmal versuchen, gemeinsam ein politisches Ideal aufzustellen, das uns allen entspricht.«

»Das wird uns nie gelingen.«

»Gut, dann haben wir es wenigstens versucht und gesehen, was dabei herauskommt. Als erstes stellt sich die Frage: Was soll mit einem politischen Ideal eurer Meinung nach vor allem erreicht werden?«

»Also darüber kann es meiner Meinung nach keinen Zweifel geben«, antwortet Doktor Vittorio. »Das höchste Gut ist die soziale Gerechtigkeit. Weshalb haben wir wohl überhaupt einen Staat? Wir brauchen den Staat nur deshalb, weil die Menschen nach wie vor riesige Charakterschweine sind: ›Homo homini lupus‹, sagt Hobbes. Und wenn der Staat also nur entstanden ist, weil es diesen Egoismus gibt, so ist doch klar, daß das oberste Gebot dieses Staates die Kontrolle dieses Egoismus sein muß, das heißt also, er muß soziale Gerechtigkeit schaffen.«

»Was die soziale Gerechtigkeit betrifft, bin ich ganz der Meinung Doktor Vittorios«, sage ich. »Ich möchte aber auch noch an ein paar andere Grundwerte erinnern, die der Staat meiner Meinung nach unbedingt schützen müßte. Ich meine, wie ihr wohl schon verstanden habt, die individuelle Freiheit. Leider ist nicht so klar, was wir unter Freiheit verstehen sollen, da dieser Begriff ja wirklich von jedermann im Munde geführt wird, aber um einmal an das anzuknüpfen, was Doktor Vittorio gerade über die Ursachen der Staatsbildung gesagt hat, würde ich meinen, der Staat wird von Anfang an dazu geschaffen, Zwang auszuüben, da eines seiner obersten Ziele nämlich die Einschränkung des freien Willens des einzelnen Menschen ist...«

»Ja, aber nur, um dessen räuberische Impulse zu unterdrücken, das heißt, um zu verhindern, daß er anderen gegenüber ungerechte Handlungen begeht.«

»Mag sein. Aber da nun einmal die moralische Bewertung dieser Handlungen dem Staat übertragen worden ist und dieser Staat in jedem Fall aus Menschen besteht, nämlich aus jenen Wölfen, von denen Hobbes spricht, muß die individuelle Freiheit doch einer unserer höchsten Werte sein...«

»Ich sehe mit Vergnügen«, sagt Bellavista, »daß ihr sofort zum Kern des Problems gekommen seid: Gerechtigkeit und Freiheit, Kollektiv und Individualismus.«

»Warum sagen wir nicht einfach, daß wir beides möchten, Gerechtigkeit und Freiheit, dann haben wir das Problem doch schon gelöst«, schlägt Saverio vor.

»Weil es so zu sein scheint, mein lieber Saverio, daß man beides eben nicht haben kann«, erwidert Salvatore. »Also muß man sich entscheiden, will man lieber in Frieden essen, oder ist einem die Freiheit zu verhungern wichtiger?«

»Das hängt meiner Meinung nach vom Charakter des einzelnen ab«, sagt Luigino. »Wenn ich zum Beispiel eine Antilope wäre und zwischen dem Urwald samt Schlangen und Löwen und dem Zoo wählen müßte, wo mir der Wärter jeden Tag mein Fressen bringt, da gäbe es für mich keinen Zweifel, ich würde den Urwald wählen.«

»Gut und schön, Luigino«, wirft Saverio ein. »Aber mach' dir doch einmal klar, daß wir in Neapel ja fast alle arbeitslos sind und die Stadtverwaltung, die man ja in diesem Sinne mit dem Zoo vergleichen könnte, bereits fünfundzwanzigtausend Angestellte hat und auch keine weiteren einstellen kann. Also müssen wir alle uns jeden Morgen aufs neue in den Urwald stürzen. Und wir sind wirklich viele, Luigino. Da würde ich vielleicht doch sagen, daß so ein Zoo, in den man meinetwegen abwechselnd, mal der eine, mal der andere, gehen könnte, gar nicht so schlecht wäre!«

»Also jetzt hört mir einmal gut zu«, unterbricht der Professor das Gespräch. »Ich möchte euch erzählen, was ein sehr großer zeitgenössischer Denker zu diesem Thema gesagt hat: Bertrand Russell. Also der große Alte ging davon aus, daß es auf der Welt zweierlei Arten von Gütern gibt: nämlich die materiellen Güter und die geistigen Güter, ebenso wie es auch zwei verschiedene, diesen Gütern entsprechende Antriebe gibt: die besitzergreifenden Impulse und die kreativen Impulse. Die materiellen Güter haben die Eigenschaft, in ihrer Menge begrenzt zu sein. Mit anderen Worten, wenn ich jetzt hier den ganzen Wein austrinke, der in der Flasche ist, sagt Russell, dann bleibt für euch kein Tropfen mehr übrig, also ist der Wein ein materielles Gut.«

»Das glaube ich auch«, sagt Saverio.

»Die geistigen Güter dagegen zeichnen sich dadurch aus, daß sie in unbegrenzter Menge vorhanden sind. Wenn mir Beethoven gefällt, kann ich mich daran satthören, ohne irgendeinem von euch damit die Möglichkeit zu nehmen, ihn im gleichen Maße zu schätzen. Im Gegenteil, je mehr ich

Beethoven höre, desto eher werdet auch ihr ihn hören. Nachdem er also auf diese Weise die qualitative Überlegenheit der geistigen Güter über die materiellen Güter erklärt hat, stellt Russell gleich eine Betrachtung von grundlegender Bedeutung für unsere Überlegungen an: Der Mensch ist unfähig zu jedem schöpferischen Impuls, solange er seine Grundbedürfnisse an materiellen Gütern nicht befriedigt hat.«

»Wenn ich also richtig verstehe, Professor«, wirft Salvatore ein, »dann meint Ihr Freund, daß man von Beethoven einen Dreck kapiert, solange einem der Magen knurrt.«

»Genau. Aber die Sache ist leider viel komplizierter, als man zunächst meint: Was sind nämlich die ›Grundbedürfnisse an materiellen Gütern‹? Welches ist das richtige Maß an Gütern, das jedem einzelnen zusteht? In einer Welt, in der jeder ein Auto hat, muß sich einer, der keines hat, zu Recht als armer Teufel vorkommen. Wenn wir also von einer gerechten Verteilung der materiellen Güter sprechen, dürfen wir nicht ein für das physische Überleben des einzelnen Menschen ausreichendes Maß zugrunde legen, sondern wir müssen von den zu einem bestimmten historischen Augenblick in dem Land, in dem einer lebt, geltenden durchschnittlichen Lebensbedingungen ausgehen. Es scheint also so, meine Lieben, daß der Mensch nur dann in der Lage ist, sich geistig weiterzuentwikkeln, wenn er es geschafft hat, zumindestens das zu erreichen, was er als sein unumgängliches Konsumniveau ansieht. Und in den letzten Jahrhunderten haben sich nun vor allem zwei wirtschaftspolitische Modelle durchgesetzt: der Kapitalismus und der Kommunismus. Es wäre einmal interessant, die Grenzen dieser politischen Modelle im Licht der von uns soeben angestellten Betrachtungen zu untersuchen. Der Kapitalismus, von einem Herrn namens Adam Smith erfunden, ist ein Entwicklungsmodell, das sich auf freien Wettbewerb gründet und gegen das vor allem zwei wesentliche Punkte sprechen: erstens, es garantiert nicht die soziale Gerechtigkeit; zweitens, es lenkt die Menschheit von den geistigen Gütern ab. Der Motor des Kapitalismus wird vor allem vom Egoismus des Menschen angetrieben, von der einzigen Energiequelle also, die es überall auf der Erde gibt. Gemeinsinn und Nächstenliebe werden im Kapitalismus kleingeschrieben, er stachelt nur die Gewinnsucht des Menschen an und erfindet die Religion des Profits. Die Grundregeln dieser Religion sind ziemlich einfach: der Mensch identifiziert sich mit seinem Bankkonto. Seine Verdienste zahlen sich in Macht und in klingender Münze aus. Das Ergebnis ist die Konsumspirale. Der Mensch ist gezwungen, immer mehr zu produzieren, um das kaufen zu können, was er im Überfluß produziert hat. Pausenlos. Es gibt keine Muße, um auch geistige Güter anzustreben. Der schöpferische Impuls kann sich gar nicht entwickeln, weil der Mensch allzusehr damit beschäftigt ist, das nötige Geld zu verdienen, um sich seinen nächsten Urlaub leisten zu können. Wie konnte es überhaupt soweit kommen? Denn früher waren wir doch mit weniger glücklich? Die Antwort ist einfach: die Konsumgesellschaft hat ihren Preis erhöht. Das Mindestniveau an Wohlstand ist heute viel höher. Morgen wird es noch höher sein, und du wirst als Mensch einfach leiden, wenn du nicht einmal einen Farbfernseher hast.«

»Meinen Sie damit mich, Professore?« fragt Salvatore. »Ich kriege nicht einmal das zweite Programm rein, und wenn mittwochs der Film im Zweiten kommt, müssen wir immer zu meiner Schwägerin gehen, die eine Gasse weiter wohnt.«

»Kommen wir damit nun zum Kommunismus«, fährt Professor Bellavista beharrlich fort. »Dieses Regime hat sein selbstgesetztes Ziel, also die soziale Gerechtigkeit, bisher nur mit Gewalt erreicht, nämlich durch die sogenannte Diktatur des Proletariats. Und wie alle Phänomene der absoluten Macht, gleichgültig, ob es sich dabei um eine politische Partei oder ein Industrieunternehmen handelt, verlangt es die Einheitlichkeit der Basis. Denn machen wir uns doch keine Illusionen, wo die absolute Macht herrscht, gibt es kein Individuum mehr und daher auch keine Freiheit.«

»Aber meiner Meinung nach«, wirft Doktor Vittorio ein, »müßten wir uns zuerst einmal über die Bedeutung des Wortes Freiheit einigen.«

»Vittorio, dazu brauche ich dir nur wörtlich zu wiederholen, was Russell gesagt hat: das höchste Ziel eines politischen Ideals muß die Individualität sein. Der Politiker darf an das Volk nicht als an eine einheitliche Masse denken, sondern er muß es als eine Gemeinschaft von sehr vielen sehr verschiedenen Menschen sehen, von Männern, Frauen, Kindern. Von Menschen, die nachdenken und dadurch verschieden sind, weil aus dieser Verschiedenheit des Denkens die Ideen der Zukunft erwachsen. Individualismus bedeutet Leben, Uniformität bedeutet Tod. Nun ist es natürlich für einen, der befiehlt, sehr viel einfacher, seine Befehle durchzusetzen, je einheitlicher die Basis ist. Sind die Untertanen alle gleichartig, lassen sie sich leichter einschätzen. Und so wie bei mangelnder sozialer Gerechtigkeit eine ungleichmäßige Verteilung der materiellen Güter stattfindet, wird auch der Geist bei fehlender individueller Freiheit in seiner Entwicklung immer mehr gehindert. Das ist etwa so, sagt Russell, wie es die Chinesen einst mit den Füßen der Frauen gemacht haben. Moral – auch im Kommunismus gehen die schöpferischen Impulse flöten, wenn auch aus vollkommen anderen Gründen als in der westlichen Welt.«

»Entschuldige, Gennaro, aber da machst du, glaube ich, einen groben Denkfehler. Die geistigen Güter werden doch im Osten sehr großgeschrieben, das siehst du bereits an den riesigen Anstrengungen, die in der kommunistischen Welt von Anfang an zur Lösung des Bildungsproblems gemacht worden sind, wie auch daran, daß in den Fabriken und Ämtern der Ansporn immer moralischer Art ist. In der Praxis wird der kommunistische Arbeiter nicht von seinem Gewinnstreben dazu angetrieben, besser zu arbeiten, sondern von seinem

Bewußtsein, damit dem Kollektiv zu dienen. Dies ist das wahre kommunistische Wunder.«

»Lieber Vittorio, abgesehen davon, daß ich für diese Art von Wunder meine Hand nicht ins Feuer legen würde, mißverstehen wir uns hier gründlich. Unter Freiheit verstehe ich immer noch vor allem die Freiheit des Denkens, und bis zum Beweis des Gegenteils habe ich die wenigstens teilweise nur in Ländern mit parlamentarischer Demokratie erlebt.«

»Also in Ländern mit kapitalistischem Wirtschaftssystem.«

»Ja sicher, aber lieber Gott, warum soll es unmöglich sein, ein demokratisches Regierungssystem zu errichten, das von mehreren Parteien getragen wird und den Zynismus des Kapitals durch geeignete Gesetze in Schranken hält, die Menschen aber gleichzeitig über alle Kanäle, über die man Einfluß ausüben kann, nämlich über Zeitungen, Filme, Fernsehen, dazu ermutigt, auch nach geistigen Gütern zu streben?«

»Aber doch immer erst nach den materiellen Gütern, oder, Professore?« fragt Salvatore.

»Zweifellos, da der kreative Antrieb des Menschen ja dann am größten ist, wenn er sich aus seiner materiellen Sklaverei befreit hat.«

»Alles gut und schön«, sagt Doktor Palluotto. »Trotzdem möchte ich von dir einmal hören, warum du den Kommunismus immer nur mit einer Diktatur gleichsetzt. Du sagst nämlich Kommunismus und denkst Rußland, gib's zu, Gennaro. Kannst du dir denn nicht einmal auch einen anderen Kommunismus vorstellen: zum Beispiel einen italienischen Kommunismus?«

»Abgesehen davon, daß ich alle Gründe habe, Kommunismus mit Diktatur gleichzusetzen, habe ich ja hier nur gesagt, daß ich eine demokratische Regierung jeder Art von absolutem Regime vorziehe.«

»Und wo steht geschrieben, daß der italienische Kommunismus nicht doch eine demokratische Regierung bilden könnte?«

»Mag sein, aber dann erklär mir mal, worin sich in dem Fall eine kommunistische Partei noch von einer sozialdemokratischen Partei unterscheiden würde? Nein, Vittorio, ich bleibe dabei. Ich will mir, so lange das noch möglich ist, jeden Tag drei verschiedene Zeitungen kaufen können, und ich werde mich so lange frei fühlen, wie mir diese drei Zeitungen ein und dasselbe Geschehen auf drei verschiedene Weisen berichten.«

»Deine drei Zeitungen unterscheiden sich aber höchstens auf der ersten Seite voneinander, mein lieber Gennaro, nämlich auf der für die Politik. Weiter hinten sind sie doch vollkommen gleich, und die eigentliche Gefahr liegt genau da.«

»Ich verstehe nicht, worauf du hinauswillst.«

»Das kann ich dir sagen. Ich meine, daß es etwas gibt, das bei allen Medien gleich ist, egal ob Fernsehen oder bedrucktes Papier, und dieses Etwas, das bei allen gleich ist, das ist die Werbung, oder vielmehr die Propaganda des Kapitalismus. Du ersehnst eine Welt, in der die geistigen Güter ganz oben auf der Werteskala stehen, aber die Werbung fällt dir in den Rücken, indem sie die Schwächsten hörig macht und zu überflüssigem Konsum verleitet.«

»Da bin ich vollkommen deiner Meinung, und daher bin ich auch fest davon überzeugt, daß der moderne Kapitalismus bekämpft werden muß.«

»Aber wie willst du den allein bekämpfen, das geht doch nur mit Hilfe einer starken politischen Antriebskraft, und, praktisch ausgedrückt, kann das nur eine Partei sein, die in ausreichendem Maße von der Bevölkerung gestützt wird. Und soweit ich weiß, hat Russell in Italien bis jetzt keine Partei gegründet. Folglich kannst du den Kapitalismus einzig und allein mit Hilfe der kommunistischen Partei Italiens bekämpfen.«

»Und wenn wir jetzt einmal versuchen würden, nicht nur die Kommunisten, sondern alle zusammen dazu anzutreiben?«

»Also auf mich könnt ihr dabei nicht rechnen«, sagt Sa-

verio. »Ich habe keine Kraft zum Antreiben. Gebt mir zuerst
einmal einen sicheren Arbeitsplatz und ein Häuschen mit
zwei Zimmern nur für meine Familie, und dann können vielleicht auch wir mit antreiben. Sie haben es gut, Professore,
daß Sie jeden Morgen drei Zeitungen lesen können, und ich
meine jetzt nicht wegen der Zeit, weil ich ja, ehrlich gesagt,
ebenfalls genug Zeit habe, nein, worum ich Sie wirklich von
Herzen beneide, das sind die vierhundertfünfzig Lire, die Sie
jeden Morgen für die Zeitungen ausgeben. Oh, werden Sie
jetzt nicht böse und trinken auch Sie erst einmal ein schönes
Gläschen Wein. Zum Wohl, Professore, ich wünsche Ihnen
noch hundert Jahre Gesundheit. Von Politik verstehe ich
eben nichts. Salvatore kommt besser klar, weil er einen außerparlamentarischen Vetter hat, wie man das nennt, und der hält
ihn auf dem laufenden, aber bei mir ist es ehrlich gesagt so,
wenn ich wählen gehen soll, fühle ich mich wie ein Esel zwischen zwei Heuhaufen, und am Ende wähle ich dann immer
einem Freund zuliebe irgend etwas. Da kommt es also vor,
daß ich das eine Mal die nationale Rechte wähle und beim anderen Mal kommunistisch. Ich erinnere mich zum Beispiel an
die Volksabstimmung über die Scheidung, da habe ich mich
mit Ferdinando abgesprochen, denn der wollte ›Ja‹ wählen
und ich ›Nein‹, und so beschlossen wir, überhaupt nicht zu
wählen, wir haben in der Hausmeisterwohnung einen Liter
Gragnano auf das Wohl der Volksabstimmung getrunken,
und um zu verhindern, daß der eine von uns vielleicht am
nächsten Tag doch noch wählen ginge, haben wir die Wahl-
scheine in den Abort geworfen, mit Verlaub zu sagen. Ja was
meinen sie denn, Professor, welche Bedeutung für mich das
Scheidungsgesetz haben kann, wo ich noch nicht einmal die
Kraft habe, mich von den Percuocos zu befreien?«

»Die Percuocos? Wer sind denn die Percuocos?«

»Die Familie Percuoco, Vater, Mutter, taube Schwägerin
und vier Wilde, die Frau Percuoco beharrlich immer nur ›ihre
armen kleinen Sprößlinge‹ nennt.«

»Was haben denn die Percuocos mit dem Scheidungsgesetz zu tun?«

»Ja, das erkläre ich Ihnen gleich. Also er, Ernesto Percuoco, ist an sich kein so übler Mann, der sich auch als Sachkundiger ganz gut durchschlägt.«

»Als Sachkundiger, was ist denn das?«

»Das ist eben einer, der sich auskennt. Wenn also zum Beispiel Ihr Auto kaputtgeht, dann brauchen Sie sich nur an Ernesto zu wenden, und der bringt Sie sofort zu einem befreundeten Automechaniker und stellt Sie dem als seinen Freund vor, auf diese Weise zahlen Sie weniger, weil der Automechaniker Ihnen Rabatt gibt, und Ernesto verdient auch ein bißchen dabei, weil er das Geschäft vermittelt hat.«

»Was für Dienste vermittelt er denn sonst noch?«

»Jede Art. Er kennt Fliesenleger, Installateure, Schneider, Bestattungsunternehmen, Elektriker und so weiter.«

»Und dieser Percuoco wohnt, wenn ich richtig verstanden habe, bei Ihnen?« frage ich.

»Genauso ist es«, antwortet Saverio. »Ja, warum auch nicht, ich kenne Ernesto Percuoco schon seit meiner Militärzeit, als ich in Fortezza diente, und später haben wir uns dann auch in Neapel öfters im Billardsaal in der Via Mezzocannone getroffen, wo wir hin und wieder zusammen Karten spielten. Und, na ja, Sie wissen doch, wie es so geht: ›Du hast wirklich eine schöne Wohnung! Wozu brauchst du eigentlich eine so große Wohnung? Warum vermietest du nicht ein Zimmer an mich und meine Frau und ein Kämmerchen an meine Schwägerin, die heiratet ohnehin in ein paar Tagen einen Schullehrer und zieht wieder aus. Ich und meine Frau sind ganz ruhige Leute. Von uns hörst und siehst du nichts. Wir sind schon fünf Jahre verheiratet und haben keine Kinder. Der liebe Gott hat es nicht gewollt.‹ Woher sollte ich wissen, daß der liebe Gott, der es bis dahin nicht gewollt hatte, plötzlich seine Meinung änderte, als die Percuocos ihren Fuß in meine Wohnung gesetzt hatten! Vier Kinder in fünf Jahren! Die Frau hatte gerade erst ein Kind geboren, da war sie schon wieder schwanger! Der Jüngste ist jetzt acht. Vor ein paar Tagen hat er versucht, den Zeitungskiosk an der Piazza Sant' Anna in Brand zu stecken, weil der Zeitungsverkäufer, der Eugenio, ihm die Luft aus dem Ball rausgelassen hatte. Amelia, die Schwägerin, ist taub geworden, und ihr Verlobter ist Priester geworden, und auch aus dem Grunde wollte er sie nicht mehr heiraten. Ich weiß nicht, ob Sie sich überhaupt vorstellen können, wie es bei mir zu Hause zugeht. Die vier Percuoco-Kinder und meine drei, das sind sieben Übeltäter, die pausenlos versuchen, sich gegenseitig umzubringen, und wenn sie gerade mal einen Augenblick friedlich sind, dann auch nur, weil sie gemeinsam aushecken, wie sie einen anderen umbringen könnten. Meine Gattin verbringt ihre Zeit vor allem damit, mit der Percuoco herumzustreiten, die als Tochter eines ehemaligen Lohnkutschers eine angeborene Vorliebe für einen lebhaften Umgangston hat.

Es ist nicht übertrieben, wenn ich sage, daß der Mittlere Osten im Vergleich zu dem, wie es bei mir zu Hause zugeht, eine Gegend mit friedliebenden Menschen ist, die höchstens gelegentlich eine kleine Meinungsverschiedenheit haben. Ich sage ja immer: Ernesto, jetzt such' doch endlich einmal nach einer kleinen Wohnung, so kann es nicht weitergehen, sonst gibt es noch Mord und Totschlag! Wir müssen uns trennen! Nichts. Er sagt, daß er Mieterschutz hat, und auch ein ganzes Regiment Panzertruppen könnte ihn nicht aus dem Haus vertreiben. Und da fragen Sie mich noch, was die Percuocos mit dem Scheidungsgesetz zu tun haben? Und wie sie etwas damit zu tun haben! Wenn es einem nicht einmal gelingt, sich von den Percuocos zu befreien, wie soll man da seine Ehefrau loswerden und auch noch das Geld für zwei getrennte Wohnungen aufbringen!«

»Richtig, Saverio, aber wenn jetzt deine Ehe nicht glücklich wäre und deine Frau dir Hörner aufsetzen würde, was würdest du denn dann tun ohne Scheidungsgesetz?«

»Was ich tun würde? Als erstes einmal würde ich sie umbringen, wenn es darum ginge, und wenn ich dann schon dabei wäre, würde ich die Percuocos mit ihrer ganzen Brut auch
gleich umbringen.«

XX

Der Zeitungsjunge

Heute nachmittag bin ich meinem alten Schulfreund De Renzi begegnet. Ich stand an der Bushaltestelle am Rettifilo, während er in einem Verkehrsstau gefangen im Auto vor mir saß.

Da die Schlange sich keinen Zentimeter voranbewegte, hatten wir Zeit, uns zu begrüßen und eine ganze Reihe von Schulerinnerungen auszutauschen. Das klang dann etwa so: »Was wohl aus Bottazzi geworden ist?« »Kannst du dich noch an unseren Lehrer Avallone erinnern?« »Wie hieß bloß noch jenes Mädchen aus der I E?« Während dieser ganzen Unterhaltung stand ich immer noch an der Bushaltestelle, und er blieb in seinem roten 127er mit einem Kennzeichen aus Catania sitzen. Schließlich fragte mich De Renzi:

»Wohin willst du eigentlich?«

»In die Gegend der Piazza Nazionale.«

»Dann steig doch ein, ich nehme dich mit.«

Mehr um weiter in Erinnerungen zu schwelgen als etwa um Zeit zu sparen, setzte ich mich also zu ihm ins Auto.

»De Renzi, erzähl doch mal, was du so machst, wo arbeitest du?«

»Ich bin Direktor der SAMAP-ITALIA in Catania, Plastikartikel für die Bauwirtschaft. Sagen wir, es geht mir weder gut noch schlecht. Jetzt bin ich gerade über Weihnachten hier. Ich habe natürlich immer noch ein bißchen Heimweh nach Neapel, es ist schon über sieben Jahre her, seit ich wegzog. Ich bin mit einer Frau aus Catania verheiratet und habe zwei Söhne: einer ist fünf, der andere drei. Du kannst es dir ja vorstellen, wir haben dort so unsere Freunde, und Gottseidank geht es uns gesundheitlich allen gut. Aber jetzt erzähle einmal du!«

Ich wollte gerade antworten, da hörten wir einen Zeitungsverkäufer, der den *Corriere di Napoli* feilbot und aus voller Kehle schrie: »Furchtbares Unglück in Catania, furchtbares Unglück!« Erschrocken kaufte De Renzi sofort ein Exemplar des *Corriere* und blätterte es schnell durch. Da war aber nirgends eine Überschrift, keine Notiz, in der etwas über das große Unglück zu lesen gewesen wäre. Wir suchten noch immer nach der Nachricht, da kam der Zeitungsjunge wieder auf uns zu und sagte: »Keine Sorge, Doktor, es ist nichts Schlimmes, wenn die Zeitung nichts darüber schreibt, kann ja nichts Wichtiges passiert sein.«

Und nach diesen Worten ging er auf ein Auto mit einem Kennzeichen aus Caserta zu.

XXI

Der Kampf geht weiter

Während man ruhig dasitzt und nichts tut
Kommt der Frühling und das Gras wächst von allein
Die blauen Berge sind von allein blaue Berge
Die weißen Wolken sind von allein weiße Wolken
Toyo Eicho, *Zenrin Kushu*

»Saverio, was dir nicht ins Hirn will, ist, daß es heute nicht ausreicht, einfach Kommunist zu sein«, sagt Salvatore. »Damit kommt man nicht mehr weit.«

»Was? Wo du doch immer Kommunist gewesen bist!«

»Heute nicht mehr. Ich habe mich nach links verlagert.«

»Linker als die Kommunisten?«

»Sicher. Mein Vetter Tonino, der Metallarbeiter ist und in Sesto San Giovanni arbeitet, der kennt sich da aus. Als ich ihn das letzte Mal traf, hat er mir lang und breit erklärt, daß die wahren Kommunisten heute die Außerparlamentarischen sind.«

»In Sesto San Giovanni erfahren sie eben immer alles rechtzeitig, nur wir hier in Neapel leben auf dem Mond.«

»An sich ist es einfach so, daß die heutige kommunistische Partei praktisch wie die sozialistische Partei von früher ist, während die heutige sozialistische Partei nichts anderes ist als die ehemalige christdemokratische Partei.«

»Ja und die christdemokratische Partei heute, was wäre dann die?«

»Also vielleicht so etwas wie die monarchistische Partei gleich nach dem Krieg.«

»Jesus Maria, wie ist denn dieses ganze Durcheinander entstanden?«

»Entstanden ist es so, daß in Italien die Wähler immer mehr nach links gingen und die Gewählten immer mehr nach rechts. So daß am Ende praktisch alles beim alten geblieben ist.«

»Auch das weißt du alles von deinem Vetter Tonino?«

»Ja, aber auch der Professor meint das. Erinnerst du dich nicht, er hat neulich gesagt, die einzige wirkliche Gefahr sei die, daß die Bourgeoisie kommunistisch wählt.«

»Salvatore, ich wollte dich schon immer etwas fragen: Wer ist denn nun eigentlich diese Bourgeoisie, von der immer so viel geredet wird? Da höre ich manchmal: ›Das Proletariat muß sich gegen die Bourgeoisie wehren‹, ›Hoch die Arbeiter, nieder mit der Bourgeoisie!‹ Jetzt erklär’ mir doch bitte einmal, was das ist, die Bourgeoisie! Sind das jetzt diejenigen, die nicht arbeiten? Ich zum Beispiel habe ja keine Arbeit. Und was bin ich dann? Gehöre ich nun zur Arbeiterklasse oder zur Bourgeoisie?«

»Die Bourgeoisie, mein lieber Saverio, das sind einfach die rückständig Denkenden und Angepaßten, die mit dem System zufrieden sind und nichts anderes wollen, als die paar Kröten zusammenhalten, die sie angespart haben. Auch sie arbeiten, und trotzdem sind sie der schlimmste Teil der Gesellschaft, weil sie nicht die geringste Anstrengung machen, irgend etwas zu verändern. Das sind die Leute, die, wenn Streik ausgerufen ist, trotzdem zur Arbeit gehen wollen; oder die damals beim Volksentscheid gegen das Scheidungsgesetz gestimmt haben, weil das etwas Neues war. Hast du’s jetzt kapiert, Saverio?«

»Jaja, und der Professor, was hat der gesagt? Daß die Bourgeoisie jetzt die kommunistische Partei wählt? Hat er das wirklich ernst gemeint?«

»Ja, er hat es wirklich ernst gemeint, und ich glaube, er hat gar nicht unrecht. Der Professor hat sich eben einfach die Frage gestellt, was die Bourgeoisie vor allem will. Will sie nicht Ordnung und Disziplin? Und da es nun so scheint, daß es diese Ordnung und diese Disziplin in allen kommunistischen Ländern gibt, kann die Bourgeoisie schon Gefallen am Kommunismus finden. Manche sagen: Ordnung, gut und schön, aber wenn der Kommunismus kommt, darfst du keine eigene politische Meinung mehr haben. Ach, eine politische Meinung, wozu brauche ich die, sagt der Bourgeois, der nur an seine eigenen Sachen denkt. Aber sie werden dich enteignen! Mich? Mir, sagt der Bourgeois, können sie wirklich gar nichts wegnehmen. Sie können vielleicht Lauro und Agnelli enteignen, aber doch nicht mich, der ich doch praktisch nichts habe. Und so kommt es dann, daß langsam, aber sicher die ganze Bourgeoisie kommunistisch wählt, mit dem kleinen Unterschied allerdings, daß der Kommunismus, der ihnen gefällt, nicht der ist, der uns gefällt.«

»Also bräuchte man zwei verschiedene kommunistische Parteien.«

»Richtig, Saverio. Da bist du nun selbst auf das gekommen, was ich dir zu erklären versucht habe. Zwei verschiedene kommunistische Parteien: eine für die Bourgeoisie und eine für die wahren Kommunisten wie mich und dich.«

»Und wie soll dann diese zweite kommunistische Partei heißen?«

»*Lotta continua*. Der Kampf geht weiter. Ich habe mich schon eingeschrieben. Und jetzt will ich, daß auch du dich einschreibst.«

»Bei der *Lotta continua*?«

»Genau.«

»Salvatore, erkläre mir zuerst eines, muß denn dieser Kampf tatsächlich immer weitergehen?«

Das Pülverchen

»Mir reicht's! So geht es nicht weiter. Was für ein Scheißland, Dottore! Ja, entschuldigen Sie die Ausdrucksweise, aber was wahr ist, muß gesagt werden! Daß einer armen Frau mitten auf der Straße die Handtasche weggerissen wird, hat man ja schon gehört, sowas kommt eben vor, sagen wir. Oder daß eine Bank überfallen wird. Nicht so schlimm, welche Bank kann das nicht verkraften. Oder daß der Sohn eines Milliardärs geraubt wird, meinetwegen, es trifft ja keinen armen Mann. Oder daß mein Ladenjunge abends die besten Fleischstücke vom Tisch klaut. Auch da sage ich lieber nichts, sonst läuft der noch zur Gewerkschaft, und bei all den Abgaben, die fällig sind, stehe ich plötzlich auf der Straße. Ich will ja nur sagen, daß wir in Italien wirklich manches an Gaunerei gewöhnt sind. Es gehört praktisch zum Alltag, und wir regen uns schon gar nicht mehr auf. Aber dann passieren manchmal Dinge, daß wir sagen, also Jesus Maria und Josef, kann man denn wirklich keinem Menschen mehr vertrauen!«

»Was ist Ihnen denn so Schlimmes passiert, Don Ernesto?«

»Das will ich Ihnen genau sagen. Sie wissen doch, daß wir Metzger, um dem Fleisch farblich etwas aufzuhelfen, denn schließlich ißt ja auch das Auge mit, das sogenannte Pülverchen verwenden. Und dieses Pülverchen ist aus einem Grund, den nur der liebe Gott kennt, verboten. Die Chemiker behaupten, das sei Verfälschung, und so kommt ab und zu einer vom Gesundheitsamt und kontrolliert. Aber um jetzt auf unsere Geschichte zu kommen, neulich also kommt der Prüfer, und ich sage gleich ganz freundlich zu ihm: ›Ich habe mir erlaubt, Ihnen hier ein Keulenstück beiseitezulegen, etwas ganz Einmaliges, sage ich Ihnen, das lassen Sie sich mal schmecken!‹ ›Nein danke‹, antwortet der. ›Heute ist Freitag, da essen wir kein Fleisch.‹ Und kaum hat er das gesagt, entdeckt er eine Spur von dem Pülverchen, also wirklich einen Hauch, auf einem Stück Filet, das ich im Kühlschrank hatte. Und verpaßt mir gleich eine Strafe, dieser hundsgemeine Schuft, also eine solche Strafe, daß ich drauf und dran bin, hier meinen Laden dicht zu machen, die Niederlassung des BANCO DI NAPOLI dort drüben zu überfallen, mir zweihundert Millionen zu nehmen und mich abzusetzen.«

»Sie machen wohl Witze, mit Ihrer Metzgerei hier verdienen Sie doch mehr als jeder Bankräuber.«

»Also wie gesagt, ich hatte diese stinkgemeine Strafe noch nicht verdaut, da kommt mir doch zu Ohren, daß die Behörde auch bei meinem Bruder Giggino war, das ist der, der die Metzgerei oben in Villanova hat, und natürlich tut der, genau wie alle andern, auch das Pülverchen aufs Fleisch. Die nehmen also die Fleischstücke heraus, prüfen sie und verpassen keine Strafe!«

»Vielleicht waren die sich ja mit Ihrem Bruder einig geworden!«

»Was heißt hier einig geworden! Dem hatte man das falsche Pülverchen angedreht!«

XXIII

Piedigrotta

*Wir sind Engel
mit nur einem Flügel
um fliegen zu können
müssen wir uns umarmen*
L.D.C.

»Wer von euch erinnert sich noch an das Piedigrotta-Fest von früher?« fragt der Professor. »Heute merkt man ja kaum noch etwas davon. Früher, da war das anders, da war das ein Fest, auf das man sich freute, das man herbeisehnte. Wer einen Balkon an einer der Straßen hatte, wo der Umzug vorbeiführte, an der Via Roma etwa oder der Via Partenope oder an der Riviera, der lud sich Freunde ein. Die Kinder zogen in Banden durch die Straßen mit Konfetti, Trompeten und Gummikeulen, da gab es Gelächter und hundertemal Hiebe auf den Kopf. Meine Mutter hatte Angst und wollte mir als Kind nicht erlauben, auf die Straße zu gehen, dafür kaufte sie mir immer den *cuppulone*, den riesigen Hut aus bunter Pappe, der aussah wie ein umgestülpter Eimer, an den knüpfte ich dann einen Bindfaden und ließ ihn vom Balkon herunterbaumeln, und wenn jemand vorbeikam, das heißt eine Frau oder ein Mann, die irgendetwas Komisches an sich hatten, dann ließ ich ihnen den Hut, zack, blitzschnell bis tief über die Ohren fallen.«

»Soweit ich mich daran erinnern kann«, sagt Doktor Vittorio, »war das immer ein furchtbar geschmackloses Fest. Piedigrotta war doch nichts anderes als Gewalttätigkeit und Lärm. Daß wir uns heute nach so vielen Jahren an Piedigrotta als an ein lustiges Fest erinnern, kann ich sogar verstehen, aber diese Erinnerungen sind nur schön, weil sie mit unserer Jugend zusammenhängen und nicht etwa, weil irgendetwas Erbauliches an dieser Sache gewesen wäre.«

»Da haben wir's wieder«, sagt der Professor. »Vittorio will mir nun auch noch meine Erinnerungen an Piedigrotta vermiesen.«

»Also können wir denn nicht einmal auch ernsthaft reden! Wir müssen uns doch endlich klarmachen, daß die Folklore der Tod Neapels gewesen ist! Wir wissen alle, daß wir am Piedigrotta-Fest immer einen Bogen um die Straßen machten, wo der ganze Trubel am größten war. Warum können wir da nicht auch ehrlich zugeben, daß uns dieses Piedigrotta wirklich nie Spaß gemacht hat.«

»Was heißt, es hat uns nie Spaß gemacht!« sagt Saverio. »Ich war zwar noch klein, aber an den Umzug erinnere ich mich genau: wenn dann der Wagen mit allen Masken Italiens kam: Pulcinella, Harlekin und all die übrigen, und der Karren mit den Meeresfrüchten, wo die Weiber mit nackten Schenkeln aus diesen Muscheln herausragten, oder der Wagen mit dem Vesuv, der ganz echt rauchte, oder der mit der beleuchteten Seilbahn und den Leuten, die sangen: *Iamme, Iamme, Iamme Iamme là*. Wer sagt, daß Piedigrotta nicht schön war! Mein Vater kaufte mir einmal eine Trompete und machte mir aus Karton einen Bersagliere-Hut, den färbte er mit Tinte schwarz, und dann klebte und schnürte er Federn von einem Huhn darauf, das wir am Sonntag zuvor gegessen hatten. So eines von den echten Hühnern, die man früher im Haus hielt und dann an Festtagen aufaß.«

»Und könnt ihr euch noch an das Feuerwerk erinnern? Das Feuerwerk am Meer?«

»Ja, aber auf dieses Feuerwerk mußte man immer irrsinnig lang warten! Ich erinnere mich, daß man die ganze Nacht immer nur darauf wartete, ob sie sich nun entschließen würden, mit dem Feuerwerk anzufangen oder nicht. Da konnte es vorkommen, daß ein Feuerwerker mal eine Rakete losließ und es dann zwei Stunden dauerte, bis wieder eine losging. Auf diese Weise schliefen wir meist irgendwo in einem Sessel oder auf einem Sofa vor dem Fenster ein.«

»Wir gingen immer zu meiner Großmutter, der Mutter meines Vaters, um das Feuerwerk anzusehen«, sagt Luigino. »Meine Großmutter, Gott hab sie selig, wohnte am Meer, am Corso Vittorio Emanuele. Ihre Wohnung lag praktisch unter dem Dach, und man hatte von dort einen Blick über den ganzen Golf von Neapel, vom Castello dell'Ovo bis zum Kap von Pietra Salata. Eine wunderschöne Wohnung, in der es am Abend des Piedigrotta-Festes immer gerammelt voll war. Meine Großmutter machte dann ein Abendessen, also ein Abendessen, daß man dachte, es ist Heiligabend, und da kamen alle meine Onkels und Tanten und Vettern und Basen, und da gab es einen Tisch für die Großen und einen Tisch für die Kleinen. Unvorstellbar, was wir da am Piedigrotta-Abend im Haus meiner Großmutter für einen Lärm machten: erst fing es mit dem Konfetti an, aber am Schluß gab es immer eine Prügelei!«

»Luigino, du und dich prügeln, das kann ich mir gar nicht vorstellen!«

»Ja, warum denn nicht! Ich war doch auch einmal jung. Ich erinnere mich aber, daß zu einer bestimmten Uhrzeit die Kleinsten dann eben gerade, weil wir uns so maßlos ausgetobt hatten, todmüde in die Betten fielen, während wir Größeren mit den Erwachsenen auf das Feuerwerk warteten. Damit nicht alle draußen in der Kälte stehen mußten, hielt immer nur einer von uns Wache und schrie beim ersten Knall: ›Das Feuerwerk, das Feuerwerk!‹, und dann liefen alle hinaus auf die Terrasse. ›Bringt die Oma heraus‹, schrie mein Vater, und meine jüngeren Onkels trugen sie mitsamt dem Sessel hinaus und setzten sie an der Brüstung ab. ›Da sind sie, da sind sie!‹ schrie einer, und ›wie schön‹ sagten alle. Und ich erinnere mich noch an das eine Mal, als ich hinter allen anderen stand, und neben mir war eine meiner kleinen Kusinen, Annuccia. Annuccia war ein Jahr jünger als ich, und ich hatte mich schrecklich in sie verliebt. Ich schrieb Gedichte für sie, und bei Tisch ließen sie uns immer nebeneinander sitzen. Sie nannten uns das Brautpaar. Und ich erinnere mich, als wäre es heute, wie ich an jenem Abend, als das Feuerwerk war, mit meiner Hand nach der ihren faßte. Annuccia hatte ein ganz kaltes Händchen. Zuerst versuchte sie, es mir zu entziehen, aber dann drückte auch sie meine Hand. Mein Herz klopfte zum Zerspringen. Dann erinnere ich mich, daß ich mich umdrehte, um Annuccia anzusehen, aber ihr Gesichtchen war verängstigt, und sie blickte mich nicht an. Dieses Gesichtchen wurde gelb und rot, das lag ein wenig an ihrer Schüchternheit, ein wenig war es aber auch der Widerschein des Feuerwerks. Wer weiß, was aus Annuccia geworden ist.«

Gennarino der Kamikaze

»Wenn Sie zehn Minuten früher gekommen wären, hätte ich Sie mit Gennarino dem Kamikaze bekanntgemacht.«

»Mit Gennarino wie?«

»Gennarino dem Kamikaze«, wiederholt Salvatore. »Gennarino ist ein Freund von Saverio und mir und überhaupt ein wichtiger Mann in Neapel, den kennt jede Versicherung in Italien.«

»Und was macht denn dieser Gennarino?«

»Der läßt sich von Autos überfahren, damit ihm die Versicherungen Geld bezahlen müssen.«

»Sie haben ja schöne Freunde, Salvatore!«

»Langsam, langsam, so einfach läßt sich das nicht sagen«, erwidert Salvatore gekränkt. »Der Gennarino muß schließlich auch sein täglich Brot verdienen. Und Sie müssen zugeben, daß er ja auch jedesmal sein Leben aufs Spiel setzt: ich weiß nicht, wieviele Rippen er sich bei dieser Arbeit schon gebrochen hat.«

»Ich weiß nur eines, daß ich nämlich all euren Gennarinos zu verdanken habe, für mein Auto, das immer noch ein neapolitanisches Kennzeichen hat, den doppelten Versicherungstarif bezahlen zu müssen. Finden Sie das vielleicht gerecht?«

»Also dann muß ich Ihnen jetzt einmal Gennarinos Geschichte erzählen. Gennarino war anfangs, genau wie sein Vater, sein Großvater, sein Urgroßvater undsoweiter, Handschuhmacher gewesen. Aber dann hat sich die Mode geändert, und mit Ausnahme der Mörder, die keine Fingerabdrücke hinterlassen wollen, trug kein Mensch mehr Handschuhe. So war der arme Gennarino, der mit achtzehn geheiratet und ein paar Kinder in die

Welt gesetzt hatte, gezwungen, sein Auskommen auf andere Weise zu finden. Eine Weile spezialisierte er sich darauf, die Messinggitter zu stehlen, die es damals auf den Eisenbahnklos gab. Er stieg in den Zug, löste das Messinggitter aus dem Boden und warf es aufs freie Feld, wo er es sich hinterher in aller Ruhe holte. Aber wieder war die Mode gegen Gennarino. Die Eisenbahn baute ihre Klos um, und unser armer Gennarino mußte sich wieder einen anderen Beruf suchen. Also beschloß er, eine, sagen wir, moderne Karriere einzuschlagen und verlegte sich auf die Versicherungsbranche, die ihm dann auch, wie das Wort schon sagt, ein gewisses Auskommen gesichert hat.«

»Ja, wissen die Versicherungen denn nicht, daß die Unfälle simuliert sind?«

»Was heißt hier simuliert! Der läßt sich doch wirklich von den Autos anfahren!«

»Dabei könnte er doch leicht einmal umkommen!«

»Nein, nein, er ist ja ein Künstler! Gennarino hat ein unfehlbares Augenmaß: in Sekundenbruchteilen kann er die Geschwindigkeit des Fahrzeugs, das Reaktionsvermögen des Fahrers, den Autotyp und die finanziellen Verhältnisse des Eigentümers einschätzen. Wenn er sich nur ein winziges bißchen verrechnet, könnte es Gennarino ja passieren, daß er wirklich überfahren würde oder daß ihn vielleicht einer dieser Rowdys anführe, einer dieser ehrlosen Leute ohne soziales Bewußtsein, die die paar Lire sparen und nicht einmal versichert sind.«

»Und so wird der Ärmste manchmal tatsächlich verletzt?«

»Das läßt sich gar nicht vermeiden, da kriegt er schon mal eine Beule ab oder er fällt hin, schließlich ist Gennarino heute auch nicht mehr der Jüngste. Dafür hat er es aber auch geschafft, ein bißchen was beiseitezulegen. Stellen Sie sich mal vor, er hat mir neulich erzählt, daß die italienischen Versicherungen nur seinetwegen einen Kongreß veranstaltet haben, und es scheint, daß sie ihm eine monatliche Pauschalzahlung angeboten haben, wenn er dafür aufhört, sich von den Autos anfahren zu lassen – also praktisch eine Art Rente.«

»Das ist doch gut, dann braucht er sein Leben nicht mehr aufs Spiel zu setzen.«

»Heute ist Gennarino nicht mehr auf eine feste Anstellung angewiesen! Die hätten sie ihm mal früher anbieten sollen! Heute hat sich Gennarino Gottseidank einen Namen gemacht und ist jetzt groß im Geschäft.«

»Was heißt groß im Geschäft?«

»Naja, Gennarino ist heute nicht mehr nur auf seine eigenen Unfälle angewiesen. Nein, er kauft nämlich praktisch die Knochenbrüche der andern auf. Wenn einem in seinem Viertel etwas passiert ... was weiß ich, einer fällt die Treppe runter und bricht sich ein Bein, dann geht er eben nicht gleich ins Krankenhaus, sondern er ruft zuerst Gennarino, und der organisiert sofort einen vorgetäuschten Unfall mit irgendeinem Freund, der nicht vorbestraft ist, und dann bringt er den Verletzten ins Krankenhaus.«

»Wie finden Sie das?«

»Nun, Sie können sich doch vorstellen, daß das für den, der sich das Bein gebrochen hat, von großem Vorteil ist, denn abgesehen von einer angemessenen Beteiligung kriegt er von Gennarino gleich einen rechtlichen und medizinischen Beistand ersten Ranges: Gennarino ist nämlich eine Leuchte der Gerichtsmedizin, er braucht manchmal nur das Jammern des Patienten zu hören und weiß schon, welcher Art der Knochenbruch ist, wie lange der Krankenhausaufenthalt dauern und wie hoch die Entschädigungssumme sein wird. Gennarino könnten sie meiner Meinung nach ohne weiteres als Chefarzt im Unfallkrankenhaus von Capodimonte anstellen. Sie müßten ihm eigentlich einen Ehrendoktor geben.«

Das Verbrechertum

Ich hörte einen Gauner in der Kirche zu
Gott beten, er möge sich für ihn beim
heiligen Januarius einsetzen, damit er
ihn im Lotto gewinnen lasse.

A. Dumas

»›Junge Frau in Centocelle von vier Rowdys geschändet‹«, liest Saverio laut aus dem *Roma* vor. »Professor, was meinen die genau mit ›geschändet‹?«

»Sie meinen, daß sie sie aufs Kreuz gelegt haben.«

»Heißt das nun, daß ich meine Frau schände, wenn ich sozusagen intim mit ihr werde?«

»Aber nein, Saverio. Die vier Rowdys da, die haben doch Gewalt angewendet.«

»Also dann habe ich diesen Sommer eine Deutsche geschändet, die ohne Übertreibung bestimmt einen Meter neunzig groß war! Allerdings habe ich sie ganz alleine und am hellichten Tag hopp hopp hinter dem Busdepot der ATAN in Capodimonte geschändet. Die war nach Neapel gekommen, weil sie in Deutschland Lehrerin ist und das Museum von Capodimonte sehen wollte, und da hatte sie mich gefragt, wo denn der Eingang sei, und da habe ich so getan, als würde ich sie hinbegleiten, und wie ich so auf sie einrede, kriege ich sie herum. Professor, Sie müssen mir glauben: Nach der Schändung, nennen wir das einmal so, war die Deutsche so zufrieden, daß sie gleich ihr Ticket für den Rückflug zerreißen wollte, weil sie nämlich beschlossen hatte, ihr ganzes Leben in Neapel zu bleiben. Naja, sie war eben, wie man so sagt, wie vom Blitz getroffen worden. Da mußte ich ihr dann erklären, daß ich ja eigentlich schon eine Frau und Kinder habe, das hat sie dann auch eingesehen und gesagt: ›Maine libbe Saverio, ich zuriuc kommen da te‹, was auf Deutsch heißt: ›Mein lieber Saverio, du hast mich sehr befriedigt, und sobald ich kann, komme ich wieder nach Neapel, um noch einmal von dir geliebt zu werden.‹«

»Na gut, Saverio, das war ja nun keine Vergewaltigung«, sagt Salvatore. »Erstens einmal warst da nur du allein mit ihr, und dann hätte dir die Deutsche, wenn sie nicht einverstanden gewesen wäre, bestimmt viele so schallende Ohrfeigen gegeben, daß am Schluß der Vergewaltigte du gewesen wärst. In Centocelle war es anders, da waren vier gegen eine.«

»Diese verdammten Schweine!«

»Wir können leider nichts daran ändern«, meint der Professor. »Wir müssen uns damit abfinden, mit der Gewalt zu leben.«

»Meiner Meinung nach ist das System an allem schuld«, sagt Doktor Vittorio. »Das hat auch Moravia nach dem Zwischenfall im Circeo[1] klar und deutlich geschrieben. Eine Gesellschaft, in der die Gewalt des Mächtigen über die Schwachen als Norm gilt, kann nur Mörder hervorbringen!«

»Nun, wir haben die Gewalt ja geradezu heraufbeschworen«, sagt Bellavista. »Wir haben alle Ideale des neunzehnten Jahrhunderts, nämlich Glauben, Vaterlandsliebe, Familie über den Haufen geworfen, ohne sie aber durch andere Ideale zu ersetzen. Sagen wir doch die Wahrheit: die einzigen Idealisten, die es heute in Italien noch gibt, sind die gutgläubigen Kommunisten und die Fußballfans! Und es ist doch wohl ganz offensichtlich, daß ein Mensch nicht ohne Ideale leben kann. Er verfolgt doch als Individuum immer ein Ideal, wenn er Liebe oder Freiheit erstrebt, je nachdem, ob sein Glaube oder sein Drang nach Unabhängigkeit stärker ist. Fehlt ihm dagegen der Antrieb durch ein Ideal, fühlt sich der Mensch

---

1 Damals wurden zwei Mädchen von mehreren Männern vergewaltigt.

nur zwischen Haß und Macht hin- und hergerissen und kann
als Ersatzidee höchstens noch zwischen einem BMW und He-
roin wählen. Wenn ihr also Kinder habt und merkt, daß diese
Kinder nicht die Gnade des Glaubens, der Kunst oder des Ge-
nies mitbekommen haben, so sorgt schnell dafür, daß sie
Sport treiben, oder aber ihr schreibt sie schon von klein auf in
die kommunistische Partei ein, dann verhindert ihr vielleicht,
daß in eurer Familie ein künftiger Drogenabhängiger oder
Verbrecher heranwächst.«

»Gut und schön, Professore«, sagt Saverio, »aber haben wir
dann dafür unser Leben lang kommunistische Kinder?«

»Das glaube ich kaum, ein Leben lang nicht. Es gibt einen
alten Spruch: Wer mit zwanzig nicht Kommunist ist, hat kein
Herz, und wer es mit vierzig noch immer ist, hat keinen
Kopf.«

»Aber jetzt mal allen Ernstes, Professore, wie kann man
denn all diese Gewalttätigkeit bekämpfen?«

»Schwer zu sagen, wie sich Gewalt überhaupt entwickelt.
Jeder hat da wieder eine andere Theorie, und das Schönste ist,
daß wahrscheinlich alle recht haben. Da wird von einem natürlichen Gewaltinstinkt geredet oder von einem vorübergehenden Fehlen entsprechender Kriege, um diesen zu befriedigen. Es wird von unkontrollierter Genußsucht oder von einem plötzlichen Verfall des Glaubens gesprochen. Oder es
heißt, die Gesellschaft sei allzu permissiv oder das politische
Programm sei aufhetzend.«

»Meinen Sie die Faschisten, Professore?«

»Ja, aber wir sollten uns in diesem Zusammenhang an das
erinnern, was Pasolini einige Tage vor seiner Ermordung gesagt hat. Pasolini hat gesagt, daß es für uns alle sehr bequem
ist, die Ursache der Gewalt in äußeren Gründen zu suchen.
Uns zum Beispiel die Existenz einer faschistischen Gruppe
vorzustellen, die in unserem Keller ein Komplott schmiedet,
um uns zerstören zu können. Die traurige Wahrheit ist vielmehr die, daß die Gewalt schon in uns drinsitzt, uns vielleicht

nicht angeboren sein mag, vom System aber ganz sicher genährt wird.«

»Professor, aber war Pasolini, Friede seiner Asche, nicht vielleicht ein bißchen tuntig?«

»Er war sehr intelligent, und wie alle großen Antikonformisten tat und sagte er oft Dinge, die die andern störten. Die Leute achten ja meist mehr auf das, was eine Person tut, als auf das, was sie denkt. Dazu paßt ja auch der schöne Spruch: ›Wenn der Finger zum Mond deutet, sehen die Dummen nur den Finger.‹«

»Ja, aber...«

»Pasolini hat in dieser erleuchteten Phase, die manche kurz vor ihrem Tod erleben, als erster gespürt, daß die Ungeheuer ihre Köpfe hoben. Er versuchte, Alarm zu schlagen, aber keiner wollte auf ihn hören: ›Vorsicht!‹ schrie Pasolini. ›Macht das Fernsehen aus! Das Licht der Videos nährt die Ungeheuer! Es macht sie dick und fett!‹ Nichts. Die Psychologen redeten weiter über die angeborene Gutartigkeit der menschlichen Spezies und wollten nicht einsehen, daß der Teufel ebenso existiert. Die Ungeheuer aber hatten genau gemerkt, daß Pasolini Warnungen ausgesprochen hatte, und daher brachten sie ihn um.«

»Aber von welchen Ungeheuern reden Sie denn, Professor? Das war doch dieser Homo Pino, genannt der Frosch, der Pasolini umgebracht hat.«

»Ich rede von den Ungeheuern der Konsumgesellschaft! Denn eines ist doch wohl klar: wenn man einem armen Schlucker, der weder Kultur noch moralische Prinzipien besitzt, jeden Tag im Fernsehen das glückliche Bild einer Konsumgesellschaft vorgaukelt, kann er sich dann noch mit einem drittklassigen Leben zufrieden geben, nur weil er auf der falschen Seite geboren und aufgewachsen ist?«

»Ja, Professore, meinen Sie denn nun damit, daß sich jeder einfach nehmen soll, was er will?« fragt Saverio. »Das wäre doch die reine Anarchie! Es ist nun eben einmal so, daß die einen reich und die andern arm geboren werden, aber daran gewöhnt man sich auch und achtet dann nicht mehr so darauf.«

»Mein lieber Saverio, du achtest vielleicht nicht so sehr darauf, weil du wahrscheinlich viel neapolitanischer bist als du selber weißt. Aber wenn die Konsumgesellschaft den durchschnittlichen Lebensstandard ständig erhöht, wenn deine Seele für geistige Genüsse unempfänglich ist, wenn du dich also mit anderen Worten der Beeinflussung durch die Werbung nicht entziehen kannst, was machst du dann? Dann nimmst du eine Maschinenpistole und schießt auf den Erstbesten, der dir in einer dunklen Gasse entgegenkommt.«

»Ich und schießen! Und wo soll ich überhaupt eine Maschinenpistole herkriegen?«

»Ich bin durchaus deiner Meinung, Gennaro, daß das Verbrechertum im wesentlichen ein Produkt der Konsumgesellschaft ist«, sagt Doktor Palluotto. »Aber du wirst vielleicht auch bemerkt haben, daß der Verbrecher in fast allen Fällen schon als Außenseiter geboren wird. Ich will damit sagen, daß einer, der heute in Italien eine Anstellung, einen Arbeitsplatz hat, sich im allgemeinen mit seinem Lebensniveau abgefunden hat und nicht herumläuft und Leute umbringt. Aber wenn du als Staat da nun eine Stadt wie Neapel hast mit verdammt nochmal anderthalb Millionen Einwohnern und weißt, daß es da zweihunderttausend Arbeitslose gibt, und du tust nichts! Du schaffst nicht die Voraussetzungen für eine wirkliche Industrialisierung! Dann hast du, lieber Staat, dieses Verbrechertum selbst geschaffen. Da geht es nicht mehr um Schwarz und Weiß, um Gut und Böse, da geht es nicht darum, daß es an Idealen fehlt, sondern es ist ganz schlicht ein Phänomen einer Fehlprogrammierung des gemeinschaftlichen Lebens.«

»Langsam, langsam mit diesem Wort Industrialisierung«, sagt der Professor. »Neapel ist von Lauro, von Gava und von diesem Hirngespinst Industrialisierung kaputtgemacht worden. Lauro hat hier regiert wie der letzte Bourbone, unter Gava sehnte man sich dann fast noch nach Lauro zurück, aber keiner von beiden hat so viel Schlimmes in Neapel angerichtet wie die, die geglaubt haben, das Problem Neapels durch Industrialisierung zu lösen. Jetzt stellt euch Neapel doch nur ein einziges Mal ohne Fabrikschlote vor, ein Neapel, das in der Ebene von Bagnoli statt Italsider eine ganze Reihe Hotels, Villen, Ferienwohnungen und Kuranlagen hätte! Positano, Amalfi, Ischia, Capri, Procida, Baia, der Averno-See, Pompeji, Herkulaneum, Vietri, Cuma, der Faito, der Vesuv, Inseln, Riffe, Berge, Vulkane, Seen. Der Treffpunkt des internationalen Tourismus! Das Las Vegas Europas! Das Paradies auf Erden! Denkt doch nur einmal an das Castello dell'Ovo, diese wunderschöne mittelalterliche Burg, in der es riesige Säle, winzige Gassen im Innern und eindrucksvolle Werkstätten gibt. Stellt euch nur einmal einen Augenblick lang vor, welch eine Einnahmequelle dieses Kastell mitten im Meer für Neapel hätte werden können, wenn man es als Kongreßzentrum mit entsprechenden Einrichtungen für Simultanübersetzung eingerichtet hätte, mit Hotels und Restaurants am Meeresufer in unmittelbarer Nähe! Also jetzt überlegt doch selber einmal, ob ihr die Neapolitaner eher als Metallarbeiter seht oder eher als Leute, die für den Fremdenverkehr arbeiten. Was hätte man denn gebraucht, um ein großes internationales Zentrum zu schaffen? Eine Handreichung des lieben Gottes, was die Naturschönheit betrifft, und ein fähiges Fremdenverkehrsbüro. Ja, und der liebe Gott hat seine Schuldigkeit wirklich getan! Was man vom Verkehrsbüro bestimmt nicht behaupten kann!«

»Und wieviel Leute hätten durch die Touristen Arbeit gefunden?«

»Praktisch alle, anderthalb Millionen Menschen: als Hoteliers, Händler, Seeleute, als alles. Neapel besaß alle wichtigen Voraussetzungen: Himmel, Meer, Klima, wunderbare Inseln, Thermalquellen, freundliche Menschen und archäologische Stätten. Die Milliarden wären in starker Währung hier hereingeflossen, und man hätte keine Fabriken zu bauen brauchen, die von vornherein zur Pleite verurteilt waren, wie etwa ALFA SUD.«

»Gut, aber was hat dies alles mit dem Verbrechertum zu tun?«

»Es hat sehr wohl etwas damit zu tun, denn es mag ja sein, daß einige schon als Verbrecher auf die Welt kommen, die meisten werden aber doch durch die Not dazu. Und was in der romantischen Phase noch kleine Gaunereien und einfallsreicher Schwindel war, hat sich in der Konsumgesellschaft zum organisierten Verbrechen entwickelt. Dieses hat heute so dreiste Formen angenommen, daß man sich manchmal fragt, ob das wahre Ziel des Räubers eigentlich noch die Beute ist oder einfach die Gewalt.«

»Dennoch gibt es in Neapel auch heute noch einige sympathische Erscheinungsformen des Verbrechertums«, wirft Salvatore ein. »Zum Beispiel habe ich vor einer Woche gelesen, daß fünf Kilometer Kupferdraht der Eisenbahnlinie nach Cuma gestohlen worden sind: der Zug mußte auf offener Strecke halten.«

»Und ich habe gelesen«, ergänzt Saverio, »daß die üblichen Unbekannten zwei neue Motoren aus dem Abwasserkanal der Via Caracciolo gestohlen haben, mit denen die Jauche herausgepumpt und nach Cuma gebracht werden sollte. Was meinen Sie, Professor, was die Diebe jetzt mit diesen zwei Motoren machen werden?«

»Hoffen wir, daß sie sie zum halben Preis an die Gemeindeverwaltung loswerden. Aber um jetzt noch einmal auf unser Gespräch über das Verbrechertum zurückzukommen, müssen wir in erster Linie eine grundsätzliche Einteilung der verschiedenen Verbrechen vornehmen und klar zwischen dem ehrenhaften Diebstahl, dem unehrenhaften Diebstahl und dem Gewaltverbrechen unterscheiden. Und dann verlangen, daß der Staat verschiedene Gefängnisse und unterschiedliche Strafen für jede Kategorie dieser Straftaten vorsieht.«

»Ehrenhafter Diebstahl?«

»Ganz richtig. Der ehrenhafte Diebstahl ist derjenige, den einer aus sozialer Not begeht und der gleichzeitig bestimmte ökonomische Mißverhältnisse ein wenig ausgleicht.«

»Das verstehe ich nicht, Professore.«

»Saverio«, antwortet Salvatore, »der Professor meint, daß du vorerst, solange es noch keinen Kommunismus gibt und wir dann alle gleich viel verdienen, das Recht hast, den Leuten ein paar tausend Lire aus der Tasche zu ziehen, um den heute bestehenden Einkommensunterschied zwischen dir und dem von dir Beraubten zu verringern.«

»Ehrlich gesagt, wollte ich es etwas anders ausdrücken. Jedenfalls hat Salvatore nur eines der philosophischen Ziele des ehrenhaften Diebstahls hervorgehoben. Sagen wir so, der Diebstahl ist ein Spiel, bei dem es um einen Wettkampf geht, und wie alle Spiele verläuft es nach bestimmten Regeln. Wenn der Dieb nun diese Spielregeln eingehalten hat, darf sich der Bestohlene nicht beklagen, und die Straftat kann als ›ehrenhafter Diebstahl‹ bezeichnet werden.«

»Und welches wären denn diese Spielregeln?«

»Erstens: es darf nur das gestohlen werden, was zum eigenen Überleben und zum Überleben der Familie nötig ist.«

»Also darf einer, der eine große Familie hat, mehr stehlen?«

»Epikureisch gesehen ja, solange es sich um das Notwendige handelt. Zweitens: man muß den andern das Überflüssige stehlen, allerdings nur, wenn diese anderen gezeigt haben, daß sie dieses nicht verdienen.«

»Was meinen Sie damit?«

»Also wenn zum Beispiel ein Ausländer nach Neapel kommt und auf seinem Autositz einen schönen Fotoapparat unbewacht liegen läßt. Wer ist da der Schuldigere? Der neapolitanische Dieb oder der ausländische Provokateur?«

»Ich würde den Ausländer wegen Verleitung zum Diebstahl verhaften«, sagt Salvatore. »Stimmt es denn, Professor, daß ein Diebstahl dann ehrenhafter wird, wenn man einen Amerikaner bestiehlt?«

»Genau, nur, wenn es sich um einen Amerikaner oder einen Schweizer handelt.«

»Warum denn das?«

»Weil in dem Fall die kleinen Diebstähle hier ein gewisser Ausgleich für die großen Devisenschiebereien auf internationaler Ebene wären, die die Bankkolosse gemacht haben.«

»Und was gibt es dann noch für Spielregeln?«

»Der Dieb muß irgendwie Klasse beweisen.«

»Wie denn?«

»Klasse beweist er dann, wenn er seine Phantasie so gebraucht, daß der Diebstahl ein Virtuosenstück wird. Wie immer kann ich das am besten mit Beispielen erklären: ›Junger Gauner besteigt als Schaffner verkleidet Bus an der Endhaltestelle und verkauft allen wartenden Fahrgästen Fahrscheine. Einnahme 800 Lire.‹ Oder: ›Halbwüchsiger Aushilfskellner mit einem Tablett voller Kaffeetassen läßt sich von einem unaufmerksamen reichen Passanten anrempeln und löst durch Weinen eine Geldsammelaktion zu seinen Gunsten aus. Er wiederholt dieses Spiel im Verlauf des Tages noch mehrmals, bis die Scherben dieser Tassen endgültig Bruch sind.‹ Und: ›Mutige, als Carabinieri verkleidete Gauner verhaften reichen Hehler. Nachdem sie ihm den Schmuck abgenommen haben, stellen die Gauner ein detailliertes Verzeichnis in zwei Ausführungen auf und liefern den Hehler in das Untersuchungsgefängnis von Poggioreale ein. Der Pechvogel mußte zwei Monate im Gefängnis auf sein Urteil warten.‹ Wie ihr seht, geht es beim ehrenwerten Diebstahl gar nicht um die Höhe der Beute: er ist ein Ausdruck der künstlerischen, der schauspielerischen Erfindungsgabe!«

»Professore, die beiden ersten Beispiele, die Sie uns erzählt haben, sind nicht gerade große Kunststücke«, sagt Salvatore. »Da geht es einfach um zwei arme Schlucker, die morgens auf die Wanderschaft gehen und zusehen müssen, wie sie ihre tausend Lire zusammenkriegen. Ich kenne einen, der jeden Morgen einem anderen Handwerk nachgeht: einmal geht er als Jetonsammler, das heißt, er geht auf den Bahnhof und sieht in allen öffentlichen Telefonapparaten nach, ob vielleicht jemand vergessen hat, ungebrauchte Telefonmarken herauszunehmen, er sagt, daß er an so einem Vormittag bis zu zwanzig, fünfundzwanzig Jetons findet. Ein andermal geht er als Krümelsammler, das heißt, er läßt sich von den Bäckern die Kuchenkrümel schenken, die füllt er dann in Pappbecherchen und verkauft sie vor den Grundschulen! Oder er springt schnell in die Züge, sobald diese am Bahnhof einlaufen, und sammelt von allen Sitzen die liegengebliebenen Zeitungen und Zeitschriften ein, und die verkauft er dann vor dem Bahnhof zum halben Preis. Er muß eben sehen, wie er zurechtkommt. Schade, als er jung war, sah es aus, als hätte er eine Karriere als großer Erfinder vor sich. Er hat nämlich das EROS-Öfchen erfunden, das heißt eine Art tragbares Kohlebecken, das aber mit Petroleum funktionierte, an dem sich die Huren auf der Straße hätten wärmen können. Abnehmer hätte es dafür bestimmt gegeben, aber es fand sich kein Geldgeber. Um den Artikel auf den Markt zu bringen, hätte man mindestens in die Abendwerbung im Fernsehen gehen müssen!«

»Es ist doch jedesmal das gleiche in diesem Haus; man fängt ein ernsthaftes Gespräch an und dann artet wieder alles zur Farce aus«, sagt Doktor Palluotto. »Und ich möchte wirklich nicht, daß unser Ingenieur mit dem Eindruck nach Rom zurückfährt, Neapel sei als einzige Stadt Italiens nicht von der Welle der Gewalt erfaßt worden. Sie dürfen sicher sein, daß wir in dieser Hinsicht Mailand in nichts nachstehen. Die bedeutendste Industrie in dieser Stadt ist der Schmuggel, da werden Zahlen von vierzigtausend Angestellten genannt, und das ist noch nicht das Schlimmste. 1975 scheinen wir auch den Großen Preis im Straßenraub gewonnen zu haben. Und in der Autoindustrie können wir es ohne weiteres mit Turin aufnehmen. Dort baut FIAT seine Autos, aber wir hier, wir organisieren den internationalen Salon für gestohlene Autos und Ersatzteile. Wenn wir jetzt noch die Fälle von Menschenraub, bewaffnetem Überfall und unaufgeklärtem Mord sowie die bewaffneten proletarischen Banden hinzunehmen, ist das Bild vollständig. Wenn Sie mir nicht glauben wollen, brauchen Sie sich nur jeden Tag den *Mattino* zu kaufen und ein wenig die Berichte zu lesen.«

»Also ich bin ehrlich gestanden nicht sehr glücklich über die Nachrichten, die man durch Zeitungslektüre erfährt«, sagt Luigino. »Weil nämlich das allgemeine Bild, das Doktor Palluotto da gerade nachgezeichnet hat, so auch wieder nicht stimmt. Wenn einer die Zeitung liest, muß er ja zu dem Schluß kommen, daß die menschliche Rasse etwas Grauenvolles ist: Väter, die ihre Söhne umbringen, Söhne, die ihre Väter umbringen! Kinderraub! Dabei ist es doch in Wirklichkeit gar nicht so: die Leute sind im Durchschnitt besser! Nur reden die Zeitungen nie über die guten Leute, weil es über die nicht viel zu berichten gibt. Na ja, denn es gibt doch Tausende, was sage ich, Millionen von guten Leuten. Überlegt doch mal, wie schön das wäre, wenn in der Zeitung einmal Nachrichten wie diese ständen: ›Der Buchhalter Esposito hat eine Gehaltserhöhung von zweiundzwanzigtausend Lire bekommen, daraufhin ging er mit seiner Gattin ins Kino Delle Palme, um die Erstaufführung des Films *Sussurri e grida* zu sehen.‹ Sportseite: ›Cavaliere Cacace hat Brigadiere Dacunto beim Skat in zehn Partien geschlagen. Brigadiere Dacunto meint, Cavaliere Cacace habe zu großes Glück gehabt, um sich Gedanken machen zu müssen.‹ ›Fräulein Angela Calcagni wurde von der Alitalia in Rom als Stewardess eingestellt. Fräulein Angela erhielt von ihrer Mutter eine Anstecknadel in Herzform ganz mit Brillantsplittern besetzt und mit einem Bild des heiligen Antonio zum Geschenk, die sie sich an die Uniform stecken wird.‹ ›Gestern hat Pasquale Tuccillo seine Tochter von der

Schule abgeholt. Als das kleine Mädchen seinen Vater vor der Schule stehen sah, rief es gleich „Papa" und lief ihm entgegen.‹«

XXVI

Das Rätsel

Es war zwei Uhr nachmittags, die Sonne schien, und ich saß mit Pasquale Amoroso und seiner Frau in einer kleinen Dorfschenke in der Nähe von Terzigno.

Die Provinzialstraße, auf der wir gerade bis hierher gefahren waren, führt an den Ortschaften S. Anastasia, Somma, Ottaviano, S. Giuseppe Vesuviano und Terzigno vorbei um die Rückseite des Vesuvs herum, bis sie auf der Höhe von Torre Annunziata wieder auf die Autostrada del Sole stößt. Während der ganzen Fahrt hatte Amoroso wegen seiner maßlosen Leidenschaft für das Lottospiel immer wieder mit seiner Frau gestritten, die diese Leidenschaft offensichtlich nicht teilte. Eine Zeitlang hatte ich versucht, Frieden zu stiften, wurde aber dann ganz vom Anblick dieser Kehrseite des Vesuvs, des erloschenen Vulkans, gefangengenommen, der so von hinten betrachtet ganz fremd auf mich wirkte.

Mit ihren Papierservietten, Marmortischen und den Küken, die zwischen unseren Füßen herumliefen, entsprach diese Schenke ganz den Vorstellungen, die ich von einer Trattoria in einem armen Dorf im Landesinnern hatte. Wir entschieden uns für Spaghetti mit Öl und Knoblauch und stillten unseren schlimmsten Hunger zunächst einmal mit Schwarzbrot, Butter, Sardinen und Salami aus Boscotrecase, das Ganze begossen wir mit einem Gragnano, der so kühl und herb wie eine frisch ausgepreßte dunkle Weintraube schmeckte.

Diesen Ausflug mit dem Ehepaar Amoroso verdankte ich einzig und allein einem meiner Kunden, der mein Interesse für Neapel und gewisse neapolitanische Traditionen kannte und zu mir gesagt hatte: »Wenn Sie alles über das Lotteriespiel und die *Erleuchteten* erfahren wollen, müssen Sie mit einem unserer Amtsdiener reden, Amoroso heißt er. Wenn Sie Glück haben, nimmt er Sie sogar nach Croce del Carmine mit, damit Sie mit dem *Santone* sprechen können.«

Bei einer ersten Begegnung in Neapel erklärte mir Amoroso, daß dieser *Santone* kein *Erleuchteter* wie die anderen sei, weil er nämlich im Unterschied zu den traditionellen *Erleuchteten* nicht einfach unverschlüsselt die Zahlen sagte, sondern sich durch Geschichten mitteilte, die *Rätsel* genannt werden. Um es genau zu sagen, erzählte mir Amoroso folgendes: »Sie müssen wissen, dieser *Santone* kann die Zahlen nicht unverschlüsselt sagen, und das aus zwei Gründen: erstens, weil sie es ihm verboten haben . . .«

»Verboten, wer hat es ihm denn verboten?«

»Die von oben! Sie haben es ihm von oben verboten!« antwortete Amoroso und deutete gen Himmel. »So sind sie eben, die da oben: wenn der *Erleuchtete* übertreibt und zu viele Zahlen sagt, können die da oben sich von einem Augenblick zum anderen zurückziehen und keinen Beistand mehr leisten. Ich weiß nicht, ob Sie verstehen, was ich meine.«

»Doch, doch. Und was ist der andere Grund?«

»Weil auch die Regierung schon Verdacht geschöpft hatte. Das Finanzamt hat den *Santone* zweimal vorgeladen, als damals die 18 als dritte Zahl ausgelost wurde und er halb Neapel veranlaßt hatte, auf die 18 zu setzen. Damals sagte der *Santone* die Zahlen nämlich noch unverschlüsselt, und so hatte er einmal in einer Weinschenke gesagt: ›Diesen Samstag kommt als dritte Zahl die 17, und nächste Woche kommt an der gleichen Stelle die 18.‹ Nachdem nun wirklich die 17 als dritte Zahl ausgelost worden war, können Sie sich vorstellen, daß in der darauffolgenden Woche die ganze Bevölkerung auf 18 setzte. Damals verpfändeten die Leute alles, was sich verpfänden ließ, um das nötige Geld zusammenzubekommen: Gold, Silber und Hausrat. Als dann der Tag der Ziehung kam, die, wie Sie wissen, in S. Biagio dei Librai stattfindet, hörte man gleich, nachdem die beiden ersten Zahlen gezogen worden waren und der zuständige Beamte den Korb mit den übrigen Zahlen herumdrehte, eine Stimme aus der Menge, die schrie: ›Egal, wie du den Korb drehst und wendest, als dritte Zahl kommt auf jeden Fall die 18.‹ Und tatsächlich wurde dann die 18 gezogen. Da hat die Regierung, die damals einen Riesenhaufen Geld auszahlen mußte, das Finanzamt und die Carabinieri losgelassen, um herauszubekommen, wie dieser Mann aus der Menge hatte wissen können, daß die 18 gezogen würde. Und wie die so immer weiter ermittelten, gelangten sie schließlich an den *Santone,* und der wollte deshalb von jenem Tag an keine unverschlüsselten Zahlen mehr sagen. Er zog sich zurück und fing an, in *Rätseln* zu sprechen.«

»Aber was sind das denn für *Rätsel?*«

»Die *Rätsel* sind ganz einfach kleine Geschichten, die einer, wenn er dazu fähig ist, sich selber deutet oder, wenn er das nicht kann, geht er zu einem, der sich von Berufs wegen aufs Deuten verlegt hat. Ich kenne einen oben in Villanova, der diesen Beruf jetzt schon jahrelang ausübt, der ist wirklich sehr gut und irrt sich praktisch nie.«

»Warum erzählen Sie mir nicht so ein paar dieser *Rätsel,* die der *Santone* Ihnen aufgegeben hat?«

»Kann ich machen. Ich fange mit einem ganz einfachen an, damit Sie besser verstehen. Haben Sie einen Stift? Gut! Also schreiben Sie auf, was ich Ihnen sage: Nun: Salvatore ist gleich 6, schreiben Sie 6, und Gennaro ist gleich 19, schreiben Sie 19. Und jetzt ruft Gennaro Salvatore, rufen ist gleich 52, schreiben Sie 52. Gennaro sagt: ›Salvatore, komm her.‹ Was bedeutet das?«

»Was bedeutet das?«

»Bedeutet, daß die Endziffer der 9, Gennaro, die Quersumme der 6, Salvatore, neben sich haben will. Gut, also dann frage ich Sie jetzt: welches sind die Zahlen, die die Quersumme der 6 haben?«

»Welches sind sie?«

»Die 6, die 15, die 24, die 33 . . .«

»42, 51 . . .«

»Sehr gut! Sie haben sofort kapiert. Jetzt müssen wir aber unter diesen Zahlen diejenige herausfinden, die außer der Quersumme der 6 auch auf die Ziffer 9 endet. Welches ist die?«

»Welches ist die?«

»Die 69.«

»Und warum?«

»Weil 6 + 9 15 ist und 15 die Quersumme 6 hat, da ja 1 + 5 = 6 ist. Aber jetzt zu unserem Fall: da also Gennaro, der gleich 19 ist, Salvatore, dessen Quersumme 6 ist, neben sich haben will, können wir zwei Dinge machen: entweder wir spielen 25 und 77, oder wir spielen 69 und 77.«

»Also eines verstehe ich nicht: was sollen jetzt plötzlich die 25 und die 77?«

»Also passen Sie auf: Wenn sich Gennaro und Salvatore sozusagen vereint haben, dann ist doch klar, daß man 25 spielen muß, da ja 6 und 19 = 25 sind. Wenn ich jetzt zum Beispiel zu Ihnen sagen würde: ›Rosa hat sich bei Giovanni eingehängt‹, was würden Sie dann spielen?«

»?«

»Sie würden 54 spielen, weil Rosa gleich 30 ist und Giovanni gleich 24, und 30 + 24 gibt 54! Wenn aber Gennaro und Salvatore einfach nur nebeneinanderstehen, ohne sich vereint zu haben, dann müssen wir die Quersummen und Zahlenendungen bedenken, wie ich das vorhin gesagt habe, und 69 spielen.«

»Aber die 77, wo kommt jetzt die 77 her?«

»Jesus Maria, das ist doch einfach: rufen ist gleich 52, Gennaro gleich 6 und Salvatore gleich 19; und die Summe der Rätselzahlen ergibt dann 77: 52 + 6 + 19.«

»Aha.«

»Es ist eben so, daß einem kein Wort von dem entgehen darf, was der *Santone* sagt, sonst verliert man nur Zeit und Geduld. Einmal hat er mir dieses *Rätsel* aufgegeben: Antonio sieht Pasquale, der eine Treppe herunterkommt, aber sobald Pasquale unten angekommen ist, dreht sich Antonio um und wirft sich Giuseppe an den Hals. Ich spielte damals die 8 . . .«

»Wieso die 8?«

»Weil Pasquale gleich 17 ist, also die Quersumme 8 hat, und da Pasquale die Treppe ganz bis auf den Boden heruntergekommen war, spielte ich die kleinste Zahl mit der Quersumme 8, die es gibt, nämlich die Zahl 8 selber.«

»Aha, verstehe.«

»Und dann spielte ich 32, weil ich dachte, Antonio ist gleich 13, und da sich Antonio dem Giuseppe an den Hals geworfen hatte, ergab also 13 + 19 = 32. Das *Rätsel* war doch klar, und so setzte ich auch gleich eine ganz nette Summe ein: 8 und 32, zehntausend Lire, ein satter Doppeltreffer im Lotteriespiel von Neapel. Wenn meine Zahlen gezogen würden, striche ich glatt zweieinhalb Millionen Lire ein. Also, es kommt zur Ziehung, und was wird gezogen?«

»Was wird gezogen?«

»Die 8 und die 50! Wissen Sie, der Antonio, der hatte sich doch umgedreht! Aus 13 war 31 geworden. Als Antonio sich Giuseppe an den Hals warf, da hatte der sich eben schon umgedreht, daher hatten 31 und 19 eben 50 ergeben und nicht 32!«

»Das ist ja wirklich das Letzte! Da darf man sich also nicht das kleinste Wort entgehen lassen.«

»Nicht das kleinste Wort, gewiß, kein einziges!«

»Aber es gibt ja wohl außer dem *Santone* auch noch andere *Erleuchtete?*«

»Ja sicher, in ganz Neapel gibt es bestimmt zweiundsiebzig *Erleuchtete.*«

»Zweiundsiebzig?«

»Jaja. Nur ist es heute im Unterschied zu früher, wo sich alle diese *Erleuchteten* untereinander kannten und man also auch wußte, wer sie sind, eben oft so, daß ein *Erleuchteter* vielleicht Rechtsanwalt oder Arzt, also eine bedeutende Persönlichkeit geworden ist, es also gar nicht mehr nötig hat, und seinen Beruf daher gar nicht mehr offen ausübt. Ich weiß nicht, ob Sie verstehen,

was ich meine. Früher haben wir in Neapel jedenfalls ganz, ganz
große *Erleuchtete* gehabt: den berühmten *Cagli Cagli, Buttiglione,
'o Servitore, 'o Monaco sapunaro, 'o Monaco 'e S. Marco*... es
gab eine Menge. Den *Cagli Cagli* haben sie einmal mit dem Kopf
nach unten an den Füßen aufgehängt, damit er die Zahlen aus-
spuckte. Aber er hat nicht geredet. Er hat nur gesagt: ›Und wenn ihr
mich umbringt, die Zahlen sage ich euch nicht.‹ Die konnten furchtbar stur sein und machten, was sie wollten. Zum Beispiel erzähle ich
Ihnen jetzt einmal eine merkwürdige Geschichte«, und bei diesen
Worten stand Amoroso auf und setzte sich neben mich, um mir eine
Geschichte zu erzählen, die offensichtlich nicht für die Ohren seiner
Frau bestimmt war. »Wenn die Frauen zu *'o Monaco sapunaro*
gingen, um sich von dem die Zahlen sagen zu lassen, wissen Sie,
wo dieses Riesenferkel die ihnen hinschrieb? Er schrieb sie ihnen
winzigklein mit einem blauen Stift in ihre intimsten und versteckte-
sten Körperteile, ich weiß nicht, ob Sie mich verstehen, so daß die
Ärmsten sie selber gar nicht lesen konnten, nicht einmal, wenn sie
einen Spiegel zu Hilfe nahmen.«

　　»Und was haben sie dann gemacht, um auf diese Zahlen setzen
zu können?«

　　»Nun, sie mußten notgedrungen jemanden ins Vertrauen ziehen, der sie ihnen vorlas. Aber auf diese Weise kam natürlich auch
heraus, daß sie das Ding gemacht hatten, ich meine die Sauerei.«

　　»Das war *'o Monaco sapunaro?*«

　　»Richtig. Und dann gab es da auch *'o Monaco 'e S. Marco,* dem
wurde einmal, wie immer von oben, der Befehl erteilt, einem, der
sein schlimmster Feind war, einen Doppeltreffer zu sagen. Das war
fast so wie ein Demutsgelübde, das er auf diese Weise ablegen
mußte. Und was hat dieser Erzgauner getan? Also der Doppeltreffer, den er hätte sagen sollen, war nämlich 3 und 59. Da nimmt der
einen Topf mit kochendem Wasser und gießt ihn über dem Schenkel dieses Ärmsten aus. Verstehen Sie, das war so, als hätte er dem
gesagt: ›Spiel 3 und 59, 3 ist das kochende Wasser und 59 der
Schenkel.‹«

　　»Schrecklich.«

»Ja, aber so einfach geht es auch nicht. Nachts werden nämlich auch die *Erleuchteten* jämmerlich verprügelt!«

»Verprügelt? Ja, wer verprügelt sie denn?«

»Übernatürliche Kräfte. Sie haben doch wohl nicht geglaubt,
daß man nur von Lebendigen verprügelt werden kann. Mein Deuter, der Antonio, das ist der, der oben in Villanova wohnt, der war
nämlich mal Sekretär eines großen *Erleuchteten,* der inzwischen
gestorben ist, Gott hab ihn selig, und der hat mir also erzählt, daß
die *Erleuchteten* nachts jämmerlich verprügelt werden: Faust-
hiebe, Ohrfeigen... Fußtritte ins Gesicht. Verstehen Sie, auch die
haben ihr Kreuz zu tragen.«

»Signora, glauben Sie denn auch daran?«

»Ich glaube kein Wort«, erwidert die Signora. »Damit will ich
jetzt nicht unbedingt sagen, daß mein Mann ein Lügner ist. Ich
meine nur, daß ich einfach nicht begreifen kann, wie erwachsene
Männer... Oberste der Luftwaffe, Ingenieure... Ich meine jetzt
nicht Sie... wie also auch gebildete Leute mit grauen Schläfen all
diesen Mist glauben können! Ja, ich weiß, selbst in den besten
Adelsfamilien gibt es Schwachsinnige, aber ich sage immer zu
meinem Mann: Du solltest Gott dafür danken, daß du eine an-
ständige Arbeit hast, wie kannst du dich nur mit so einem Trottel in
Terzigno einlassen, der all diesen Schwachsinn erzählt? ›Gennaro betritt die Kirche... Aitano ruft Gennaro...‹ Und wie die
manchmal fluchen! Ich sage immer: jetzt verspielst du schon seit
zehn Jahren dein ganzes Geld, wann begreifst du endlich, daß
das alles Schwindel ist! Daß die...«

»Hören Sie nicht auf sie! Sei ruhig, du bist eine Frau und kannst
bestimmte Sachen nicht verstehen! Außerdem stimmt es nicht,
daß ich nie gewonnen habe: ich habe mehrere Doppeltreffer und
mehrere Richtige gehabt!«

»Riesengewinne, ja! ja!«

»Und was meine Frau vor allem nicht begreifen will, ist, daß
man ja auch spielt, weil man eine Hoffnung haben will, wenigstens eine, daß man nicht so stirbt, wie man geboren ist: als verzweifelter armer Schlucker! Himmel Herrgott Sakra...«

»Gelobt sei Jesus Christus! Hör bloß auf zu fluchen, der liebe Gott wird dich strafen! Ein verzweifelter armer Schlucker! Wir sind zwar nicht reich, das stimmt schon, aber wir haben doch alles, was wir brauchen, und es ginge uns auch noch erheblich besser, wenn mein Gatte hier nicht Woche für Woche zehn- bis zwölftausend Lire verspielen würde! Wissen Sie, was mein Vater immer sagt? Der sagt: ›Ich habe fünf Millionen im Lotto gewonnen, ich habe all das Geld gewonnen, das ich nicht verspielt habe!‹«

»Saudummes Geschwätz!«

»Weil du vielleicht so gescheit bist, wenn du dich von dem *Santone* hereinlegen läßt!«

»Lieber Gott, ich habe schließlich meine Beweise. Einmal, da war gerade Schnee in Neapel, da wollte ich unbedingt zum *Santone* nach Croce del Carmine. Damals hatte ich noch kein Auto und fuhr also mit der Vespa. Also glauben Sie mir, als ich dort ankam, war ich ein einziger Eiszapfen, und der *Santone* mußte mich erst einmal auftauen, um zu sehen, wer ich war. Jedenfalls, um es kurz zu machen, der *Santone* bekam dann Mitleid mit mir und sagte: ›Pasquale, ich will dir ein Geschenk machen, spiel die 24 als erste Zahl.‹«

»Und haben Sie die gespielt?«

»Jawohl.«

»Und wurde sie gezogen?«

»Nein, aber es wurde die 3 und die 17 gezogen: 3 für das Geschenk und 17 für Pasquale.«

»Glauben Sie ihm kein Wort, der hat immer verloren.«

»Sei du ruhig! Und ein anderes Mal sagte er zu mir: ›Der Zigeuner wirft sich der Zigeunerin an den Hals‹, der Zigeuner ist gleich 15, die Zigeunerin 64, ich spielte also 79 als erste Zahl, und die wurde nicht gezogen. In der Woche darauf: ›Gaetano betritt das Haus‹, die Quersumme 7 bekommt 9 als Endung, es war klar, daß ich weiter hätte 79 spielen sollen, aber meine Frau wollte unbedingt einen Ausflug nach Ischia machen, und so war sie schuld daran, daß ich nicht spielen konnte, wobei dann noch hinzukommt, daß ich nicht wußte, daß die Lotterieannahmestellen auf den Inseln samstags früh zu sind, und wie ich dann um fünf das Radio anmache, wird da tatsächlich die 79 gezogen.«

Während wir uns so unterhielten und immer über Zahlen, Quersummen und Zahlenendungen redeten, kamen wir schließlich in Croce del Carmine an. Es war eigentlich kein Dorf, sondern nur eine Straße mit einem Dutzend Häusern, einer Kirche und einer Bar, die gleichzeitig als Weinausschank und als Supermarkt diente. »Haben Sie Don Gaetano gesehen?« fragte Amoroso. »Gerade eben war er noch auf dem Platz«, hieß die Antwort. Ich konnte aber nicht herausbekommen, wo nun eigentlich dieser Platz sein sollte, denn kaum hatten wir die Bar verlassen, stand uns Don Gaetano auch schon gegenüber.

Er war ein Mann mittleren Alters, den Fünfzig näher als den Vierzig, mit gebräunter, fast dunkelbrauner Haut, unrasiertem Gesicht mit einzelnen langen grauen Barthaaren. Er hatte eine Narbe am Kinn. Angeblich hatte er als junger Mann in Amerika gelebt. Er trug einen schon abgewetzten schwarzen Anzug, unter dem er statt eines Hemdes eines dieser milchkaffeefarbenen Wolltrikots anhatte, wie man sie im Winter als Unterhemd benutzt. Er hatte auch einen Hut auf.

»Don Gaetano, wie geht es Ihnen«, fragte Amoroso hocherfreut. »Ich möchte Ihnen hier meinen Freund vorstellen, der ebenfalls ein leidenschaftlicher Lottospieler ist.«

»Schön, schön«, antwortete der *Santone*. »Setzen wir uns einen Augenblick hin, ich habe ein bißchen Hunger und will zuerst was essen.«

Wir betraten ein halbdunkles kleines Hinterzimmer der Bar, in dem vier Tische und ein Tischfußball standen. Frau Amoroso war im Auto sitzen geblieben, sie sagte, sie bekäme sonst einen Nervenzusammenbruch. Der *Santone* ließ sich ein Bier und ein Brötchen mit Mozzarella bringen, und während er dieses verzehrte, nahm er aus einem Erstkläßlerschulheft ein liniertes Blatt heraus. Darauf zeichnete er zwei parallele Linien; dann dachte er einen Augenblick nach und sagte:

»Dies hier ist ein Graben. Antonio steht am Graben und wartet auf Pasquale, weil sie verabredet sind. Sagt Antonio neben Pasquale: ›Pasca, ich warte schon so lange auf dich!‹« Und zu uns gewandt fuhr er fort: »Gehabt euch wohl, ihr könnt jetzt gehen.«

Amoroso erhob sich und steckte dem *Santone* einen Fünfhundertlireschein in die Tasche (angeblich durfte der das Geld nicht selber anfassen), und ich übernahm die Bezahlung des Brötchens und des Biers.

»Im Auto sprechen wir dann«, sagte Amoroso tiefernst, als wir die Bar verließen.

Und kaum hatten wir das Dorf hinter uns gelassen, begann er tatsächlich, das *Rätsel* zu deuten.

»Also Antonio ist gleich 13, aber da er neben dem Graben steht, der gleich 65 ist, gibt es keinen Zweifel, daß die erste Zahl, die wir spielen müssen, 78 ist, denn warum hätte der Antonio sonst neben dem Graben stehen sollen? Verzwickt wird es erst bei der zweiten Zahl: wir können da nämlich entweder die 17 gleich Pasquale oder die 43 gleich Verabredung oder aber die Figur Pasquales Quersumme 8, die für die größte Verspätung steht.«

»Warum denn?«

»Weil der *Santone,* wie Sie sich vielleicht erinnern, gesagt hat, daß Antonio schon lange auf Pasquale wartet, also müssen wir jetzt sehen, welche Zahl mit der Figur von 8 am meisten verzögernd wirkt, und das können wir nur erfahren, wenn wir kurz mal nach Villanova zu meinem Deuter gehen. Der weiß alles... der studiert auch die ganze Nacht durch, bis er ein *Rätsel* versteht. Jetzt frage ich mich aber etwas anderes: wie wäre es, wenn wir die 31 für das Brötchen und die 84 für das Bier spielen würden?«

»Amoroso, nehmen Sie es mir nicht übel, aber ich habe doch den Eindruck, daß dieser *Santone* ein bißchen zu viele Zahlen sagt!«

»Ich weiß schon. Man muß eben genau aufpassen, wann er sie nur so sagt und wann er sie richtig sagt. Übrigens, ist Ihnen nicht aufgefallen, daß der *Santone* eine Verletzung am Kinn hat?«

»Ja, eine Art Narbe.«

»Was meinen Sie, in welchem Augenblick genau hat er diese

Verletzung berührt? Als er vom Graben sprach, als er von der Verabredung sprach, oder als er gesagt hat, daß er ein Brötchen und ein Bier wolle?«

»Darauf habe ich wirklich nicht geachtet.«

»Ich eben auch nicht, so ein grauenvoller Mist, denn Sie müssen wissen, daß der *Santone* sich immer dann an die Wunde faßt, wenn er eine ganz sichere Zahl sagt.«

Auf diese Weise also spielten wir am Ende dann die 26, die 43 und die 78. Keine dieser Zahlen wurde gezogen, aber Amoroso sagte zu mir: »Lassen Sie sich bloß nicht so schnell entmutigen! Sie müssen diese Dreiergruppe mindestens drei Wochen lang spielen; dann müßten Sie doch drei Richtige kriegen!«

Am meisten kritisierte mich dann aber Ingenieur Carloni, der die EDV-Anlage der Firma leitete, bei der Amoroso als Pförtner arbeitet.

»Wie bitte!« sagte Carloni zu mir. »Sie sind mit Amoroso zu dem *Santone* nach Croce del Carmine gefahren? Sie, ein IBM-Ingenieur, ein Techniker der Zukunft! Sie haben sich von Amoroso bereden lassen und rennen jetzt *Rätseln* und *Santoni* nach: ich muß mich doch sehr wundern! Ich werde ja wohl nicht gerade Sie daran erinnern müssen, daß wir schließlich im Zeitalter des Positivismus, der Elektronenrechner leben . . .«

»Nein, aber ich . . .«

»Du lieber Himmel, hören Sie. Aber wenn Sie sich tatsächlich so stark fürs Lotteriespiel interessieren, sollten Sie mal einen Augenblick mit mir ins Rechenzentrum kommen, da kann ich Ihnen etwas glaube ich wirklich Großartiges zeigen. Wir haben vor zwei Jahren mit einer kleinen Gruppe von Programmierern ein statistisches Programm geschrieben, das mit Hilfe eines IBM-Rechners vom Typ 370 jeden Samstag die Zahlen ausspuckt, die mit größter Wahrscheinlichkeit im neapolitanischen Lotto gezogen werden.«

»?«

»Diese Methode nennt sich die ›Methode der chromatischen Aufspaltungen‹, und ich erkläre Ihnen auch gleich, warum: nehmen wir an, daß kommenden Samstag eine bestimmte Fünfergruppe gezogen wird, dann stellen wir uns die Frage, nach wievielen Wochen diese Fünfergruppe anfängt, sich aufzuspalten.«

»Sich aufzuspalten?«

»Ja, das heißt, wir fragen uns nicht, nach wievielen Wochen durchschnittlich wieder eine der fünf Zahlen der Fünfergruppe gezogen wird. In dem Fall sagen wir dann, daß die Fünfergruppe sich aufgespalten hat, naja, wenn die Fünfergruppe eine Nummer verliert, wird sie doch eine Vierergruppe. Und so weiter: die Vierergruppe spaltet sich wieder ab und wird eine Dreiergruppe, und aus der Dreiergruppe wird eine Ambe und so fort. Wenn wir nun alle die Fünfergruppen und ihre jeweiligen Aufspaltungen verschiedenfarbig darstellen, erhalten wir ein farbiges Diagramm, das Diagramm der chromatischen Aufspaltungen! Mit dessen Hilfe wird es uns möglich, die vorherrschende Farbe der nächsten Fünfergruppe sichtbar zu machen. Ich weiß nicht, ob Ihnen klar geworden ist, was ich meine.«

»Ehrlich gesagt, noch nicht so ganz.«

»Aber es ist doch ganz einfach. Sehen Sie, wir haben dem Rechner die Lottoziehungen der letzten neunzig Jahre eingespeichert und entdeckt, daß, einmal abgesehen von den berühmten achtundzwanzig Zahlen, von denen man längst weiß, daß sie doch nie kommen werden und die wir daher von vornherein ausgeschlossen haben, eine Fünfergruppe sich spätestens in der sechsten Woche abspalten kann, und spätestens in der elften Woche hat sie sich dann ganz aufgespalten.«

»Tatsächlich?«

»Jawohl. Und mit unserem GTA-Programm nun . . .«

»GTA-Programm?«

»Glück, Technik und Ausdauer, haben wir jeden Samstag eine Zahlengruppe, die mit größter Wahrscheinlichkeit gezogen wird.«

»Und haben Sie je damit gewonnen?«

»Bis jetzt noch nicht, aber der Gewinn kann nicht ausbleiben. Denn je mehr Zeit vergeht, desto enger wird der Kreis der Wahrscheinlichkeiten. Und jetzt werden wir die ›chromatischen Aufspaltungen‹ auch noch mit einer anderen Methode verbinden, die der Ingenieur Scarola erfunden hat, nämlich mit der sogenannten Methode der ›Dauerpräsenzen‹. Wissen Sie was? Wir rufen Scarola einfach her und gehen zusammen einen Kaffee trinken, dann kann er Ihnen unterwegs seine Methode selber erklären.«

Die Sache mit den ›Dauerpräsenzen‹ war zu schwierig, als daß ich sie auf Anhieb ganz verstand. Scarola redete lang über asymptotische Kurven und Gesetze der großen Zahlen; doch ich hatte irgendwie genug und widmete mich lieber meinem Espresso, der ganz nach meinem Geschmack war, konzentriert und kräftig wie ein Karateschlag.

Als es ums Zahlen ging, hatte der Kassierer wie üblich kein Wechselgeld. Jede Stadt in Italien hat das Problem auf ihre Art gelöst: in Turin wurden die ersten Minischecks über hundert Lire gedruckt, in Mailand tauscht man Fahrscheine für die U-Bahn, und in Neapel zog der Kassierer eine Tafel hervor, auf der die Nummern 1 bis 90 standen und fragte mich:

»Wollen Sie nicht eine Zahl? Nächsten Samstag bei der ersten Ziehung gibt es sechstausend Lire.«

XXVII

Neapolitan Power

> *Einer, der genau untersuchen will,*
> *wodurch Freundschaft zerstört wird*
> *und Feindschaft entsteht, findet alle*
> *Voraussetzungen dazu in der Herrschaft*
> *der »Polis«. Beobachtet nur den Neid*
> *auf jene, die sich in ihr hervortun.*
> *Beobachtet die Gegnerschaft, die*
> *zwischen den Nebenbuhlern unver-*
> *meidlich entsteht.*
>
> Philodemus von Gadara,
> *Volumina Rhetorica II, 158*

»Macht bedeutet Programmierung der Zukunft«, sagt der Professor. »In Neapel dagegen blüht die Phantasie und damit die Improvisation. Aber da kommt ja unser Ingenieur! Was war denn heute abend los mit Ihnen? Wir warten schon seit einer Stunde auf Sie.«

»Ich weiß, und es tut mir sehr leid, aber ich bin mitten auf dem Corso Vittorio Emanuele in einen Stau geraten, und so habe ich mich verspätet.«

»Vor ein paar Tagen habe ich den Doktor Passalacqua wegen einer falschen Zeugenaussage aufs Amtsgericht begleitet«, sagt Salvatore, »und auf dem Rückweg blieben wir an der Auffahrt nach Salvator Rosa eine geschlagene Stunde lang im Verkehr stecken! Und während wir da so warteten, kam da doch tatsächlich ein Gassenjunge daher, der uns zuerst einmal unbedingt zwei Brötchen mit Mortadella andrehen wollte, und als es dann fast drei Uhr war und wir immer noch dastanden, kam er wieder und sagte, für zweihundert Lire, Jeton im Preis einbegriffen, könnte er doch für uns zu Hause anrufen, damit sich die Familie keine Sorgen machte.«

»Denen fällt ja wirklich immer etwas Neues ein!« sagt Saverio.

»Jedenfalls einen Verkehr wie heute abend habe ich dann doch noch nie erlebt«, sagte ich, um mich nochmals für die Verspätung zu entschuldigen. »Und in diesen Tagen kommt eben zum normalen Verkehr noch hinzu, daß die ganze Provinz zu Weihnachtseinkäufen nach Neapel gekommen ist. Und zu allem Unglück hat es ausgerechnet heute abend in der Via Tasso wieder einen Erdrutsch gegeben, so daß der Vomero zum x-ten Mal von der übrigen Stadt abgeschnitten wurde.«

»Manchmal könnte man wirklich die Geduld verlieren!« sagt der Professor seufzend. »Wissen Sie eigentlich, mein Lieber, daß Neapel praktisch auf einem ganzen Gebilde von Gewölben erbaut worden ist? Doch, doch, glauben Sie mir, genau unter Neapel befinden sich zahllose Tuffsteinhöhlen und Tausende von Pfeilern, und diese Höhlen laufen gelegentlich bei starkem Regen oder wenn die Abwasserkanäle übertreten voll mit Wasser, dann bricht der eine oder andere dieser Pfeiler ein und bewirkt an der Oberfläche diese Erdrutsche, über die Sie sich vorhin beklagt haben. Die Tragödie ist nur die, daß die ganze Stadt amphitheaterähnlich aufgebaut ist, das heißt auf einem Abhang, und eines Tages werden wir noch erleben, wie uns die ganze Stadt Neapel ›davonschwimmt‹.«

»Aber hat nicht meine Ankunft eben ein philosophisches Gespräch unterbrochen?«

»Richtig«, sagt Saverio, »der Professor sprach zu uns gerade über die Verachtung der Macht.«

»Na ja, ehrlich gesagt, meinte ich eigentlich weniger die Verachtung der Macht als die Gleichgültigkeit gegenüber der Macht. Für den Neapolitaner ist die Macht, glaube ich, viel zu anstrengend, sie verlangt einen viel zu hohen Kraftaufwand, und den möchte er nicht sein Leben lang erbringen. Aber bei der Macht gibt es keine Halbheiten und Kompromisse, sie ist anspruchsvoll, mit einem Anteil von Zeit, wie sie der Neapolitaner vielleicht gewillt wäre, der Macht zu widmen, ist nichts auszurichten, also gibt unser Mann sie lieber ab, er hält sich heraus und drischt einen seiner unpolitischen Sprüche, für die er dann wieder so viel Kritik erntet, etwa: ›Ist doch eh alles egal‹ oder ›Du glaubst wohl, du lebst ewig‹ und so weiter.«

»Aber es stimmt ja auch, daß das Leben wirklich kurz ist«, sagt Saverio. »Wenn einer sich jetzt auch noch um Politik kümmern müßte, woher sollte er da noch die Zeit nehmen, um sich das Nötigste zum Leben zu verdienen? Ich würde meinen, wenn die Parteien ihren Mitgliedern vielleicht ein kleines Gehalt zahlten...«

»Diese Gleichgültigkeit der Macht gegenüber hat dazu geführt«, unterbricht ihn der Professor, »daß Neapel in seiner jahrhundertelangen Geschichte wirklich niemals eine imperialistische Rolle gespielt hat. Alle anderen Städte Italiens dagegen können sich rühmen, irgendwann einmal ihren historischen Augenblick erlebt zu haben; lassen wir jetzt einmal Rom außer acht, das ja praktisch der Inbegriff des Imperiums ist, und sehen wir uns zum Beispiel Venedig, Genua, Mailand, Florenz, Turin undsoweiter an: alles Städte, die über einen mehr oder weniger langen Zeitraum hinweg an Land oder auf See um die Vorherrschaft gekämpft und benachbarte Völker besiegt und unterworfen haben. Neapel nie! Während der ganzen römischen Expansion in Italien zum Beispiel wird Neapel noch nicht einmal erwähnt: Wir zählten damals nicht nur als angriffslustiges Volk gleich Null, wir spielten noch nicht einmal als ein Volk, das Widerstand übte, eine Rolle. Wenn also einer die Geschichte Roms liest, kommt er vielleicht zu dem Schluß, daß es Neapel damals noch gar nicht gegeben hat. Das stimmt aber überhaupt nicht: es war bereits eine blühende stark bevölkerte Stadt, nur daß sich seine Einwohner eben ganz dem Tourismus, der Fischerei, der Landwirtschaft und dem Schauspiel widmeten. Neapel war von griechischen Siedlern bewohnt (die offenbar Athener und

nicht spartanischer Herkunft waren), die zum Vergnügen der
benachbarten Völker nur Amphitheater, Stadien und Ferien-
häuser bauten. Unter seinen Bewohnern ragen also keine großen Feldherren wie Camillus oder Mark Anton hervor, sondern nur begabte komische Schauspieler, die sich in den Rollen der berühmten Atellanenmasken Maccus, Pappus, Bucco
und Dossenus ihren Lebensunterhalt damit verdienten, daß
sie die imperialen Zuschauer unterhielten. Manchmal bekam
dieses neapolitanische Volk aber dann trotz seines gutmüti-
gen Charakters Schwierigkeiten mit seinen grausamen Nachbarn. Da entstanden dann einfach Situationen, aus denen es
keinen Ausweg gab: zum Beispiel kam der Eroberer Marius,
und die Neapolitaner feierten ihn groß, wie es nur recht und
billig ist, dann kam aber Silla, ein Feind des Marius, und
strafte sie grausam. Wer kam dann noch, Pompejus? Wieder
ein Fest, und gleich nach ihm rückte Julius Cäsar an, der sich
schrecklich aufregte, weil sie den Pompejus gefeiert hatten.«

»Lieber Gott, das verstehe ich überhaupt nicht, was hatten
denn Cäsar und Pompejus bei den Neapolitanern verloren?«

»Silla, Cäsar und Pompejus waren Männer der Macht und
konnten daher den philosophischen Gehalt des Wortes ›neu-
tral‹ nicht begreifen: für sie gab es nur Freund oder Feind unter den Völkern, die sie nach den kleinsten Sympathieäuße-
rungen klassifizierten. Aber um jetzt auf unsere Neapolitaner
und ihre geringe Neigung zur Kriegführung zurückzukommen: ist es nicht merkwürdig, daß Neapel, obwohl am Meer
gelegen, zu keiner Zeit eine wirkliche ›Seemacht‹ gewesen ist.
Das Mittelmeer ist in den letzten drei Jahrtausenden von allen
beherrscht worden, von den Türken, Genuesen, Phöniziern,
Sarazenen, Venezianern, Pisanern, Karthagern, Amalfitanern
undsoweiter, aber kein einziges Mal von den Neapolitanern.
Wir haben im Golf gefischt, etwas anderes gab es nicht.«

»Und der Admiral Caracciolo?«

»Ein hervorragender Mann, aber er war doch mehr ein
Steuermann als ein Condottiere.«

»Ich hätte dazu eine Theorie«, sagt Salvatore. »Meiner Meinung nach ist ein Volk umso imperialistischer, je schlechter das Klima in seinem Land ist. Also will ich damit sagen, daß einer ja nicht auf Reisen geht, um ein anderes Land zu besetzen, wenn er sich da wohl fühlt, wo er ist. Und damit ließe sich auch erklären, warum die Neapolitaner nie große Eroberer, sondern immer nur große Eroberte gewesen sind.«

»Zur Bestätigung der These Salvatores könnte ich einen ganz kurzen Abriß der Geschichte der Stadt Neapel von den Anfängen bis heute geben«, sagt der Professor.

»Um Himmelswillen, nein!« unterbricht ihn Saverio. »Heute abend kommt doch auch der Film im Fernsehen, wenn Sie uns da noch die ganze Geschichte der Stadt Neapel erzählen wollen!«

»Mein lieber Saverio, die Geschichte Neapels ist unglaublich kurz. Doch, glaub mir, die ganze Geschichte Neapels läßt sich in nur drei Episoden zusammenfassen: da war die auf Zufällen beruhende Fremdherrschaft, Masaniello und die Parthenopeische Republik.«

»Aber wieviele Fremdherrschaften hat es in Neapel gegeben, Professore?«

»Na, also ein Dutzend bestimmt. Wenn ich sie einfach einmal so wie sie mir in den Sinn kommen und ohne genaue chronologische Reihenfolge aufzählen sollte, erinnere ich mich an die Griechen, die Römer, die Goten, die Langobarden, die Byzantiner, die Normannen, die Sarazenen, die Schwaben, die Anjou, die Aragon, die Spanier allgemein, die Franzosen, die Österreicher und die Piemontesen. Dabei habe ich die letzte, die alliierte Invasion, noch gar nicht mitgezählt, das heißt, die Amerikaner, Kanadier, Engländer, Marokkaner undsoweiter.«

»Jesus Maria, sind die wirklich alle nach Neapel gekommen?«

»Nur die Russen haben uns bis jetzt noch nicht die Ehre erwiesen.«

»Kann ja noch kommen, Professore: das Zwanzigste Jahrhundert ist noch nicht zu Ende.«

»In Wahrheit war Neapel in den ersten Jahrhunderten seiner Existenz vom nahen Rom ganz überschattet, und während die weiter entfernt liegenden Provinzen eben diese Entfernung von Rom dazu nutzten, Autonomie zu entwickeln, zog Neapel es vor, Erholungsort für die römischen Imperatoren zu werden. Später, nach den dunklen Jahrhunderten des Mittelalters, wurde das Königreich Neapel zum Spielball der großen europäischen Dynastien, und so kam es vor, daß sich die Neapolitaner abends unter der Herrschaft von Spaniern ins Bett legten und am nächsten Morgen unter der Herrschaft von Franzosen aufstanden. Naja, weil die großen Herrscherhäuser vier oder fünf Jahrhunderte lang dieses Europa so unter sich aufteilten, als spielten sie Monopoli: Du gibst mir das Königreich beider Sizilien, und ich gebe dir Lothringen und das Herzogtum von Parma und Piacenza. Leider waren die Neapolitaner bei diesem Spiel immer nur Spielsteine und nie Spieler; auf der anderen Seite fühlten sich unsere Vorfahren aber Gottseidank in dieser Rolle der Untertanen nie als Beleidigte und verwehrten keinem je einen freundlichen und herzlichen Empfang. Sicher, es gab Könige, die beliebter waren als andere, wie zum Beispiel Ferdinand I. von Bourbon, das war ein Lazzarone, arbeitsscheu und sehr fürs Festefeiern, während Alfons von Aragon ein wenig Verdacht und daher Antipathien weckte, weil er so tüchtig und produktiv war. Alle wurden jedoch früher oder später neapolitanisiert, und so verloren sie jenes Machtstreben, das es ihnen erlaubt hätte, das Königreich gegen den nächsten Eroberer zu verteidigen.«

»Entschuldigen Sie, Professore«, unterbricht Salvatore. »Ich will jetzt bestimmt nicht anzweifeln, was Sie uns da erzählen, aber da Doktor Palluotto inzwischen nach Mailand zurückgefahren ist und hier nun … wie soll ich es ausdrükken … die Opposition fehlt … Naja, ich meine ja nur, daß weder ich noch Saverio und noch nicht einmal Luigino geschichtlich besonders gebildet sind, und der Ingenieur wird Ihnen, da er nicht zur Familie gehört und ein höflicher Mann ist, auch nicht widersprechen. Aber eines will ich doch fragen: Wie ist es nur möglich, daß Neapel auf der ganzen Welt überhaupt nie etwas gegolten hat?«

»Ich habe nie behauptet, daß das Königreich Neapel ganz bedeutungslos gewesen wäre. Ich habe lediglich festgestellt, daß die Neapolitaner zu jeder Zeit jeder Form von Macht abgeneigt waren. Ja, wenn es dich interessiert, kann ich dir auch sagen, daß das Königreich Neapel im zwölften und dreizehnten Jahrhundert eine der bedeutendsten und fortschrittlichsten Nationen Europas war. Unter dem Normannen Roger II. und vor allem unter dem Staufer Friedrich II. besaß Neapel eine politische und verwaltungsmäßige Struktur ersten Ranges, eine große Staatsuniversität, eine Rechtsprechung, die sich hinter der römischen nicht zu verstecken brauchte, auch wenn alle diese schönen Dinge nicht von den Neapolitanern eingeführt und verteidigt worden sind, sondern von den Deutschen Friedrichs, und, als die Deutschen dann wieder abzogen, zog mit ihnen auch die Ordnung ab.«

»Aber Masaniello, Professore, was können Sie uns über den erzählen?« fragt Saverio. »Masaniello war doch Neapolitaner!«

»Stimmt nicht«, antwortet Salvatore. »Masaniello war aus Amalfi. Ist doch so, Professore?«

»Masaniello war neapolitanischer als ich oder ihr«, erklärt der Professor. »Masaniello oder genauer Tommaso Aniello hat sein Leben in Vico Rotto auf dem Markt verbracht. Aber nicht durch solche amtlichen Daten zeichnet er sich als Neapolitaner aus; Masaniello war von allen historischen, komischen, politischen und künstlerischen Persönlichkeiten, die in Neapel geboren sind, der hervorragendste Vertreter des neapolitanischen Geistes. Und zwar vor allem deshalb, weil er die Widersprüche in sich vereinte, nämlich die Liebeskraft und die Unfähigkeit, Macht auszuüben, die Großzügigkeit

und die Unwissenheit seines Volkes. Masaniello verkör-
perte Liebe und Unordnung. Und Neapel hat es zu Unrecht bis zum heutigen Tage nicht für nötig gehalten, eine
Straße oder einen Platz nach diesem seinem Sohn zu benen-
nen, der zu einem Sinnbild der Stadt geworden ist.«

»Dieser Masaniello, war der dann so etwas wie ein Che
Guevara?«

»Nein, nein. Masaniello läßt sich mit keinem anderen Revolutionär vergleichen, den wir kennen. Wenn ihr seine Art
von Revolution verstehen wollt, müßt ihr wissen, daß diese
vor allem so etwas wie eine Theateraufführung war. Eine
große epische und komische Tragödie.«

»Dann erzählen Sie uns doch diese Tragödie einmal.«

»Nun, es gibt eine Menge und meist auch ganz unterschiedliche Berichte über diese sogenannte Revolution Masaniellos. Da gibt es den von Benedetto Croce, der die Bedeutung seiner Person herabmindert und die ganze revolutionäre Bewegung den aufrührerischen Machenschaften des
Giulio Genoino zuschreibt oder den des riesigen Auf-
schneiders Alexandre Dumas, der den jungen Fischhändler
in seinen Memoiren zu einer so großen Gestalt stilisierte,
daß man ihn nur noch mit D'Artagnan vergleichen kann.
Sicher ist nur eines, der Ruf, den unser Held in der zivilisierten Welt genoß, war sehr, sehr groß. Sogar Croce, der,
wie gesagt, keine Sympathien für seine Person nährte, berichtet, daß damals in Europa Münzen geprägt wurden, die
auf der einen Seite das Porträt Cromwells und auf der anderen dasjenige Masaniellos zeigten, und daß zwei Jahrhunderte später der Aufstand gegen die Niederlande in Belgien
von dem Theater ausging, in dem Aubers Oper *Die
Stumme von Portici* aufgeführt wurde, in der die Lebens-
geschichte Masaniellos behandelt wird. Wer noch mehr
über ihn erfahren will, kann in den Büchern nachlesen, die
Michelangelo Schipa, Carlo Botta und Capecelatro geschrieben haben, oder auch in den moderneren und daher

interessanteren Fassungen von Antonio Ghirelli und Indro Montanelli.«

»Verstanden, Saverio?« sagt Salvatore todernst. »Morgen gehst du in die Buchhandlung Minerva an der Tappiabrücke und kaufst dir alle die Bücher, die der Professor genannt hat.«

»Niemals«, antwortet Saverio. »Was der Professor hier erzählt hat, ist für mich mehr als ausreichend. Professore, hören Sie nicht auf Salvatore, und erzählen Sie uns die Geschichte Masaniellos.«

»Also die Revolution Masaniellos begann wie alle Theateraufführungen, die sich sehen lassen können, nämlich mit den Proben. Ja, ihr habt richtig gehört, mit den Proben: einen Monat vorher steckte Masaniello, voller Wut, weil man seine Frau wegen Mehlschmuggels verhaftet hatte, die Zollbaracke auf dem Marktplatz in Brand, und eine Woche vorher bewaffnete er bei den Festlichkeiten zu Ehren der Madonna von Carmine zweihundert als Türken verkleidete Lazzaroni, die sogenannten ›Alarbi‹, mit riesiglangen Stangen und ließ sie vor dem königlichen Schloß aufmarschieren. Als sie dann der königlichen Familie und dem ganzen Hof vorgeführt wurden, stellten sich die ›Alarbi‹ Masaniellos in einer Reihe auf und zeigten nun nicht die hocherhobene Faust, wie es unsere heutigen Außerparlamentarischen getan hätten, sondern sie drehten sich um und legten ihre Bambusstangen auf dem Boden ab, so daß sie also dem Vizekönig und allen spanischen Granden, die sich auf den Balkons versammelt hatten, die Hintern zeigten.«

»Das haben die sich aber wirklich gut ausgedacht!«

»Eine Woche später, am 17. Juli 1647, begann dann die eigentliche Revolution. Wie ihr bereits wißt, war das einzige Ziel dieser Revolution die Abschaffung der Obststeuer, die der Vizekönig, der Herzog von Arcos, unter Zustimmung des neapolitanischen Adels ein paar Monate zuvor auferlegt hatte. Im Gegensatz nun zu allen anderen Revolutionen, die immer mit einem Steinwurf begonnen haben, wie es sich gehört, zumindest bis dann Molotow kam und uns den Gebrauch der Flaschen lehrte, begann die neapolitanische Revolution mit einem Feigenwurf. Jawohl, Feigen, und das Volk von Neapel vertrieb die spanischen Soldaten mit bösen Worten und drang mit dem Schrei: ›Es lebe der König von Spanien, es lebe der heilige Gennaro, es lebe Masaniello, und nieder mit den Steuern‹ in das Königsschloß ein.«

»Und wurde die Obststeuer dann abgeschafft?«

»Noch am selben Tag, aber nun wollte sich Masaniello mit diesem Sieg nicht mehr zufriedengeben, schon deshalb, weil ihn der Ideologe der Revolution, der heimtückische Genoino, ein ehemaliger Staatssekretär des Grafen Ossuna, dazu aufgestachelt hatte. Er sah in einer solchen Verschwörung eine Gelegenheit, seine politischen Vorstellungen durchzusetzen, die zum Teil liberal, zum Teil aber auch arteriosklerotisch waren. Genoino war nämlich schon über achtzig. Aber zurück zu unserer Geschichte: die Revolution wurde dann mit einer Reihe von Einladungen an den Hof fortgesetzt, und auch dies ist ganz gewiß etwas Neues in der Geschichte der Revolutionen! Mit einem Federhut und einem weißen, mit Silberlamé verzierten Gewand bekleidet, erschien Masaniello vor dem Vizekönig. Kaum aber erblickte er diesen, fiel er auch schon zu seinen Füßen in Ohnmacht, also nicht anders, als es Paolo Villaggio in der Rolle des Fracchia gemacht hätte. Kaum wieder bei Besinnung, bezeugte er als guter neapolitanischer Revolutionär dem König von Spanien seine Ergebenheit und versprach eine Abgabe von einer Million Dukaten (wo er die nur hernehmen wollte?). Der Vizekönig wiederum spendierte ihm eine goldene Kette im Wert von dreitausend Dukaten, die Masaniello zunächst ablehnte, dann aber doch annahm. Jedenfalls traten sie dann gemeinsam auf den Balkon hinaus, und das Volk schrie in höchster Begeisterung: ›Es lebe der König, es lebe Masaniello, es lebe die Madonna.‹ Ein paar Tage darauf schenkte die Frau des Vizekönigs, die Herzogin von Arcos, der Frau Masaniellos, Donna Bernardina, drei

Kleider und lud das Paar noch einmal zu einem Essen im ganz kleinen Kreis, und bei dieser Gelegenheit geschah dann die rätselhafte Geschichte mit der Limonade.«

»Mit der Limonade?«

»Genau, mit der Limonade. Ihr müßt nämlich wissen, meine Lieben, daß sich das Drama Masaniellos in zwei Akten abspielte und daß der erste Akt eben genau damit endet, daß Masaniello im königlichen Schloß eine Limonade trinkt. Und da gibt es nun nur drei Möglichkeiten, auch wenn die Geschichte nichts darüber überliefert: entweder war die Limonade vergiftet, oder sie setzten das Gerücht in die Welt, daß Masaniello verrückt geworden sei, oder die Macht ist ihm tatsächlich zu Kopfe gestiegen. Gewiß ist nur, daß Masaniello, nachdem er die Limonade im königlichen Schloß getrunken hatte, nicht mehr wiederzuerkennen war. Er drehte durch und machte ganz unglaubliche Sachen: er küßte dem Herzog von Arcos die Füße, gab dem Grafen Maddaloni einen Tritt, ließ den Zug des Vizekönigs aufhalten, der sich dann mit ihm zum Dom begab, um hinter einem Brunnen Pipi zu machen, und er erklärte sich selber zum ›Generalissimus der durchlauchtigsten königlichen Republik von Neapel‹. Kurz, er leistete sich so einiges. Dieser zweite Akt, der genauso lange dauerte wie der erste, nämlich fünf Tage, ging als ›die fünf Tage des Wahnsinns von Masaniello‹ in die Geschichte ein. Ich kann mir das Ganze sehr einfach erklären: So wie es keinem Erdenbürger möglich ist, ohne geeigneten Raumfahreranzug auf einem anderen Planeten zu landen, so war es Masaniello als einem echten Neapolitaner eben auch nicht gelungen, auf einem ihm vollkommen unbekannten Planeten, nämlich dem Planeten Macht, frei zu atmen.«

»Armer Masaniello!«

»Das Bemerkenswerte aber ist, daß es Masaniello bei all dem Durcheinander und innerhalb von nur zehn Tagen doch gelang, mit einer gewissen Energie eine Art von Gerechtigkeit zu erreichen. Er ließ eine große Zahl von Räubern hinrichten, die die spanischen Vizekönige bis dahin vergebens verfolgt hatten, und er leerte die Gefängnisse, indem er entweder Amnestien erließ oder mit einer Entschlossenheit, bei der Drakon vor Neid erblaßt wäre, Todesurteile fällte. Man kann es auch so ausdrücken, daß er wohl kein Fürsprecher eines Berufungsgerichtes gewesen wäre. Seine Verrücktheit, die dem ungewohnten Umgang mit der Macht entsprungen war, nahm immer mehr zu. Am Ende waren alle gegen ihn: die Spanier ebenso wie die Lazzari, seine früheren Gefährten, die mit ihm auf den Barrikaden gekämpft hatten. Er wurde gefangengenommen, entfloh aber. Man verfolgte ihn, und er flüchtete sich in die Kirche del Carmine. Dort bestieg er zur Verwunderung aller die Kanzel und wandte sich ein letztes Mal an sein Volk: ›Meine Freunde, mein Volk, Leute: Ihr haltet mich für verrückt, und vielleicht habt ihr auch recht: ich bin wirklich verrückt. Aber ich bin nicht schuld daran, sie wollten mich ja mit Gewalt verrückt machen! Ich habe euch einfach gern gehabt, und vielleicht war dies die Verrücktheit, die ich im Kopf habe. Ihr wart früher nur ein Dreck, und jetzt seid ihr frei. Ich habe euch frei gemacht. Aber wie lange kann eure Freiheit dauern? Einen Tag? Zwei Tage? Ja, denn ihr werdet ja müde und geht heim und legt euch ins Bett. Und recht so; man kann schließlich nicht sein Leben lang mit dem Gewehr in der Hand leben. Macht es ebenso wie Masaniello: werdet verrückt, lacht und werft euch auf den Boden, weil ihr doch eine Familie zu ernähren habt. Wenn ihr aber eure Freiheit behalten wollt, dann schlaft nicht! Legt die Waffen nicht nieder! Seht ihr? Mir haben sie Gift gegeben, und jetzt wollen sie mich auch noch umbringen. Und sie haben recht, wenn sie sagen, daß ein Fischverkäufer nicht einfach so Generalissimus des Volkes werden kann. Aber ich wollte nichts Böses tun, und ich will auch nichts für mich. Wer mich wirklich liebt, soll nur ein Gebet für mich sprechen, nur ein Requiem, und erst, wenn ich sterbe. Ansonsten sage ich euch noch einmal: ich will nichts. Nackt bin ich geboren, und nackt will ich ster-

ben. Seht her!‹ Und bei diesen Worten zog er sich alle Kleider
aus. Die Frauen schrien, die Männer lachten, und Masaniello
fing an zu weinen. Seine Rede war in Wirklichkeit gar nicht
ans Volk gerichtet gewesen, sondern an Gott. Sie verfolgten
ihn wieder und erschossen ihn in einer Zelle der Kirche. Er
war sechsundzwanzig Jahre alt. Er wurde enthauptet und
seine Leiche in einen Graben geworfen. Als der Vizekönig ein
paar Tage danach den Brotpreis erhöhen ließ, begriff das
Volk, wie wichtig Masaniello gewesen war. Sie suchten nach
seiner Leiche und nähten ihm den Kopf wieder an seinem
Hals fest. Hundertzwanzigtausend Neapolitaner trugen ihn
ganz in weißes Leinen gekleidet und auf eine schwarze Samt-
decke gebettet in einer Prozession durch die Stadt.«

»Was für eine schöne Geschichte, Professore!« sagt Saverio. »Wirklich eine schöne und ergreifende Geschichte.
Und dann haben Sie sie uns auch so erzählt, als wären sie selber dabeigewesen.«

»Und das war die einzige Revolution der Neapolitaner?«

»Die einzige, die wirklich vom Volk ausging. In Wirklichkeit gab es in der Geschichte der sogenannten ›treuesten Stadt
Neapel‹ etwa vierzig Revolten und Aufstände, aber mit Ausnahme derjenigen Masaniellos gingen alle von der Aristokra-
tie aus. Da waren zum Beispiel die Verschwörungen der
Barone, der Aufstand des Fürsten von Macchie, die Revolutionen von 1799, 1821 und 1848: jedesmal sind die Kräfte
gleich verteilt: auf der einen Seite Adel und Intellektuelle, und
auf der anderen Seite der König und das niedere Volk.«

»Und die Republik von Neapel?«

»Ja, das war die dritte wichtige Sache, über die ich etwas
erzählen wollte.«

»Gut, Professore, aber machen Sie's kurz, denn bald fängt
der Film im Fernsehen an«, sagt Saverio.

»Entschuldigen Sie, Professore, der Film im Fernsehen interessiert uns doch überhaupt nicht«, mischt sich Salvatore
ungeduldig ein. »Das Fernsehen lassen wir doch den Un-

gebildeten. Erzählen Sie ruhig, machen Sie sich keine Gedanken!«

»Also die neapolitanische Republik!« fährt Bellavista fort, ohne sich noch lange bitten zu lassen. »Die neapolitanische Republik, die ich vorhin bei der Revolution von 1799 erwähnt habe, wurde als uneheliche Tochter der berühmteren Französischen Revolution geboren. Allerdings merken wir sehr schnell, daß Mutter und Tochter sich hier in gar nichts gleichen. Durch einen unglaublichen Übertragungsfehler nämlich kämpften bei der neapolitanischen Revolution die Aristokraten Seite an Seite mit den Intellektuellen auf den Barrikaden, während die ›Sansculotten‹ die Krone verteidigten.«

»Professore, ich habe nichts kapiert!«

»Saverio, ich habe gesagt, daß das Volk in Neapel, anstatt gegen die Monarchie Revolution zu machen, wie es in Paris geschehen war, sich ganz auf die Seite des Königs stellte.«

»Warum denn?«

»Weil sich keiner bisher die Mühe gemacht hatte, dem neapolitanischen Volk zu erklären, was das Wort ›Republik‹ überhaupt bedeutet. Aber um auf unsere Geschichte zurückzukommen: die Sache begann 1798, als sich das neapolitanische Königshaus durch einen Seesieg Nelsons über Napoleon, den Sieg von Abukir nämlich, täuschen ließ und beschloß, ein Heer nach Rom zu schicken, um die Franzosen zu vertreiben. Ehrlich gesagt, entsprach diese Initiative dem Wesen Ferdinands nicht, der keinem je den Krieg erklärt hätte, und zwar schon deshalb nicht, weil er dann vielleicht eine Jagdpartie hätte versäumen können. Aber das ging wegen seiner Gemahlin nicht, der mehr als tüchtigen Maria Karoline von Österreich. Sie nämlich haßte die Armen, ihren Ehemann, die Neapolitaner und Napoleon und redete so lange auf ihn ein, bis er sich endlich entschloß, die Franzosen anzugreifen. Ich war schon immer der Meinung, daß diese Maria Karoline, wenn sie hundertfünfzig Jahre später geboren wäre, eine ideale Ehefrau für Adolf Hitler gewesen wäre. Jedenfalls war kaum der Krieg erklärt, als vierzigtausend Neapolitaner unter dem Befehl eines lächerlichen österreichischen Generals, eines gewissen Mack, bereits in Rom einmarschierten.«

»Also so wie beim Lazio-Napoli«, sagt Saverio.

»Wie?«

»Ich sage, das war wie beim Spiel Lazio-Napoli: ›Vierzigtausend Neapolitaner marschieren in Rom ein!‹«

»Ach, Saverio, wenn du mich immer unterbrichst, vergesse ich noch, was ich sagen wollte!« protestiert der Professor. »Also wie gesagt, Mack zieht mit seinen vierzigtausend Soldaten los und stößt auch gleich auf den rechten Flügel des französischen Heeres, der von General MacDonald befehligt wurde, und obwohl er nur achttausend Leute hatte, die Neapolitaner schwer hernahm. Danach hatte Mack das Pech, in der Nähe von Otricoli auch noch mit dem Generalissimus Championnet und dem Rest der französischen Armee zusammenzutreffen, und die Niederlage artete in eine richtiggehende Schlägerei aus. Ferdinand, der sofort, als das Kriegsglück sich zu wenden begann, flüchtete, ließ sich jetzt schon überhaupt nicht mehr aufhalten und gelangte als Edelmann verkleidet – klingt gut, nicht – nach Neapel zurück, von wo er seine Kinder, Maria Karoline, den Marschall Acton, die beiden Hamiltons, den Kronschatz und den Schatz des heiligen Gennaro, einige wertvolle Fundstücke aus Herkulaneum und alles, was er an Wertvollem und Transportierbarem im Schloß fand, nahm und das erste Schiff nach Sizilien bestieg. Als Statthalter ließ er den armen friedliebenden Fürsten Pignatelli zurück, zu dem er wohl etwas dieser Art gesagt hatte: ›Ciccì, mach was du willst: leiste Widerstand, wenn du Widerstand leisten willst, einige dich mit ihnen, wenn du dich einigen willst, und sei mir nicht böse, jetzt habe ich es etwas eilig.‹«

»Was für ein Lump«, sagte Saverio.

»Wie ein Dichter jener Zeit es ausdrückte: er kam, sah und floh«, fährt der Professor fort. »Die Lage schien also hoffnungslos verfahren, aber nun, als wirklich niemand damit

rechnete, geschah etwas Unerhörtes: ohne daß irgendein
Bourbone es angeführt oder daß irgend jemand ihm etwas gesagt hätte, und ganz entgegen seinen Traditionen erhob sich
das Volk von Neapel gegen die Befreiungstruppen, und der
arme Championnet mußte also, alles andere als von der Begeisterung der Massen beflügelt, Straße um Straße, Gasse um
Gasse eine furchtbare Guerilla niederkämpfen. Was war passiert? Dieses neapolitanische Volk, das von König Ferdinand
als zutiefst feige angesehen und von Maria Karoline so ver-
achtet wurde, hatte mit lautem ›Es lebe der König‹ und ›Es
lebe der heilige Gennaro‹-Geschrei immerhin die unbesieg-
baren Truppen Napoleons aufgehalten! Pignatelli, der bei
dem ganzen Durcheinander nicht begriff, was los war, unter-
zeichnete einen Waffenstillstand mit Championnet, in dem er
mehr oder weniger die Existenz einer neapolitanischen Republik anerkannte und sich gleichzeitig verpflichtete, den französischen Truppen hohe Abgaben zu zahlen. In der Zwischenzeit hatten die neapolitanischen Intellektuellen begonnen, ihre Republik auf eine theoretische Grundlage zu stellen.
Vergebens sucht man unter den Namen dieser Jakobiner einen Capace oder Eposito. Auf der Liste der ersten neapolitanischen demokratischen Märtyrer stehen nur Namen wie Ca-
raf, Filomarino, Pimentel-Fonseca, Serra, Sanfelice, Caracciolo, Ruvo undsofort. Leute aus dem Volk sind nicht darunter. Der einzige Name, an den ich mich erinnere, ist der eines
gewissen Michele, der, weil er sich dem Lager der Republikaner angeschlossen hatte, als ›Michele der Verrückte‹ in die
Geschichte einging.«

»Und wie ging das dann weiter?«

»Es ging so weiter, daß unsere ersten Republikaner alle
eher Dichter und keine Politiker waren, um eine Republik zu
errichten. Der einzige wahre Italiener, möchte man fast sagen,
der gleichzeitig demokratischen Geist und praktischen Sinn
besaß, war der französische General Championnet. Bis die
Parthenopeische Republik dann das Pech hatte, auch diesen

ihren einzigen unermüdlichen Verteidiger zu verlieren: Eifersüchteleien unter den Generälen, Kurzsichtigkeit der Regierung in Paris, Klatsch, den ein großer Schuft namens Faypoult in die Welt setzte, bewirkten, daß Championnet nach Frankreich zurückgerufen wurde, wo man ihm den Prozeß machte. Unterdessen war an der Punta del Pezzo bei Reggio Calabria im Namen des Königs ein gewisser Kardinal Ruffo mit etwa zehn Personen gelandet. Dieser Ruffo war ein schlauer und mutiger großer Feldherr, ein guter Redner und hervorragender Reiter, kurz, er war alles andere als ein Kardinal. Dank seiner Fähigkeiten gelang es ihm, im Namen des heiligen Glaubens ein großes Heer aufzustellen, und nachdem er sich mit dem größten Räubergesindel seiner Zeit verbündet hatte, griff er die Franzosen gleichzeitig von Süden und von Norden an. Sciarpa, Michele Pezza, genannt Fra Diavolo, Pronio, der schreckliche Gaetano Mammone begingen die unerhörtesten Grausamkeiten gegenüber den armen und schwachen Jakobinern. Vergebens zwang MacDonald, der das Kommando von Championnet übernommen hatte, den heiligen Gennaro, oder besser gesagt, Kardinal Zurlo, mit Waffengewalt, rasch das Wunder zu vollbringen, weil er hoffte, so die Sympathien der Lazzaroni zu gewinnen; die Parthenopeische Republik war bereits unwiederbringlich zum Untergang verurteilt. Und was den heiligen Gennaro betrifft, muß ich euch noch erzählen, daß die Neapolitaner ihn, weil er dieses Wunder in Anwesenheit der Franzosen vollbracht hatte, entthronten und an seiner Stelle den heiligen Antonius als Schutzheiligen von Neapel einsetzten. Benedetto Croce berichtet, die Wut der Neapolitaner auf den heiligen Gennaro sei, weil er die Franzosen unterstützt hatte, so groß gewesen, daß sie in der Rua Catalana ein Bild aufstellten, auf dem der heilige Antonius abgebildet war, wie er den heiligen Gennaro auspeitscht. Aber lange konnte das Volk ihm dann doch nicht böse sein, und beim ersten kleinen Aus-

bruch des Vesuvs wurde er schnell wieder als Schutzpatron
bestallt.«

»Und wie ging es dann mit der Republik zu Ende?«

»Sehr schlecht! Kardinal Ruffo besetzte Neapel und bela-
gerte die Festung Sant'Elmo und das Castello dell'Ovo, wo
sich die letzten parthenopeischen Patrioten verschanzt hatten
(die Franzosen hatten sich schon verdrückt, als sie Gefahr
witterten). Ruffo, der alles in allem doch ein Ehrenmann war,
versprach allen Revolutionären, daß sie mit dem Leben da-
vonkämen, aber Königin Maria Karoline, dieses Schreckens-
weib, und ihre Gefährtin Emma Hamilton – Colletta zufolge
eine ehemalige Dirne, die ihr in nichts nachstand – über-
redeten Nelson, die Geleitbriefe zu zerreißen und die besten
und intelligentesten Leute des Königreiches gnadenlos umzubringen.«

»Die armen Kerle!«

»Ich habe diese drei Episoden aus der Geschichte Neapels
ausgesucht, weil ich glaube, daß wir aus dem Verhalten des
Volkes bei diesen drei Ereignissen einen Schlüssel zur neapolitanischen Seele finden können. Drei ganz verschiedene Lagen und doch immer das gleiche Verhalten. Die Fremdherrschaft, der Volksaufstand und die Revolution der Intellektuellen: In keinem dieser Fälle hat sich das Volk für die Macht
entschieden. Es ertrug die Fremdherrschaft passiv, nutzte
eine Machtsituation, die sich durch Zufall ergeben hatte, nicht
zu seinen Gunsten aus, weigerte sich, auf den Zug der sozialen Revolution aufzuspringen, den die Intellektuellen in Bewegung gesetzt hatten. Wenn es kämpft, kämpft es nur um
den Erhalt irgendeines primären Gutes oder aus Liebe zum
König oder im Namen des Glaubens. Also müssen wir uns
doch nun die Frage stellen: sind wir ein Volk der Liebe, oder
sind wir ein Volk der Unwissenden? Beide Hypothesen hängen so eng miteinander zusammen, daß es unmöglich ist, eine
genaue Antwort zu finden.«

»Professore, kann es denn nicht einfach sein, daß sich der

Neapolitaner der Macht gegenüber schon aus klimatischen Gründen so gleichgültig verhält? Oder daß zum Beispiel, was weiß ich, das Wasser, das wir in Neapel trinken, das Serino-Wasser, uns von innen her abkühlt? Also ich könnte mir vorstellen, daß einer, der gerade loslegen und die halbe Welt zerschlagen will, vielleicht dann mal Durst kriegt und ein Glas Wasser trinkt, und dann löst sich die ganze Wut, die er in sich hatte, wie durch ein Wunder auf, so wie Schnee in der Sonne. Könnte das nicht sein, Professore?«

»Das wäre ja paradiesisch, Salvatore, wenn Neapel ein so wundertätiges Wasser hätte! Das würden wir in Flaschen abfüllen und auf allen Märkten der Welt verkaufen!«

»Dann würden auch wir eine produktive Stadt, Professor!«

»Aber Gott, ich meine, irgendetwas muß doch hier in der Luft liegen, das unseren Ehrgeiz bremst, wie sollte man sonst die Fälle des Hannibal, des Celestino V und Renato Carosones erklären?«

»Was sollen denn jetzt Hannibal und Carosone hier?«

»Hannibal durchquerte halb Europa, um Rom zerstören zu können, er kam mit allen seinen Elefanten über die Alpen, gewann die furchtbarsten Schlachten, und dann, als Rom praktisch schon vor ihm lag, beschloß er, in Capua Halt zu machen und sagte, daß er jetzt lieber zuerst einmal ein paar Monate Ferien machen wolle. Celestino V wiederum befand sich gerade in Neapel, als er sich zu der ›großen Ablehnung‹ entschloß, und ich weiß nicht, ob euch klar ist, daß Celestino damit auf den Posten des Papstes verzichtete, also auf die meistbegehrte feste Anstellung auf Lebenszeit, die es zu jener Zeit gab. Und dann Carosone, der auf dem Höhepunkt seiner Popularität beschloß, seine künstlerische Tätigkeit aufzugeben, weil er fand, daß er schon genug Geld verdient hatte.«

»Ich meine eben, der Neapolitaner ist ehrgeizig, aber doch ohne zu übertreiben«, sagt Saverio. »Als wären wir so etwas wie eine Gesellschaft mit beschränktem Ehrgeiz, ich weiß nicht, ob ihr versteht, was ich meine.«

»Saverio meint, daß der Neapolitaner sich seiner Meinung nach so verhält«, erklärt der Professor, »als habe er in seinem Gehirn eine Sicherung eingebaut, also ein Relais, das sofort herausspringt, sobald der Druck durch Überlastung, also durch Sorgen, eine bestimmte Grenze erreicht.«

»Was meinen Sie mit Sicherung?«

»Nicht mehr und nicht weniger, Saverio, als so etwas, wie wir es in einem Heißwasserboiler finden: das Wasser erhitzt sich darin, bis es eine gewisse Temperatur erreicht hat, und dann schaltet ein gewöhnlicher Thermostat den Boiler ab.«

»Verstehe«, sagt Saverio. »Sie meinen, daß der Neapolitaner sich genau wie ein Heißwasserspeicher erhitzt, aber nur bis zu einem bestimmten Punkt, weil dann diese Sicherung, von der Sie geredet haben, rausspringt und er sich sagt: ›Es kann mir doch wirklich alles vollkommen wurscht sein‹?«

»Für mich ist es eher eine Frage der Ordnung und der Unordnung«, sagt Luigino. »Die Ordnung bringt Macht hervor und die Unordnung Liebe. Stellt euch zum Beispiel einmal vor, Hitler wäre in Neapel geboren und hätte von Neapel aus die Welt erobern wollen: erstens einmal hätte er nie so viele Eichmanns gefunden, die bereit gewesen wären, seine Befehle ohne Widerrede auszuführen, und dann, da brauchen wir uns auch nichts vorzumachen, für seine berühmte ›Endlösung‹ hätte er auch eine Organisation gebraucht, die wir Neapolitaner ihm sicher nie geboten hätten.«

»Ja wirklich. Fünf oder sechs Millionen Juden umzubringen muß doch eine ziemlich schwierige Sache gewesen sein.«

»Da wären die unglaublichsten Szenen passiert«, fährt Luigino fort. »Nehmen wir einmal an, Hitler hätte zu einem bestimmten Zeitpunkt den Befehl erteilt, einen Lastwagen mit Juden von einem Lager, das sagen wir in Frattamaggiore gelegen gewesen wäre, zu den Gaskammern nach Agnano zu schaffen. Während der Fahrt hätte der Fahrer, ein neapolitanischer ss-Mann, doch ganz bestimmt angefangen, mit dem Juden zu reden, der am nächsten neben ihm gesessen hätte. Er hätte gesagt: ›Wer hat Sie bloß als Juden auf die Welt kommen lassen? Hören Sie auf mich, treten Sie zum christlichen Glauben über!‹ Und der andere hätte ihm geantwortet: ›Es ist ja nicht meine Schuld, daß ich Jude bin, wir alle sind als Juden geboren.‹ ›Wieso, sind Sie denn Familienvater?‹ ›Ja, gewiß, ich habe drei kleine Kinder.‹ ›Was sagen Sie da? Jesus Christus! Also ich lasse jetzt diesen armen Mann, sobald wir auf die Umgehungsstraße kommen und uns keiner sieht, einfach aussteigen.‹ Ende der neapolitanischen Nazipartei.«

»Luigino hat recht: es ist eine Frage von Ordnung und Unordnung«, sagt Salvatore. »Wenn ich morgens auf die Gasse trete und sehe, daß auf dem Boden noch Papierfetzen und Müllbeutel herumliegen, sage ich mir deshalb auch immer: Ein Glück, Salvatore, auch heute brauchen wir uns keine Sorgen zu machen.«

XXVIII

Der Dieb

»Was ist denn los?«

»Ich weiß nicht, bin gerade erst gekommen.«

»Um was geht es denn?«

»Ich glaube, sie haben einen Dieb gefaßt.«

»Nein, nein, sie wollten ihn fassen, aber er ist entwischt.«

»Jesus Maria, wie soll man noch in Frieden leben bei all diesen Dieben!«

Eine gewaltige Menschenansammlung, hundert oder vielleicht mehr Leute, drängt sich vor einem Spielwarengeschäft auf dem Marktplatz. Ich habe es eilig und möchte schnell nach Hause, aber meine neapolitanische Natur erlaubt es mir nicht, einfach weiterzufahren, ohne mich vorher über die Sache informiert zu haben. Wenigstens wollte ich erfahren, worum es ging.

»Entschuldigen Sie, wissen Sie, was hier los ist?«

»Verehrter Herr, das haben Sie mich doch schon einmal gefragt, Sie sehen doch, daß ich selber gerade dabei bin, das herauszukriegen. Ein bißchen Geduld, in ein paar Sekunden kann ich Ihnen alle Auskünfte geben, die Sie haben wollen!«

Tatsächlich wußten nur diejenigen, die im Mittelpunkt der Versammlung standen, was eigentlich los war. Da der Herr, den ich gefragt hatte, und ich selber noch ganz am Rande des Gedränges waren, hörten wir nur gerüchteweise etwas von den Leuten, die ihrerseits auch nicht von den wirklich Beteiligten etwas erfahren hatten, sondern von einigen ›Vize-Berichterstattern‹, das heißt von Leuten, die behaupteten, die Einzelheiten als erste von den verschiedenen Beteiligten des Dramas erfahren zu haben. Da die

ersten Berichte aber so wenig übereinstimmten (manch einer erzählte das Blaue vom Himmel herunter), fühlten wir uns gedrängt,
den mittleren Gürtel der kleineren Gruppen zu durchstoßen und
bis zum Zentrum des Geschehens vorzudringen, das in unserem
Fall von einem kleinen Mann mit Brille und roten Haaren und
ebenso roter Gesichtsfarbe gebildet wurde. Der Mann schrie
herum und verlangte von jedem, der bereit war, sich seine Aus-
brüche anzuhören, Verständnis. Dabei hielt er die ganze Zeit
einen Fußball unter dem Arm.

»Verstehen Sie denn nicht, wenn der mir nicht entwischt wäre,
hätte ich ihn vielleicht glatt umgebracht! Ja, umgebracht hätte ich
ihn!«

»Was ist denn passiert?« fragte ein Herr, der gerade erst dazu-
gestoßen war.

»Was soll ich Ihnen sagen! Das ist doch nicht mehr Neapel hier,
der wilde Westen ist das! Mit der Pistole im Gürtel wie Gary Coo-
per müßte man hier herumlaufen! Stellen Sie sich doch bloß mal
vor: ich bin nur eine Minute lang weg, um diesen Ball zu kaufen,
den ich meinem Enkel Filuccio unter den Weihnachtsbaum legen
wollte, und habe das Auto wirklich nur einen Augenblick lang
offengelassen...«

»Ist Ihnen denn noch zu helfen? Sie lassen Ihr Auto offen, und
dann beklagen Sie sich, daß es in Neapel Diebe gibt?«

»Aber ich bin doch nur eine einzige Minute in den Laden, und
dann wußte ich ja auch, daß das Auto offen war, deshalb ließ ich
es nie aus den Augen: mit einem Auge sah ich auf die Spielsachen
und mit dem anderen aufs Auto.«

»Gut, aber ein offenes Auto ist immer eine Herausforderung«,
beharrte der Herr.

»In Schweden gibt es nirgends Schlösser«, mischt sich ein anderer Herr ein. »Und doch stiehlt dort kein Mensch etwas. Die Gefängnisse sind leer.«

»Wie gesagt bin ich auf einen Sprung zu Minale, um ein Spiel-
zeug zu kaufen, und da ich wußte, daß das Auto offen war, behielt
ich mit einem Auge das Auto im Blick und suchte mit dem anderen

nach dem Ball für meinen Enkel Filuccio, und dann habe ich sogar an der Kasse diese Dame hier, die vor mir dran war, gebeten, ob sie mich freundlicherweise vorlassen könnte, weil mein Auto offen sei. Das habe ich doch gesagt, oder, Signora?«

»Ja«, sagt die als Zeugin angesprochene Dame. »Genau das hat er gesagt, und ich habe ihn vorgelassen.«

»Aber wie ich gerade beim Zahlen war, also genau, als ich in der einen Hand das Geld und in der anderen den Ball habe, was sehe ich da? Da sehe ich doch, wie sich dieser Schlawiner in mein Auto reinschlängelt. Da gabs für mich kein Halten mehr: ich schiebe die Signora beiseite...«

»Beiseiteschieben ist gut! Auf den Boden haben Sie mich geworfen!« sagt die Dame, die nunmehr die Rolle der ›ersten Augenzeugin‹ übernommen hat. »Wenn da nicht dieser nette junge Mann gewesen wäre...«

»Ich schiebe die Signora beiseite, lasse den Ball fallen und stürze auf mein Auto zu, um diesen liederlichen Verbrecher zu schnappen. Ich packe ihn an einem Fuß, aber der windet sich wie ein Aal und schlägt um sich wie ein Epileptiker, der hat mir vielleicht ein paar Tritte ins Gesicht gegeben, und so stinkig und schmierig wie der war, konnte ich ihn nicht festhalten: er rutschte mir aus den Händen. So wie er zu der einen Tür rein ist, ist er zur anderen wieder raus!«

»Es war wirklich genauso, wie der Herr es erzählt hat«, sagt einer der Anwesenden, »der Dieb war schon in den Gassen verschwunden, als der Herr hier noch längelang auf dem Autositz lag.«

»Aber wenn ich den geschnappt hätte, Madonna, wenn ich den geschnappt hätte! Was ich mit dem gemacht hätte, könnt ihr euch nicht einmal vorstellen. Fünfmal haben sie mir schon das Radio aus dem Auto gestohlen! Fünfmal! Bei der Versicherung wollen sie mit mir schon nichts mehr zu tun haben! Ja, ich darf schon keine Meldung mehr machen. Letztes Mal haben sie es mir klar und deutlich gesagt: ›Herr Doktor‹, haben sie gesagt, ›lassen Sie kein Radio mehr einbauen, denn wenn es Ihnen noch einmal gestohlen wird, zahlen wir nichts mehr.‹ Nicht einmal das kleine Vergnügen, ein bißchen Musik zu hören, wollen sie mir noch gönnen! Ich will auch jetzt wirklich nur noch eines: einen dieser Diebe schnappen und ihn so verprügeln, also ihn so verprügeln, daß ich für nichts mehr garantieren kann.«

»Sie haben ja recht. Wenn der Staat sich nicht entschließt, die Todesstrafe einzuführen, müssen wir selber für Recht und Ordnung sorgen.«

»Du liebe Zeit! Todesstrafe vielleicht gleich für jeden kleinen Dieb!«

»Der Witwe Santojanno haben sie neulich vor der Kirche die Tasche weggerissen«, sagt ein anderer Herr. »Stellen Sie sich das doch einmal vor, sie ist schon siebzig, und die haben sie auf dem Boden herumgezerrt wie einen Putzlappen.«

»Und die Polizei, wo bleibt die? Wenn man sie braucht, ist sie nie da.«

»Ist doch klar! Die können doch nichts anderes als Strafen für Falschparken aufschreiben, und wenn sie einen Dieb sehen, tun sie doch so, als sähen sie ihn nicht.«

»Das stimmt nicht, Signora. Die schnappen sie schon. Nur die Gerichte funktionieren heute in Italien überhaupt nicht. Und kaum sind sie eingelocht, sind sie auch schon wieder draußen.«

»Was ist denn hier passiert?« fragt ein Herr, der gerade erst dazugekommen ist.

»Sie wollten diesem Herrn hier das Auto stehlen.«

»Wem gehört dieses Kind da?«

»Pascalì, Mamas Goldschatz, wo warst du denn?«

»Signora, halten Sie doch bitte Ihr Kind an der Hand und sagen Sie ihm, daß die Spielsachen nicht zum Anfassen sind.«

»Und haben Sie den Dieb geschnappt?«

»Nein, er ist dem Herrn hier entwischt.«

»Was ist denn hier passiert?« fragt ein anderer Herr.

Der Mann mit der Brille, an den diese Frage gestellt worden ist und der noch immer den Ball unterm Arm hält, schweigt ein paar Sekunden, um die entsprechende Spannung zu schaffen, und sagt dann: »Ich bin hier zu Minale, um diesen Ball da für meinen Enkel Filuccio zu kaufen und habe das Auto vor dem Laden offen stehenlassen . . .«

»Du liebe Zeit, hier auf dem Marktplatz lassen Sie Ihr Auto offen?«

»Gott im Himmel, ich bin ja nicht weit weggegangen! Ich behielt es doch dauernd im Auge. Und dann habe ich auch diese Dame hier, die an der Kasse vor mir dran war, gefragt, ob sie mich freundlicherweise vorlassen würde, da ich das Auto offengelassen habe.«

»Richtig, genau das hat er gesagt«, sagt die Frau. »Und genau in dem Augenblick, als er zahlte, hat er den Dieb gesehen.«

»Als ich ihn gesehen habe, bin ich losgestürzt. Ich habe die Signora beiseitegeschoben und . . .«

»Beiseitegeschoben ist gut! Auf den Boden haben Sie mich geworfen! Wenn da nicht dieser nette junge Mann gewesen wäre, der mich stützte . . .«

». . . ich habe die Signora beiseitegeschoben, ich habe den Ball fallen lassen und habe mich auf den Dieb gestürzt, es gelang mir sogar, ihn an einem Fuß zu packen. Aber dieser verdammte Kerl war wie ein Aal: er wand sich mir immer aus den Händen . . .«

Während der Herr seine Geschichte zum x-ten Mal erzählt, entsteht rings um ihn plötzlich vollkommene Stille. Die Menge macht Platz, um einen Jungen von vielleicht vierzehn Jahren, den ›Dieb‹, durchzulassen, der von einem kräftigen Mann von mindestens einsachtzig begleitet wird, dessen Arm auf seiner Schulter liegt.

»Herr Doktor«, sagt der Mann seelenruhig mit der Selbstsicherheit eines anerkannten *guappo,* »der Junge hat bei dem Zwischenfall vorhin ein Goldkettchen in Ihrem Auto verloren, das er um den Hals trug. Das ist ein Andenken an seine selige Mutter. Das Auto ist doch offen, wie?«

»Ja«, antwortet der Herr.

»Ciccì, geh und hol dein Kettchen, der Herr Doktor hier macht dir nichts.«

XXIX

Der Mittelweg

Stasira li cimi di l'arbuli
chi movinu la testa e li vrazza
parlano d'amuri a la terra
e io li sentu.
Sunnu li paroli di sempri
chi vui scurdastivu
cumpagni di viaggiu
nudi e pilusi
in transitu dintra gaggi di ferru.

(Heute abend sprechen die Baumwipfel
/ die den Kopf bewegen und die Arme
/von Liebe zur Erde / und ich höre sie. /
Es sind Worte von je / die ihr vergessen
habt / nackte und haarige / Reisege-
fährten / auf der Durchfahrt in Blech-
käfigen.)

Ignazio Buttita, 1968

»Damit sind die Ferien also auch wieder zu Ende«, sagt der Professor zu mir. »Ich weiß nicht, ob es Ihnen auch so ergeht, aber bevor man Weihnachten so richtig herbeigewünscht hat, ist auch schon das neue Jahr da. Als gäbe es keine Tage mehr wie früher: als sie alle gleich waren, alle vierundzwanzig Stunden dauerten. Es kommt einem so vor, als wäre jeder Tag ein klein wenig kürzer als der vorhergegangene, vielleicht nur um eine Tausendstelsekunde, aber eben doch kürzer. Die Hypothese einer Beschleunigung der Zeit stammt nicht von mir, sondern von einem gewissen De Sitter, einem holländischen Astronomen, der sagte, daß die Tage immer kürzer würden, weil sich das Universum in einer Phase des Schrumpfens und nicht der Ausdehnung befindet. De Sitter hat auch gesagt, daß das Universum, wenn es auf diese Weise seinen Puls beschleunigt und sich zusammenzieht, eines Tages ganz verschwinden wird. Und bei uns hier ist neulich Doktor Vittorio verschwunden, und morgen fahren auch Sie nach Rom zurück, so daß hier in Neapel wie gewöhnlich nur noch Luigino, Saverio, Salvatore und ich zurückbleiben. Übrigens, wenn Sie meinen, daß ich zuviel rede, unterbrechen Sie mich ruhig. Ja, denn das ist mein größter Fehler: ich rede und rede und lasse die andern nie zu Wort kommen. Und das Schönste ist, daß ich dann hinterher manchmal glaube, daß ich mich vielleicht nicht klar ausgedrückt habe, also daß ich bei denjenigen, die mir zugehört haben, nur Verwirrung gestiftet habe, und so rede ich dann immer noch mehr, um alles zusammenzufassen... also, um alles klarzustellen... Wenn ich zum Beispiel an das denke, was ich über die Liebe und die Freiheit gesagt habe oder über die Theorie der Verachtung der Macht... das sind doch alles Themen, bei denen es sehr leicht Mißverständnisse geben kann. Und wenn dann einer, der mir zuhört, mich nicht in seinem traditionellen Schema unterbringt, endet es schlecht für mich; weil ich nämlich dann entweder als nostalgischer Sänger eines Neapels angesehen werde, das es gar nicht gibt, oder wenn, dann höchstens in Karikaturen und auf Postkarten... oder als Spekulant, der sich mit der Macht arrangiert, als sich anbiedernder Spießer. Noch nie ist einer auf den Gedanken gekommen, daß sich dahinter ja auch eine christliche Botschaft verbergen könnte! Dabei ist doch genau das die entscheidende Frage: wenn wir unser Leben wirklich ausleben wollen, müssen wir ja wohl versuchen, unserem Kopf ebenso wie unserem Herzen gerecht zu werden und einen Mittelweg zu finden. Das Rezept dazu wäre sogar ganz einfach: ebensoviel Liebe wie Freiheit. Wie Sie sich gewiß erinnern, hatte ich in meinem Schema als einzige Möglichkeit zum Weg der Mitte vorgeschlagen, dem Antrieb zur Liebe einen ebenso starken Antrieb zur Freiheit entgegenzusetzen. Und manchmal frage ich mich dann: bin ich nun wirklich frei, oder glaube ich nur, frei zu sein? Vielleicht rede, denke und handle ich ja nur gerade so, wie andere wollen, daß ich rede, denke und handle? Die Macht zwingt sich einem im allgemeinen doch immer auf: entweder es geschieht in klar erkennbarer Weise wie im Falle einer Diktatur oder es geschieht auf versteckte Weise, das heißt raffiniert verpackt. Frei zu sein heißt doch, daß man sicher ist, eigenständig zu denken und sich nicht durch Propaganda beeinflussen zu lassen. Und das ist schließlich nicht so einfach! Aber wenn einer nur einmal damit anfinge, dem Massenverhalten zu mißtrauen... wenn einer sich weigerte, bei irgendwelchen Demonstrationen irgendwelche gereimten Slogans im Chor mitzurufen... wenn einer sich nur jedesmal, wenn er gerade etwas kaufen will, aus Gewohnheit fragte: ›Möchte ich denn dieses Ding wirklich haben?‹ oder ›Hat nicht vielleicht die Macht beschlossen, daß ich mir dieses Ding jetzt kaufen muß?‹... dann könnte es ihm vielleicht doch gelingen, den Weg der Freiheit zu finden.

Aber wer oder was ist denn diese Macht? Die einen sagen, das Kapital, die anderen Amerika, und in beiden Fällen sind die Größenverhältnisse ganz falsch gesehen. Der CIA und die Multis sind nur kleine Machtkonzentrationen, aber doch nicht *die* Macht. Die Wahrheit ist, daß wir selber die Macht hervorbringen. Wir selber setzen mit unserem Machtstreben Milliarden und Abermilliarden Machtmoleküle in die Welt, bis ein abstraktes, amoralisches und riesiges Monstrum entsteht, das anfängt, außerhalb von uns zu leben. Wie sollen wir es aufhalten? Wie uns dagegen wehren? Das ist nicht einfach. Weil die Macht uns nämlich schon von klein auf hörig gemacht hat und wir dann, als wir mit unserem Verstand allmählich die Wahrheit erkannten, bereits in einem fahrenden Zug saßen: im Zug unserer Gewohnheiten. Wochenende, Auto, die Dinge, die wir gekauft haben und die wir jetzt vor den Dieben schützen müssen, alle die Sachen also, die wir als zu unserem Lebensstandard gehörig betrachten und die uns daran hindern, von diesem Zug wieder abzuspringen. Außerdem sitzen viele von uns ja auch nicht allein in diesem Zug, sondern sie sitzen mit Frau und Kindern drin ... und wie soll man mit einer ganzen Familie vom fahrenden Zug abspringen? Was soll man denn tun, wenn die Ehefrau unbedingt Sommerferien an der Costa Smeralda verbringen will oder die Tochter sich glühend ein Moped wünscht? Dann kann man sie entweder ihrem Schicksal überlassen und allein vom Zug abspringen oder aber man macht Überstunden, um ihre dringenden Wünsche zu erfüllen. Bevor es so weit kommt, müßte man einen stufenweisen Krieg gegen die Macht beginnen, ›step by step‹, wie Kissinger sagen würde. Ohne viel Aufhebens könnte man damit anfangen, heute auf einen Posten zu verzichten und morgen auf eine Medaille und auf diese Weise Millimeter für Millimeter auf der Achse der Freiheit vorankommen. Wenn die Werbesendung im Fernsehen kommt, braucht man ja einfach nicht hinzusehen. Oder wenn schönes Wetter ist, kann man sehr gut zu Fuß ins Büro gehen und das Auto stehen lassen. Es ist doch so, daß die Macht immer versucht, Einfluß auf die Massen zu nehmen, und daher ist es auch ziemlich einfach zu erkennen, was man meiden muß: man muß die Massen meiden oder besser gesagt die Gewohnheiten der Massen. Das ist nun keineswegs rassistisch, denn einerseits treibt dich dein Freiheitsimpuls von den Massen weg, auf der anderen Seite fühlst du dich durch den Impuls der Liebe zu ihnen hingezogen, allerdings aber nie zu den Massen, sondern zur Gesamtheit von Menschen, ich meine von verschiedenen Menschen. Gewiß, denn die Massen kann man doch, je nachdem, ob man sie aus einer Machtoptik oder von Liebe und Freiheit geleitet betrachtet, als ein einziges Wesen mit Millionen Köpfen oder aber als Millionen von verschiedenen Menschen sehen. Rechts und Links sind nur sehr unvollständige Definitionen: wenn ich mit jemandem zu tun habe, interessiert mich dabei einzig und allein, ob ich einen Herdenmenschen vor mir habe oder einen Individualisten. Das ist das Wichtige! Einige denken zum Beispiel, daß alle

Menschen schlecht sind. Ihr Prophet war Thomas Hobbes, und sie lieben die Diktatur. Andere hingegen möchten die Demokratie, weil sie von dem überzeugt sind, was Rousseau sagt, nämlich, daß alle Menschen bei ihrer Geburt gut sind und erst durch das System schlecht gemacht werden. Nun also, ich glaube, daß die meisten Menschen, sagen wir, ein gutes Herz haben und nur bei einer kleinen Gruppe von Verbrechern der Haß am stärksten ist. Eines Tages werden wir vielleicht alle die Meinung von Lorenz teilen, daß die Gewalttätigkeit von einer Sekretion des Organismus abhängt, und an dem Tage werden wir das Problem dann dadurch lösen, daß wir einfach die Schilder, auf denen STRAFANSTALT steht, vertauschen gegen Schilder, auf denen KRANKENHAUS steht. Das wahre Problem ist heute meiner Meinung nach nicht die Sicherstellung der Übeltäter, gegen die sich die Gesellschaft in jedem Fall klinisch oder gerichtlich absichern muß, sondern die Pflege der Keime guter Anlagen bei den meisten Menschen. Also ich würde damit sagen, daß die Menschen nicht schlecht sind, aber so gut sind sie auch wieder nicht: die Menschen sind klein. Klein, weil mittelmäßig. Klein, weil sie fast immer ohne Glauben sind. Obwohl jeder einzelne in seinem Innern ein starkes Bedürfnis nach dem Mysterium spürt. Noch nie haben Astrologen, Kartenleger und Heilpraktiker so großen Zulauf gehabt wie in unserer Zeit! Wer immer sich heute als Hellseher ausgibt, findet mit größter Leichtigkeit ganze Heerscharen von Anhängern, Männer und vor allem Frauen, Analphabeten wie Akademiker, die begierig darauf sind, etwas über ihre Zukunft zu erfahren. Die Kirche hat dieses riesige Potential an irrationalen Neigungen nicht erkannt oder es besser gesagt nicht für sich zu nutzen verstanden, indem sie Milliarden Kubikmeter an Glauben in ihre ausgetrockneten Ebenen umgelenkt hat. Dabei war es der Kirche in früheren Jahrhunderten immer gelungen, die schwierigsten Situationen so zu bewältigen, daß sie im richtigen Augenblick den richtigen Heiligen hervorholte. Heute dagegen diskutieren die Theologen trotz eines Johannes XXIII. am grünen Tisch immer noch darüber, ob nun Onanie erlaubt sein soll oder nicht, und bemerken gar nicht, daß es vielleicht nur einer einzigen Geste bedürfte, eines einzigen Aktes der Liebe und der Armut, um ein gewaltiges Heer von Verzweifelten in ihr Lager zu ziehen, die nichts anderes suchen als Glauben. Was soll denn um Himmelswillen ein Christ heute mit einem mittelalterlichen Bischof anfangen, der von ihm verlangt, Geschlechtsverkehr nur zur Fortpflanzung zu treiben? Wir müssen uns doch einmal klar machen, daß mit größter Wahrscheinlichkeit, wenn unsere Generation einmal ausgestorben sein wird, die einzigen, die noch über Sex reden, die Priester sein werden! Und wenn wir ernsthaft über Christus sprechen wollen, so müssen wir uns doch daran erinnern, daß es dabei vor allem um Nächstenliebe geht. Pascal sagte, daß einer, der an Gott glauben wolle, nur innig zu wünschen brauche, daß es Gott gibt, und das stimmt. Aber Pascal liebte nur Gott, auf eine mystische, maßlose Weise liebte er nur Gott. Die Menschen liebte Pascal nicht! An Gott zu glauben, also einen Glauben zu haben, kann ein enormer Kraftquell sein, die existentiellen Probleme können aber nur durch Nächstenliebe gelöst werden, und zwar nicht, um damit eine Prämie im Jenseits zu gewinnen, sondern um unserem Leben einen Sinn zu verleihen.

Meine Mutter zum Beispiel bewältigte alle Probleme ihres langen Greisenalters dadurch, daß sie sich auf ihren Glauben und ihre Nächstenliebe stützen konnte. Mit achtzig Jahren hatte sie sich in ihrem Zimmerchen einen winzigen Altar gebaut, praktisch nur eine Marmorkonsole und ein Betpult. An der Wand hatte sie alle Bildchen ihrer Lieblingsheiligen, das Herz Jesu und Fotos von jenen befestigt, die sie ›meine Toten‹ nannte. Meine Mutter betete jeden Tag Hunderte von Requiems für die Seelen der Toten. Von jedem Toten hatte sie ein Foto, und jeder bekam seine Ration Gebete. Am Ende hatte sie dann eine wirklich große Zahl von Toten in ihrer Samm-

lung, weil sie sich nicht mehr darauf beschränkte, nur für die
Toten aus ihrem Familienkreis zu beten, sondern auch alle
jene in die Schar der von ihr Betreuten aufnahm, von deren
Tod sie erfuhr und die ihr aus irgendeinem Grund lieb waren.
Ich erinnere mich, daß sie sogar die Fotos von Mario Riva und
Marilyn Monroe hatte. ›Die Ärmste‹, sagte sie, ›was für ein
schreckliches Ende.‹ Und morgens ging sie, außer in ihren
letzten Lebensjahren, immer in die Kirche zur Kommunion,
und wenn ich manchmal auf den Balkon trat, sah ich, wie sie
immer kleiner wurde, je weiter sie sich auf der Straße ent-
fernte. Das Merkwürdige war, daß meine Mutter tatsächlich
immer kleiner wurde, ihre Körpergröße nahm ab, als sei sie
durch das viele Beten tatsächlich immer mehr selber ein Teil
ihres winzigen Paradieses aus Heiligenfigürchen und unbekannten Toten geworden. Manchmal denke ich, daß meine
Mutter nicht wie andere Sterbliche gestorben ist, sondern daß
sie einfach immer kleiner wurde, bis sie schließlich ver-
schwand.

Ich spreche von Liebe, von Gott, vom Mitmenschen, und
dann merke ich, daß ich ein Mensch der Freiheit bin. Und das
ist das Unvereinbare bei mir! Sagen wir, daß ich gerne lieben
würde. Meine Frau und meine Tochter verstehen mich nicht:
die sehen mich an, als wäre ich ein Marsmensch, ein exoti-
sches Tier in einem Zoo. Wahrscheinlich denken sie, daß ich
durch das Alter vollkommen vertrottelt bin, und sie ertragen
mich, wie man einen Kranken in der Familie erträgt. Sie scheinen ihre ganze Selbstsicherheit im Leben darauf zu gründen,
daß sie für alles feste Regeln haben: dies tut man, so etwas tut
man nicht, und jenes muß man unbedingt tun, ›sonst macht es
einen schlechten Eindruck‹. Ja, genau dieses ist der furchtbare
Satz, der bei fast allen Handlungen unseres Lebens bestimmend ist: ›sonst macht es einen schlechten Eindruck!‹ Das
Problem der freien Entscheidung stellt sich gar nicht erst,
wenn alles an diesem ›sonst macht es einen schlechten Eindruck‹ gemessen wird. Die obligatorischen Geschenke, das

Trauertragen, die Frau muß heiraten, die Krawatte, die Glückwünsche, die Beileidsbezeigungen, mit besten Empfehlungen, Hähnchen stets mit Messer und Gabel, Fisch nie, die Ehefrau muß schwanger werden... ›sonst macht es einen schlechten Eindruck‹. Und meine Frau meint ja auch, ich dürfte Saverio und Salvatore nicht zu mir nach Hause einladen und Luigino auch nur selten, ›sonst macht es einen schlechten Eindruck‹. Sie und Doktor Palluotto darf ich, denn Sie sind Akademiker. Meine Frau hat *Der Leopard, Der Pate* und *Der weiße Hai* gelesen, verwechselt Chopin mit Schopenhauer, geht zur Gymnastik, um abzunehmen, und ins Filmforum, um Geld zu sparen. Wenn sie eine Sternschnuppe sieht, ist der erste Wunsch, der ihr einfällt, der, daß sie Bridge lernen will, weil alle wissen, daß das so ein Spiel ist, das feine Leute spielen. Meine Tochter dagegen behauptet von sich selber, sie sei agnostisch, feministisch und rational, aber sobald sie einen jungen Mann kennenlernt, der ihr gefällt, fragt sie ihn als erstes, unter welchem Tierkreiszeichen er geboren ist, und wenn der dann antwortet: ›Löwe‹, dann hört man sie sagen: ›Löwe? Das habe ich mir gleich gedacht!‹ Ich hatte meiner Tochter einen wunderschönen Namen gegeben: Aspasia, nach der Hetäre des Perikles, einer der schönsten und intelligentesten Frauen der Geschichte, aber ihr hat der Name nicht gefallen. ›Armes Mädchen‹, hat die Mutter gesagt. ›Was hat sie dir nur Böses angetan?‹ Und jetzt heißt sie Patrizia, genau wie ein paar hunderttausend Mädchen ihres Alters. Gestern hat sich Patrizia eine Leinentasche von Fendi gekauft: ›Siehst du alle diese *F*, Papa? Die Tasche ist überall signiert, deshalb kostet sie mehr.‹ All dies sind Phasen einer Kette von Ereignissen, die mit logischer Konsequenz zu einer Vereinheitlichung des Universums führen.

Aber nehmen wir doch einmal an, Jesus wollte wieder auf die Erde kommen. Was würde er dann Ihrer Meinung nach tun, um das Herz der Menschen zu erreichen? Was müßten die Apostel tun, um das Wort Gottes zu verbreiten? Sollen sie

sich vielleicht an den Verkehrsampeln aufstellen und wie die
Zeugen Jehovas Flugblätter verteilen? Nein, gewiß nicht,
Jesus hätte heute in dieser übervölkerten Welt, die sich unab-
lässig in Bewegung befindet, nur eine einzige Hoffnung, angehört zu werden, und zwar müßte er an irgendeinem beliebi-
gen Abend zwischen 20.30 und 21 Uhr im Fernsehen auftre-
ten. Da müßte er noch nicht einmal große Wunder wirken;
irgendein ausreichend starker Piratensender und ein paar er-
fahrene Techniker würden auch ausreichen. Schon weil bei
der technologischen Perfektion der Fernsehmittel heute kein
Mensch mehr ein Wunder von einem Fernsehtrick unterscheiden könnte. Und was müßte Jesus dann bei dieser Gelegenheit sagen? Er würde zuerst einmal reden wie in den Evan-
gelien und sagen: ›Ich bin das Licht der Welt... Wahrlich ich
sage euch...‹ dann würde er einhalten und alle Fernsehzu-
schauer in ihren Sesseln voller Schmerz ansehen und schließlich murmeln: ›Selig sind die glauben ohne zu sehen‹... Die
Leute würden das dann für Reklame halten oder vielleicht für
so ein Ding von Luca Ronconi[1].«

---

1 Regisseur, der mit seinen avantgardistischen Inszenierungen wenig Anklang
beim großen Publikum fand.

Luciano De Crescenzo
im Diogenes Verlag

Geschichte der griechischen Philosophie
Die Vorsokratiker. Aus dem Italienischen von
Linde Birk. Leinen

Also sprach Bellavista
Neapel, Liebe und Freiheit. Deutsch von
Linde Birk. Leinen

oi dialogoi
Von der Kunst miteinander zu reden
Deutsch von Jürgen Bauer
Leinen

Theorie · Philosophie · Historie · Theologie
Politik · Polemik
im Diogenes Verlag

● **Das Günther Anders Lesebuch**
Herausgegeben von Bernhard Lassahn
detebe 21232

● **Alfred Andersch**
Öffentlicher Brief an einen sowjetischen Schriftsteller, das Überholte betreffend
Reportagen und Aufsätze. detebe 20398

Einige Zeichnungen
Graphische Thesen am Beispiel einer Künstlerin. Mit Zeichnungen von Gisela Andersch.
detebe 20399

Die Blindheit des Kunstwerks
Literarische Essays und Aufsätze
detebe 20593

Ein neuer Scheiterhaufen für alte Ketzer
Kritiken und Rezensionen. detebe 20594

● **Angelus Silesius**
Der cherubinische Wandersmann
Ausgewählt und eingeleitet von Erich Brock.
detebe 20644

● **Heinrich Böll**
Denken mit Heinrich Böll
Herausgegeben von Daniel Keel
Diogenes Evergreens

● **Anton Čechov**
Die Insel Sachalin
Ein politischer Reisebericht. Aus dem Russischen von Gerhard Dick. detebe 20270

Denken mit Čechov
Ein Almanach auf alle Tage, zusammengestellt von Peter Urban. Diogenes Evergreens

● **Ida Cermak**
Ich klage nicht
Begegnung mit der Krankheit in Selbstzeugnissen schöpferischer Menschen
detebe 21093

● **Raymond Chandler**
Die simple Kunst des Mordes
Briefe, Essays, Fragmente. Aus dem Amerikanischen von Hans Wollschläger
detebe 20209

● **Manfred von Conta**
Reportagen aus Lateinamerika
Broschur

● **Luciano De Crescenzo**
Geschichte der griechischen Philosophie
Die Vorsokratiker. Deutsch von Linde Birk
Leinen

● **Friedrich Dürrenmatt**
Theater
Essays, Gedichte und Reden. detebe 20855

Kritik
Kritiken und Zeichnungen. detebe 20856

Literatur und Kunst
Essays, Gedichte und Reden. detebe 20857

Philosophie und Naturwissenschaft
Essays, Gedichte und Reden. detebe 20858

Politik
Essays, Gedichte und Reden. detebe 20859

Zusammenhänge/Nachgedanken
Essay über Israel. detebe 20860

Der Winterkrieg in Tibet
Stoffe I. detebe 21155

Mondfinsternis/Der Rebell
Stoffe II/III. detebe 21156

Die Welt als Labyrinth
Ein Gespräch mit Franz Kreuzer. Broschur

Denken mit Dürrenmatt
Kernsätze für Zeitgenossen, aus seinem Werk gezogen von Daniel Keel
Diogenes Evergreens